まえがき

税法学習は、税理士への真の第一歩！

本書を手にしたみなさんの多くは、税理士試験の会計科目（簿記論、財務諸表論）の受験をされた方や無事合格された方だと思います。よくぞ、ここまで来られました！

そして、いよいよ税法科目の学習をはじめようとされる方にあらためて伝えておきたいことがあります。それは、税理士とは「税法のプロフェッショナルであり、法律家である」ということです。

ですから、税法の学習は税理士への真の第一歩を踏み出したことになります。

ここからまた気を引き締めていけば、税理士試験の合格も間近です。

さて、ネットスクールでは税理士試験を目指す方への資格支援の学校として、画期的なことを行いました。それは、本来、高額な受講料を払ってのみ手にすることのできる講座使用教材を書店やネットショップで市販することでした。

これにより、独学者にも平等に合格を目指す機会を提供することができましたし、また、独学者が同じ教材を使用して講座学習に切り替えられるという利便性を高めることができました。

一方で、講座使用教材を誰もが購入できるということは、講座の付加価値の希薄化を招き、さらには講座のノウハウの流出というリスクも抱えてしまうことになりかねません。

しかしそれでも、人生を賭けてチャレンジする受験生にとってよりよい教材は生命線であり、その気持ちを想像したときに、講座使用教材を市販することについて一縷の迷いも生じることはありませんでした。さらに言えば、講座のノウハウとして主要な要素である講師からの説明を側注として書き添えることで、独学でもより理解の深まる教科書に仕上げることに注力いたしました。

合格するための状況は我々が整えます。

みなさんは、この本で勇気を持って始め、本気で学んでください。

そうすれば、みなさん自身ばかりではなく、みなさんの周りの人たちをも幸せにできる、そんな人生が開けてきます。

さあ、この一歩、いま踏み出しましょう！

税理士WEB講座
講師一同

目次

Contents

税理士試験　教科書・問題集
相続税法Ⅰ　基礎導入編

合格に必要な知識を効果的に習得するために

本書の構成・特長

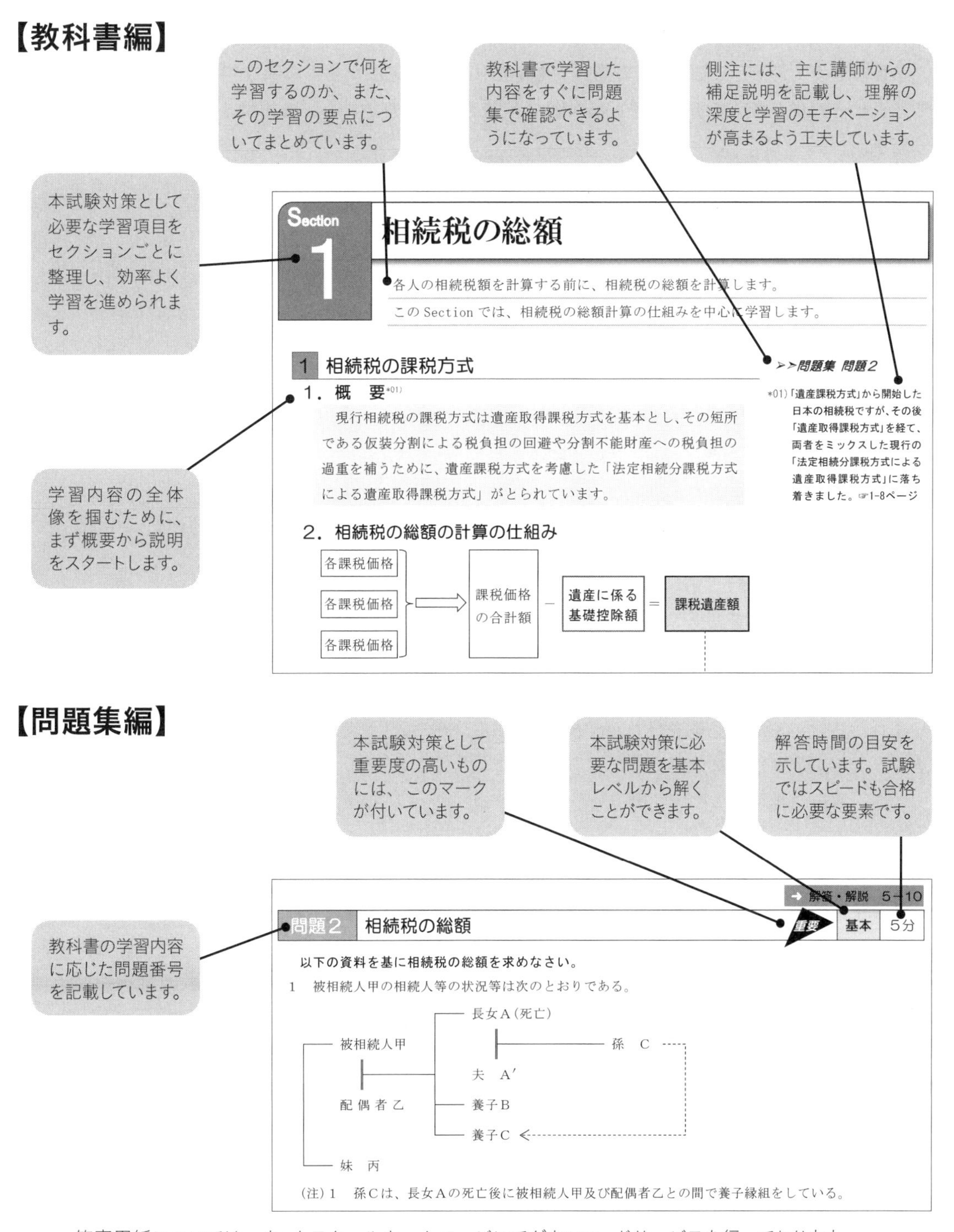

答案用紙については、ネットスクールホームページにてダウンロードサービスを行っております。

学習をはじめる前に

著者からのメッセージ

本書の著者であり、WEB 講座の講師でもある山本和史先生から、本書を学習する前の心構えとしてメッセージがございます。本書を最大限に有効活用するためにも、まずはこのメッセージをお読みください。

プロフィール

講師　山本和史（やまもとかずふみ）

講師歴 38 年。わかりやすい講義をモットーとし、長年の講師歴の中で培った受験生の陥りやすい誤りを未然に防ぐ授業を展開し受験生を合格へと導く。

◆相続税の世界へようこそ

日本が相続税を課すようになったのは、いつ頃からなのでしょうか。

それは遡ること 1905 年（明治 38 年)、日露戦争の戦費調達のためと言われています。

さて、現在日本では、老老介護さらには老老相続という問題を抱えています。

これから皆さんが相続税法を学ぶことによって、今後も増え続ける相続を円滑に、かつ、円満に解決できる将来が実現されていくのだと思います。

さあ、一緒に相続税法の扉を開きましょう！

◆合格への土台作りはここから

教科書と問題集は「基礎導入編」「基礎完成編」「応用編」の３部構成となっています。

基礎導入編では、納付すべき相続税額の計算体系について学習します。つまり、税金計算の基本とも言うべき土台作りをしていく作業です。この土台作りをしっかりと行わないと、試験の合格に必要な知識や他の計算項目を積み上げることはできません。基礎導入編だからといって、気を緩めることは一切できませんので、最初から真剣に、そして楽しく相続税法の学習に取り組んで行きましょう！

"講師がちゃんと教える"　だから学びやすい！分かりやすい！

ネットスクールの税理士WEB講座

【開講科目】簿記論、財務諸表論、法人税法、消費税法、相続税法、国税徴収法

ネットスクールの税理士 WEB 講座の特長

◆自宅で学べる！　オンライン受講システム

臨場感のある講義をご自宅で受講できます。しかも、生配信の際には､チャットやアンケート機能を使った講師とのコミュニケーションをとりながらの授業となります。もちろん、講義は受講期間内であればお好きな時に何度でも講義を見直すことも可能です。

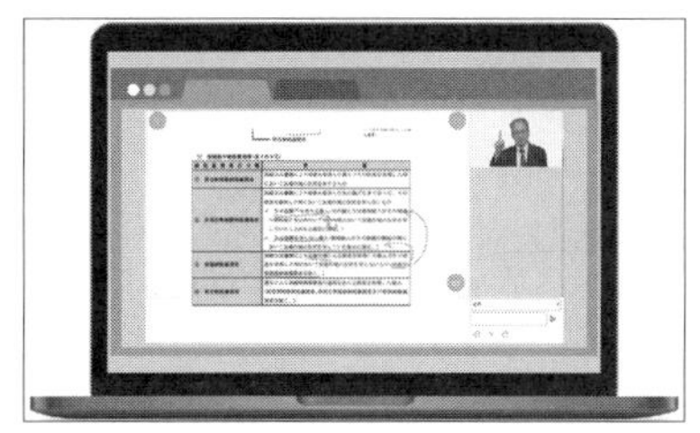

▲講義画面イメージ▲

★講義はダウンロード可能です★

オンデマンド配信されている講義は、お使いのスマートフォン・タブレット端末にダウンロードして受講することができます。事前に Wi-Fi 環境のある場所でダウンロードしておけば、通信料や通信速度を気にせず、外出先のスキマ時間の学習も可能です。

※講義をダウンロードできるのはスマートフォン・タブレット端末のみです。

※一度ダウンロードした講義の保存期間は1か月間ですが、受講期間内であれば、再度ダウンロードして頂くことは可能です。

ネットスクール税理士 WEB 講座の満足度

◆受講生からも高い評価をいただいております

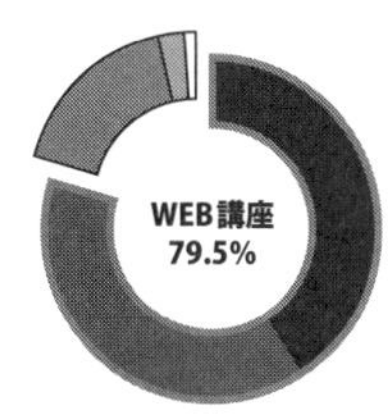

- ▶Zoom 面談は、孤独な自宅学習の励みになりましたし、試験直前にお電話をいただいたときは本当に感動しました。（消費／上級コース）
- ▶合格できた要因は、質問を 24 時間受け付けている「学び舎」を積極的に利用したことだと思います。（簿財／上級コース）
- ▶質問事項や添削のレスポンスも早く対応して下さり､大変感謝しております。（相続／上級コース）
- ▶講義が 1 コマ 30 分程度と短かったので、空き時間等を利用して自分のペースで効率よく学習を進めることができました。（国徴／標準コース）

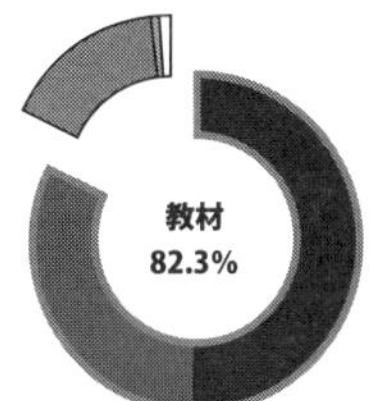

- ▶理論教材のミニテストと「つながる会計理論」のおかげで、今まで理解が難しかった論点が頭の中でつながった瞬間は感動しました。（財表／標準コース）
- ▶テキストが読みやすく、側注による補足説明があって理解しやすかったです。（全科目共通）

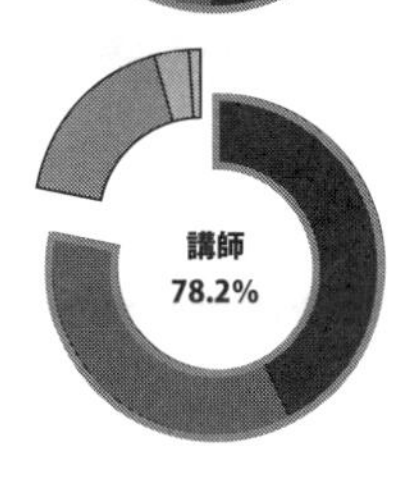

- ▶財務諸表論の穂坂先生の理論講義がとてもわかり易く良かったです。（簿財／上級コース）
- ▶先生方の学習面はもちろん精神的にもきめ細かいサポートのおかげで試験を乗り越えることができました。（法人／上級コース）
- ▶堀川先生の授業はとても面白いです。印象に残るお話をからめて授業を進めて下さるので、記憶に残りやすいです。（国徴／標準コース）
- ▶田中先生の熱意に引っ張られて、ここまで努力できました。（法人／標準コース）

※ 2019 ～ 2023 年度試験向け税理士 WEB 講座受講生アンケート結果より

各項目について５段階評価

不満⬅ 1 2 3 4 5 ➡満足

ネットスクールの書籍シリーズのご案内

税理士試験合格に向けた学習

教科書・問題集　I 基礎導入編

基礎導入編は“教科書（テキスト）”と“問題集”の内容を1冊にまとめた構成となっており、『教科書編』ではインプットを、『問題集編』ではアウトプットを繰り返すことにより、効率的に学習を進めることができます。何事も最初が肝心となりますので、まずは本書で相続税法学習の土台を作りあげていきましょう。

教科書／問題集　II 基礎完成編

基礎導入編での学習が終わったら、基礎完成編に移ります。基礎導入編と同様に、税理士試験で頻繁に出題される重要論点の基礎的事項を学習していきます。

基礎完成編も基礎導入編と同様に、教科書でインプットしたことを必ず問題集(教科書と別売りとなります)を使ってアウトプットし、学習した知識を定着させましょう。

理論集

理論学習に特化したテキストで、効果的で無駄のない理論学習を行えます。

また、重要理論については音声＆デジタル版のWダウンロードサービスを付帯し、移動中や外出先でも理論学習を行えるようにしております（別途有料サービス）ので、あわせてご利用ください。

教科書／問題集　III 応用編

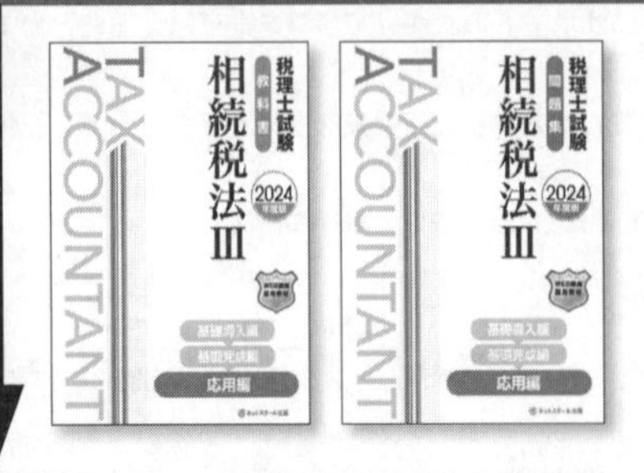

基礎完成編での学習が終わったら、応用編の学習に移ります。試験対策として重要となる応用的な内容及び特殊論点を学習していくことになりますが、基礎導入編及び基礎完成編で学習した内容を基に学習を進めていただければ、無理なく学習を進めることができますので、復習する際は、基礎導入編及び基礎完成編も併せて復習するようにしましょう。

全経　税法能力検定試験　公式テキスト（３級／２級・１級）

公益社団法人　全国経理教育協会（全経協会）では、経理担当者として身に付けておきたい法人税法・消費税法・相続税法・所得税法の実務能力を測る検定試験が実施されています。試験を受けることで、実務のスキルアップを図れるだけでなく、税理士試験の基礎学力の確認としても有効に活用することができます。税理士試験の学習と並行して、全経　税法能力検定試験の学習を進めることをお勧めします。

※検定試験の詳細は、全経協会公式ホームページをご確認ください。

https://www.zenkei.or.jp/

ラストスパート模試

教科書（テキスト）での学習が一通り終わったら、本試験形式で構成された模擬試験問題を解きましょう。本シリーズでは、ネットスクールの税理士講師の先生が作成した模擬問題を３回分収載しています。

試験問題を本体から取り外し、YouTube で配信している「試験タイマー」を流しながら解くことで、試験本番の臨場感の中で解くことができます。学習してきた力を試験本番で十分に発揮できるよう訓練をしましょう。

試験合格！

ネットスクール公式 YouTube チャンネル

試験勉強や合格後の実務に役立つ動画も随時配信中！

☑ 出題予想や本試験の講評・解説

☑ 最新の実務の動向を解説する「ネットスクール学びちゃんねる」

☑ 試験会場の雰囲気を味わえる試験タイマーなど

アカウントをお持ちの方はぜひチャンネル登録のうえ、ご覧ください。

※掲載している書影は、すべて 2024 年８月現在の最新版、教科書／問題集シリーズは 2024 年度版のものとなります。
※書籍のお求めは全国の書店・インターネット書店、またはネットスクール WEB-SHOP をご利用ください。

多数の“合格者の声”が信頼と実績の証です！

ネットスクールWEB講座 合格者の声

ネットスクールで見事！合格を勝ち取った受講生様からのお言葉を紹介いたします。

イトウ　ハルカ様（20代女性／学生）　第72回試験／消費税法合格

私は他の予備校と併用する形で受講させていただいたのですが、画面を通しての講義でも質問などに親身に対応してくれてとても勉強しやすかったです。また、常に前向きな言葉をかけてくださる所にもとても勇気をもらいました。

勉強方法については、学生で本業の学業も手を抜くことができないため、試験勉強は、毎日何時から何をするかの計画を立てて勉強しました。また、直前期は毎日総合問題を解き、問題解答のフォームやルーティーンを定着させるようにしました。直前期は複数の予備校の直前対策問題を解くようにしましたが、ネットスクールの教材は、特に予想問題が主要論点を抑えつつ初見の問題もあったため何度も活用させていただきました。

YouTubeの解答速報を拝見し、丁寧な解説と勇気をもらえるような言葉を伝えてくれるネットスクールに興味を持ち、複数の科目を受講しましたが、丁寧な解説、教材、出題予想で本当に助かりました。受講してよかったです。

Y・K様（30代男性／一般会社勤務）　第72回試験／相続税法合格

相続税法の受験は3回目となりますが過去2回不合格となった際には、計算・理論共に基本論点で解答できておりませんでした。そのため、基本論点を見直し、ネットスクールの参考書や問題集を何度も回転させて記憶の定着を図りました。

また、単なる暗記ではなく理解力も伸ばさなければ本番の試験には対応できないので、制度の概要やなぜその制度が創設されたのかといった背景を理解することも重視しておりました。ネットスクールでは講義が分かりやすく、何度も気になったところは再生できるので納得いかないところは何度も視聴して理解することを心がけておりました。

最後になりますが、試験直前になるとSNS等で他校の生徒が高得点を取った情報や理論予想などの投稿を目にすることがありますが、そのような情報に惑わされずにまずはネットスクールのカリキュラムをしっかりと消化してその中での問題は確実に解けるようにすることが非常に重要だと思いました。実際に相続税法の理論では、ネットスクールで出題されたところを完璧に理解しておりましたので、他校の理論の出題ランクは低い論点でしたがしっかりと点数を取ることが出来ました。

これからは法人税法・消費税法の合格を目指して引き続きネットスクールにお世話になろうと考えております。引き続きどうぞよろしくお願いいたします。

官報合格者も続々輩出！

M・S様（50代男性／一般会社勤務）第71回試験／国税徴収法・官報合格

以前は独学で市販の理論集や問題集を購入して勉強していましたが、配当額の計算でどうしてこのような計算結果となるのか、いまひとつ理解できないところもあり、本試験でも配当額を間違えて計算してしまったことから、その年度は残念ながら不合格となりました。

その後、国税徴収法のテキストを探していたところ、ネットスクールの通信講座を知り、もう一度勉強しなおそうと思い立ち、受講を決めました。

実際に講義を受けてみると、これまで理解が不完全だった「なぜこうなるのか」がすっきりと理解でき、まさに目からウロコが落ちる、という体験でした。

理論は、試験に直結する重要度が高いものに加え、「これは覚えておくべき」と自分が判断したものを全部暗記し、2～3日間で一回転するやり方で精度の向上に努めました。ただ単に暗記するだけではなく、横のつながりを意識することが大切だと思いましたので、どことつながっているのかもいっしょに覚えるようにしました。

答練は、通信講座のなかの問題と過去問で練習を繰り返しました。「ラストスパート模試」は過去8年分と模擬試験4回分が収録されていましたので、これだけでも練習量としては充分だったと思います。答案の書き方自体もあまりよく知らず、以前は隙間なくビッシリと書いていましたので、適度にスペースを空ける書き方を教えてもらったことも受講してよかった、と思いました。

おかげさまで国税徴収法に合格することができました。ありがとうございました。

S・K様（40代男性） 第72回試験／法人税法・官報合格

この度、ようやく官報合格となりました。これまでにお世話になった先生方、本当に本当にありがとうございました。私は他校の受講経験がなく比較することはできませんが、一番ありがたかったのは「学び舎」です。理解力不足や勘違いで何度もくだらない質問をしましたが、すぐに丁寧に詳しく解説を頂けたことが合格に結び付いたと確信しています。

受験勉強で私が一番苦労したのは、何と言っても勉強時間の確保です。仕事との両立はやはり厳しく、平日夜はほぼ時間がとれないため、毎朝3時に起床し朝に勉強するというスタイルで、1日約3～4時間は勉強に充てていました。主な1日のスケジュールは、朝は計算メインの勉強、通勤時間は車の中で、自分が吹き込んだオリジナル理論音声を聞きながらブツブツ念仏を唱え、昼休みは理論集の暗記、ベッドに入って寝るまでの時間も理論集の暗記といった内容でした。

私の理論暗記法は、短期間で繰り返し理論集を何回転もさせるやり方です。最初は重要語句を暗記ペンでマーカーし、覚えたら次の理論という感じでどんどん進めていき、少しずつ暗記ペンでマーカーした部分を増やしていきます。30～40回転目になると、ほとんどマーカーした状態になり、その頃からは、理論集を見ずに暗唱し、つまれば理論集を見て確認するというやり方に徐々にシフトしていきます。この方法は職場の先輩から教えてもらったもので、前回受験した国税徴収法と今回受験した法人税法はこの方法でほぼ全部暗記しました。直前期は数日で1回転できるようになり、最終的には60回転くらいさせたと思います。理論暗記に悩んでいる人にはお勧めです。

税理士試験はかなり長い年数を勉強に費やすことになり、それに比例して犠牲にしなければならないことも多いと思います。私も何度も諦めそうになりました。しかし、なんとか踏みとどまり、ネットスクールを信じて諦めずに継続したことで、5科目合格することができました。

税理士試験とは
試験概要

【試験科目】

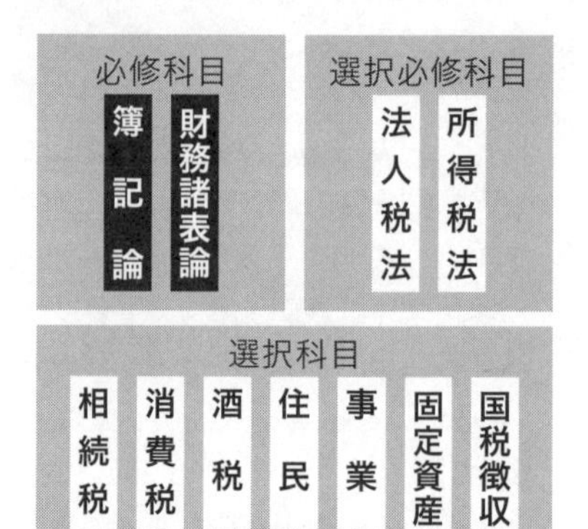

税理士試験は、会計科目２科目・税法科目９科目の全11科目あります。このうち、会計科目２科目と税法科目３科目(選択必須科目１科目以上を含む)の合計５科目に合格する必要があります。１度の受験で５科目全てに合格する必要はなく、１科目ずつ受験することもできます。なお、１度合格した科目は生涯有効となります。

【試験日】

通常、8月第１又は第２週の火曜日～木曜日に実施されます。

【合格点・合格発表】

合格基準点は各科目とも満点の60パーセントです。合格発表は12月中旬になります。

その他、税理士試験の詳細については、国税庁ホームページをご覧下さい。

https://www.nta.go.jp/index.htm
国税庁ホームページ　税の情報・手続・用紙　税理士に関する情報　税理士試験

本書シリーズ
法令等の改正情報の公開について

本書税理士シリーズについて、法令等の改正や会計基準等の変更があった場合には、改正・変更に関する情報を公開いたします。

https://www.net-school.co.jp/
読者の方へ　>　税理士試験 / 科目　>　改正情報

凡例(略式名称……正式名称)

法……相続税法　　令……相続税法施行令　　規……相続税法施行規則
法附則……相続税法附則
措法……租税特別措置法　　措令……租税特別措置法施行令
基通……相続税法基本通達　　個通……相続税法個別通達
評通……財産評価基本通達
措通……租税特別措置法関係通達

引用例

法19の2①一イ……相続税法第19条の2第1項第一号イ

(注)　本書は、令和6年(2024年)4月1日現在施行されている法令等に基づき作成しています。

教科書編

Chapter 1

相続税法の概要

Section 1 相続税法入門

納税の義務は憲法により、税金の課税は税法により定められています。
このSectionでは、相続税法に関する基本的な知識について学習します。

1 納税の義務

わが国では、日本国憲法によって国民の「納税の義務」が定められています。しかし、「税金」*01)は国や地方公共団体が具体的な見返りを伴わず、国民に負担を求めるものであり、具体的なルールなしに課税することは認められません。したがって、「税金」を課税する場合には、必ず法律の規定によることを必要とします。

*01) 国や地方公共団体は国民の生活に不可欠な公共サービスを提供しています。公共サービスを提供するためには、当然多くの費用が必要となりますが、その費用を国民で出し合って負担しているものが「税金」です。

<日本国憲法（一部抜粋）>

> **第30条（納税の義務）**
> 　国民は、法律の定めるところにより、納税の義務を負う。
> **第84条（課税の要件）**
> 　あらたに租税を課し、又は現行の租税を変更するには、法律又は法律の定める条件によることを必要とする。

国民は日本国憲法第30条により正当な納税義務を負うと同時に、同法第84条により法律によらなければ不当な徴収はされないという保障を与えられています。このような考え方を「**租税法律主義**（そぜいほうりつしゅぎ）」といいます。

<法令等の体系>

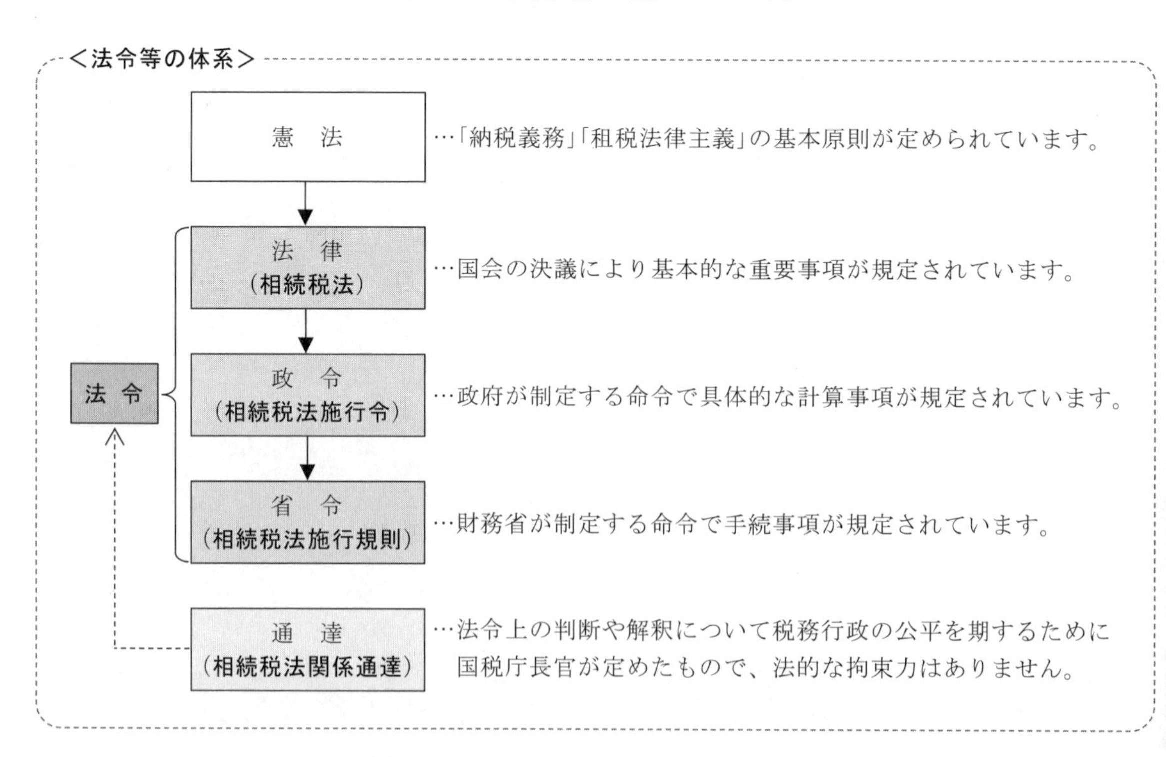

2 税金の分類

税金は様々な観点から分類されます。

1．国税と地方税

課税するのが「国」か「地方公共団体」であるかによって、国税と地方税に分類されます。相続税は「国税」に分類されます。

区　分	内　容	税　目
国　税	国が個人や企業に課する税金	所得税、法人税、**相続税**、消費税、酒税等*01)
地方税	地方公共団体が個人や企業に課する税金	固定資産税、事業税、住民税等

*01) 国税は原則として税目ごとに税法が設けられており、これを「一税法一税目」といいます。

2．直接税と間接税

税金を納める義務がある者と税金を負担する者が同一である税金を直接税といい、別々である税金を間接税といいます。

相続税は「直接税」に分類されます。

区　分	内　容	税　目
直接税	納税義務者 ＝ 担税者	所得税、法人税、**相続税**等
間接税	納税義務者 ≠ 担税者	消費税、酒税等

3．本税と附帯税

税金は、法律の規定によって、一定の条件のもとに課税されますが、通常の税金を「本税」といいます。

また、本税を課税する上で、適正を欠く場合（税金を遅れて納めた場合など）に、本税に附帯して課税される税金を「附帯税（ふたいぜい）」といい、次のようなものがあります。

附帯税	内　容
延滞税（えんたいぜい）	税金を滞納したときに課されます。
過少申告加算税（かしょうしんこくかさんぜい）	申告書の税金が過少であるときに課されます。
無申告加算税（むしんこくかさんぜい）	申告をしなかったときに課されます。
重加算税（じゅうかさんぜい）	悪質な脱税があったときに課されます。

3 申告納税方式と賦課課税方式

納付する税額を確定する手続きには、次の二つの方式がありますが、相続税は「申告納税方式」に分類されます。

区　分	内　容
申告納税方式（しんこくのうぜい）*01)	納税義務者が各税法に従って税額を計算し、申告することで納税額を確定する方式です。
賦課課税方式（ふかかぜい）*02)	国又は地方公共団体等が納税額を確定する方式です。

*01) 納税義務者は申告書に記載した税額を納めます。

*02) 国等から「賦課決定通知書」が送付され、そこに記載された税額を納めます。

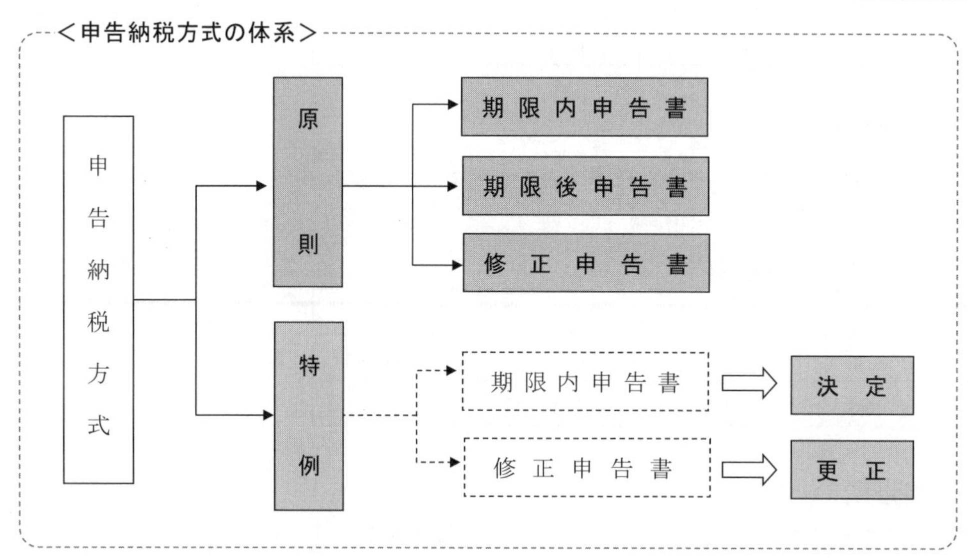

(1) **期限内申告書**（きげんないしんこくしょ）（国通17、法１の２二）

法定申告期限までに税務署長に提出しなければならない納税申告書のことをいいます。

(2) **期限後申告書**（きげんごしんこくしょ）（国通18、法１の２三）

期限内申告書を提出すべきであった者は、その提出期限後においても、決定があるまでは、期限後申告書を提出することができます。

(3) **修正申告書**（しゅうせいしんこくしょ）（国通19、法１の２四）

納税申告書を提出した者は、原則として先の納税申告書の提出により納付した税額に不足額があるときは、更正があるまでは、修正申告書を提出することができます。

(4) **更　正**（こうせい）（国通24、26、法１の２五）

税務署長は納税申告書の提出があった場合において、納税申告書に記載された税額等が過大又は過小であることを知ったときは、その税額等を更正します。

(5) **決　定**（けってい）（国通25、法１の２六）

税務署長は納税申告書を提出する義務があると認められる者が納税申告書を提出しなかった場合には、税額等を決定します。

4 相続税法の特徴

相続税法には「相続税」の他、「贈与税」も規定されています。これは相続税法だけの特徴であり、一つの税法の中に二つの税金(税目)が規定されていることから「一税法二税目(いちぜいほうにぜいもく)」*01)と呼びます。

*01)「所得税法」には所得税が、「法人税法」には法人税が各々規定されていますが、「相続税法」には相続税と贈与税の二税目が規定されています。

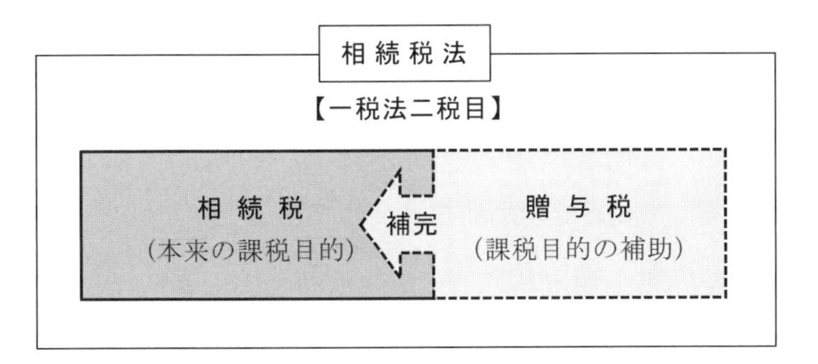

【具体例】

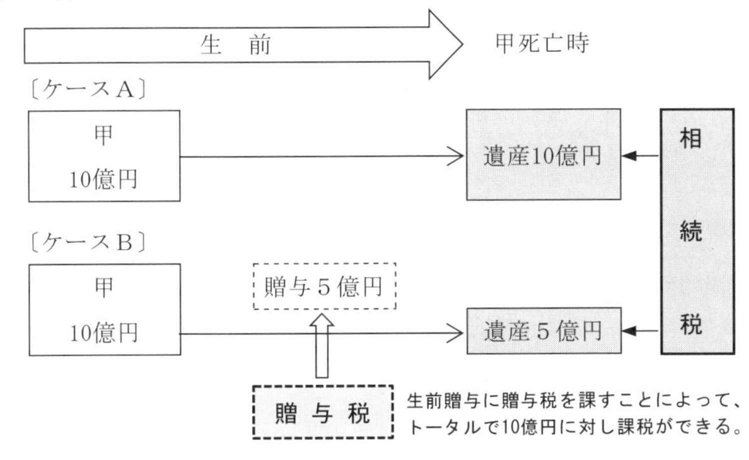

【解　説】

甲の生前のある時点における財産の額が10億円であったとしても、甲死亡時の遺産額は、生前に贈与をした場合とそうでない場合とでは大きな差となります。上記の具体例において、相続税が課税される遺産額は、ケースAでは10億円、ケースBでは5億円となります。

このような相続税の負担における不公平を解消するため、ケースBの生前贈与5億円に対し相続税に準じて「贈与税」を課すこととしました。さらに、相続税よりも贈与税の負担を重くしています。これにより、贈与税は相続税の課税体系を補完(ほかん)*02)する機能を持ちます。

*02)不十分な部分を補って、完全なものにすることをいいます。

以上のことから、相続税と贈与税は全く別個の税目であるにもかかわらず、双方とも相続税法に規定されています。

∴　**贈与税は相続税の補完税 ➔ 一税法二税目とされている理由です**

Section 2

相続税とは

相続税とはどのような税金で、どのように課税されるのでしょうか。

このSectionでは、相続税の持つ機能や課税方式などを中心に学習します。

1 相続税とは

相続税は、死亡した人(「被相続人(ひそうぞくにん)」と呼びます。)の財産を相続により取得した配偶者(はいぐうしゃ)や子など(「相続人(そうぞくにん)[*01)]」と呼びます。)に対して、その取得した財産の価額を基に課される税です。

*01) 相続人等の詳細については、Chapter2で学習します。

2 相続税の持つ機能

相続税は、例えば親から子に財産が移転するだけなのになぜ税金がかかるのでしょうか。これには色々な考え方があるとされていますが、相続税の持つ機能として代表的なものは、次のとおりです。

(1) 所得税の補完機能[*01)]

被相続人が生前において受けた税制上の特典や税負担の軽減等により蓄積した財産を相続開始の時点(死亡の時点)で清算する、いわば所得税を補完する機能を有するのが相続税という考え方です。

(2) 富の集中抑制機能[*02)]

相続により相続人等が得た偶然の富の増加に対し、その一部を税として徴収することで、相続した者と相続しなかった者との間の財産の保有状況のバランスを図り、併せて富の過度の集中を抑制する機能を有するのが相続税という考え方です。

*01) 個人には年々の所得に対し所得税が課税されますが、所得税が課税されなかった所得にも死亡時点で所得税に代わる税金を課税しようとするものです。

*02) 「富の再分配」機能とも言われます。世の中には、お金持ちもいれば、そうでない人もいます。お金持ちの人から税金を徴収し、そうでない人に分配することで貧富の差を緩和しようとする社会的政策の一つとされています。

3 相続税の課税方式

1．概　要

相続税の課税方式には、大別して遺産課税方式と遺産取得課税方式の二つがあります。遺産課税方式とは、被相続人の遺産総額に応じて課税する方式です。一方、遺産取得課税方式とは、個々の相続人等が取得した遺産額に応じて課税する方式です。

2．二つの課税方式の特徴

(1) 遺産課税方式（いさんかぜい）*01)

① 被相続人の所得税を補完する意義があり、作為的な遺産分割による租税の回避を防止しやすい。

② 遺産分割のいかんにかかわらず、遺産の総額によって相続税の税額が定まるため、税務の執行が容易である。

*01) 遺産課税方式は、被相続人の遺産に対し課税する方式です。なお、この課税方式を採用している代表的な国はアメリカやイギリスです。

(2) 遺産取得課税方式（いさんしゅとくかぜい）*02)

① 個々の相続人が取得した財産の価額に応じて超過累進税率が適用されるため、富の集中化の抑制に大きく貢献する。

② 同一の被相続人から財産を取得した者間における取得財産額に応じた税負担の公平が期待できる。

*02) 遺産取得課税方式は、遺産の取得者に対し課税する方式です。なお、この課税方式を採用している代表的な国はフランスやドイツです。

＜図　解＞

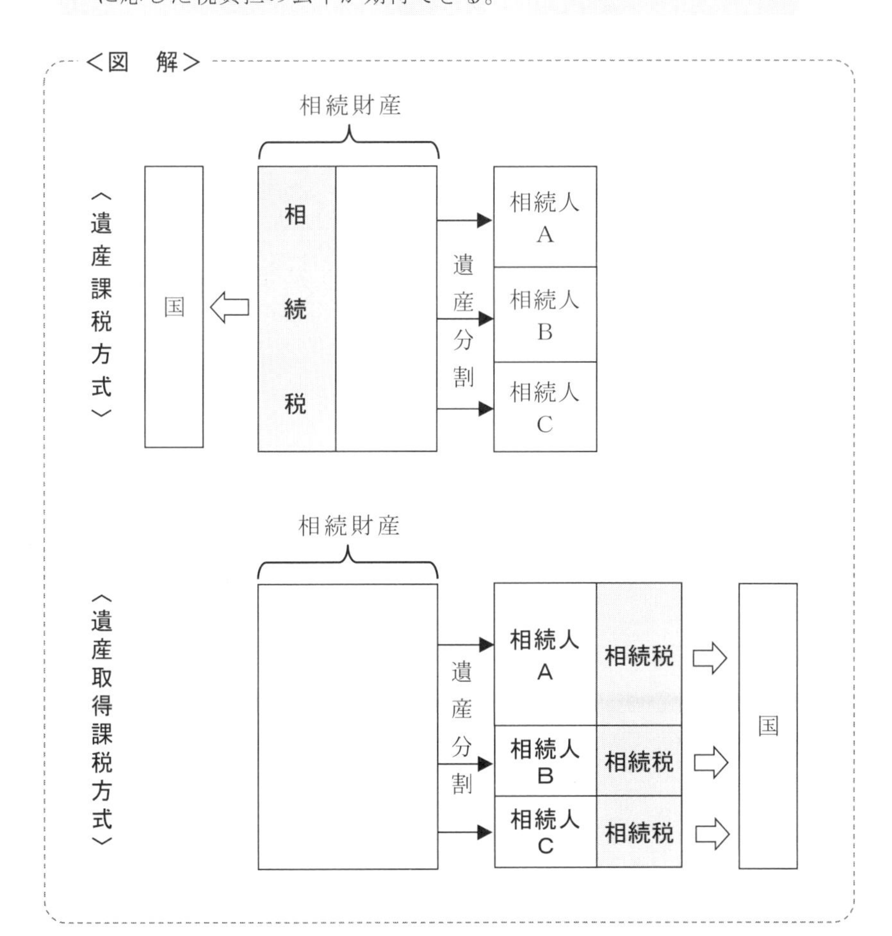

3．現行の課税方式

わが国の相続税の課税方式は、明治38年の相続税法創設以来[*03)]、遺産課税方式とされてきましたが、昭和25年に遺産取得課税方式に改められ、昭和33年には税額の計算に当たり遺産課税方式の要素が一部取り入れられて現在に至っています。

遺産取得課税方式には、各遺産取得者間の取得財産額に応じた税負担の公平を図りやすいという長所がある反面、仮装分割[*04)]による相続税の負担回避が図られやすいという短所がありました。

そこで、昭和33年の改正では遺産取得課税の建前を維持しつつ、各相続人等が遺産分割等により取得した財産の合計額をいったん法定相続分[*05)]で分割したものと仮定して相続税額の総額を算出し、それを実際の遺産の取得額に応じてあん分するという計算の仕組み(「**法定相続分課税方式**(ほうていそうぞくぶん)」といいます。)が導入されました。

*03) 相続税は明治38年(1905年)前年に始まった日露戦争の戦費調達を目的に導入されたとされています。

*04) 実際とは異なる遺産分割を装うことで、超過累進税率の低率適用による税負担の回避を図ることができるという問題がありました。

*05) ここで用いる法定相続分の詳細については、Chapter5で学習します。

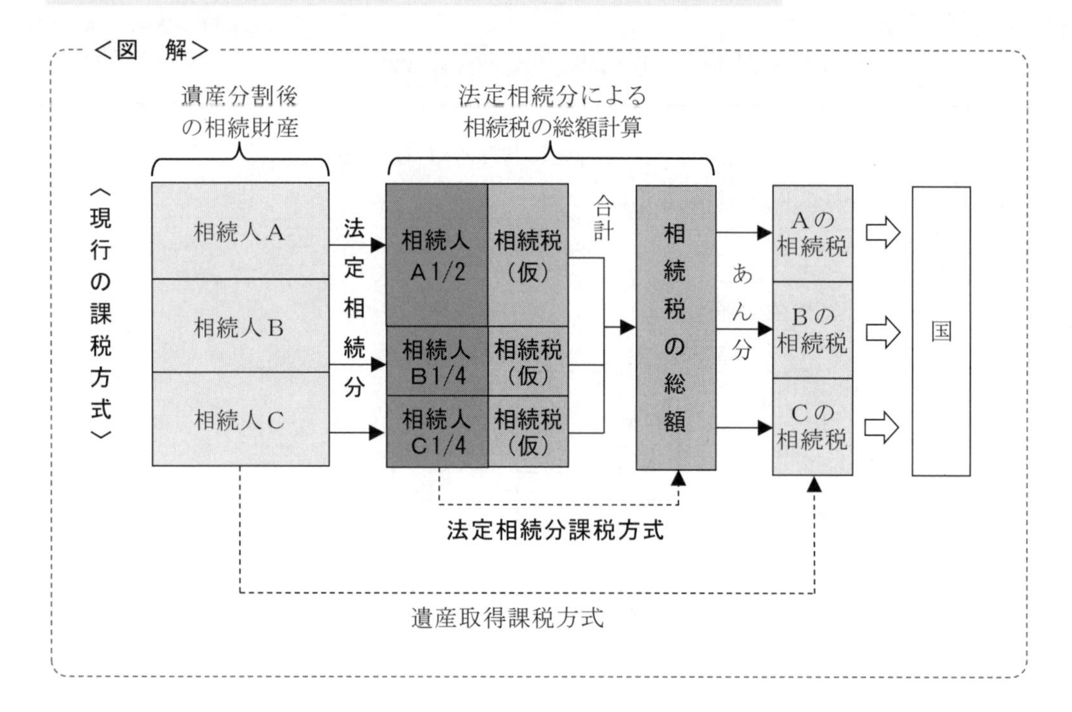

4 相続税の期限内申告

1．概　要

相続税では申告納税方式が採用されているため、納税義務者が自ら課税価格及び相続税額を計算し、これを申告してその税額を納付しなければなりません。

原則として、納税義務者が相続の開始を知った日[*01)]の翌日から10月以内に納税申告書(期限内申告書)を税務署長に提出します。

*01) 相続税の申告書の提出期限の起算日は、相続の開始日(死亡の日)ではなく「相続の開始があったことを知った日」の翌日となります。何らかの事情により知った日が1日遅れた場合には、期限も1日あとになります。

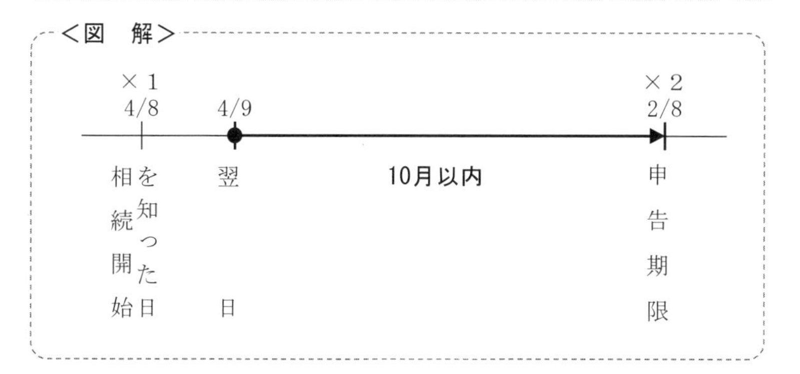

2．提出義務者

被相続人から相続などにより財産を取得したすべての者に係る相続税の課税価格の合計額が、遺産に係る基礎控除額を超える場合において、納付すべき相続税額が算出される者[*02)]は、相続税の申告書を提出しなければなりません。

*02) 配偶者に対する相続税額の軽減など、申告することを要件とする規定を適用する場合には、その適用により納付税額がなくなった者についても相続税の申告書を提出する必要があります。詳細については、Chapter6で学習します。

3．提出期限

相続の開始があったことを知った日の翌日から10月以内

4．申告書の提出先

相続税の申告書の提出先は、提出義務者の納税地の所轄税務署長です。なお、同一の被相続人から相続などにより財産を取得した者で提出先の税務署長が同一である場合には、相続税の申告書を共同して提出することができます。[*03)]

*03) 申告書提出の原則は、単独提出ですが、納税者及び税務署の事務手続きの負担軽減を考慮して、共同提出の規定が設けられています。

5. 納税地

(1) 原　則

① 法施行地(ほうしこうち)[*04]に住所を有する居住者の場合

➜ 法施行地にある住所地又は居所地

② 法施行地に住所を有しない非居住者及び出国する者

➜ 納税地を定めて納税地の所轄税務署長に申告しなければなりません。なお、その申告がないときは、国税庁長官がその納税地を指定します。

*04) 法施行地とは、日本の相続税法が施行される地という意味であり「法施行地≒日本国内」です。なお、その範囲は本州、北海道、四国、九州及びその附属の島（歯舞群島、色丹島、国後島及び択捉島を除く。）とされています。

(2) 被相続人の住所が法施行地にある場合の特例[*05]

被相続人の死亡の時における住所が法施行地にある場合には、相続税に係る納税地は、上記(1)の原則にかかわらず、被相続人の死亡の時における住所地とします。

*05) 納税地の原則は各納税者の住所地ですが、「共同提出」を有効に働かせるため、被相続人の住所が法施行地にある場合には納税者全員の納税地を被相続人の住所地としています。

6. 納　付[*06]

申告書を提出した者は、その申告書の提出期限までにその申告書に記載した金額に相当する国税を国に納付しなければなりません。

（参　考）

納付は金銭による一括納付を原則としていますが、金銭一括納付が困難な場合には、延納(えんのう)（金銭の分割納付）という方法や取得した遺産そのものを納付する物納(ぶつのう)という方法も認められています。

*06) 納付期限は申告期限と同じですが、申告書の提出以後納付するのが一般的です。また、税金の支払いは銀行や郵便局、クレジットの他、税務署の窓口で納めることも可能です。

【参 考】一般的な相続開始後の流れ

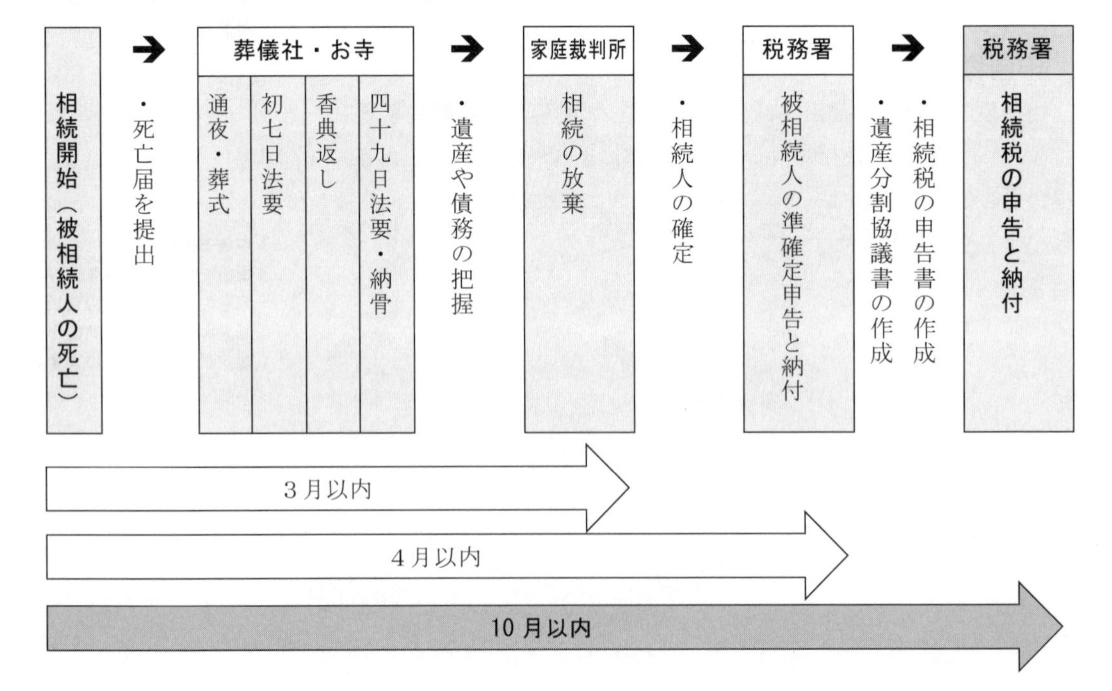

相続税の申告書　修正

FD3563

______税務署長
____年__月__日提出

相続開始年月日____年__月__日

※申告期限延長日　　年　月　日

○フリガナは、必ず記入してください。

第1表（令和5年1月分以降用）

←この申告書で提出しない人である場合（参考として記載している場合）は、参考を○で囲んでください（その人の分は申告書とは取り扱いません。）。

○この申告書は機械で読み取りますので、黒ボールペンで記入してください。
また、申告書と添付資料を一緒にとじないでください。

項目		各人の合計	財産を取得した人（参考として記載している場合　参考）
フリガナ		（被相続人）	
氏名			
個人番号又は法人番号			↓個人番号の記載に当たっては、左端を空欄としここから記入してください。
生年月日		年　月　日（年齢　歳）	年　月　日（年齢　歳）
住所（電話番号）			〒 （　－　－　）
被相続人との続柄	職業		
取得原因		該当する取得原因を○で囲みます。	相続・遺贈・相続時精算課税に係る贈与
※整理番号			
課税価格の計算	取得財産の価額（第11表③）①	円	円
	相続時精算課税適用財産の価額（第11の2表1⑦）②		
	債務及び葬式費用の金額（第13表3⑦）③		
	純資産価額（①＋②－③）（赤字のときは0）④		
	純資産価額に加算される暦年課税分の贈与財産価額（第14表1④）⑤		
	課税価格（④＋⑤）（1,000円未満切捨て）⑥	000 Ⓐ	000
各人の算出税額の計算	法定相続人の数　遺産に係る基礎控除額	人　000000 円Ⓑ	左の欄には、第2表の②欄の㋺の人数及び㋩の金額を記入します。
	相続税の総額⑦	00	左の欄には、第2表の⑧欄の金額を記入します。
	一般の場合（⑩の場合を除く）　あん分割合（各人の⑥/Ⓐ）⑧	1.00	．
	算出税額（⑦×各人の⑧）⑨	円	円
	農地等納税猶予の適用を受ける場合　算出税額（第3表⑬）⑩		
	相続税額の2割加算が行われる場合の加算金額（第4表⑦）⑪	円	円
各人の納付・還付税額の計算	税額控除　暦年課税分の贈与税額控除額（第4表の2㉕）⑫		
	配偶者の税額軽減額（第5表㋑又は㋩）⑬		
	⑫・⑬以外の税額控除額（第8の8表1⑤）⑭		
	計⑮		
	差引税額（⑨＋⑪－⑮）又は（⑩＋⑪－⑮）（赤字のときは0）⑯		
	相続時精算課税分の贈与税額控除額（第11の2表1⑧）⑰	00	00
	医療法人持分税額控除額（第8の4表2B）⑱		
	小計（⑯－⑰－⑱）（黒字のときは100円未満切捨て）⑲		
	納税猶予税額（第8の8表2⑧）⑳	00	00
	申告納税額（⑲－⑳）　申告期限までに納付すべき税額㉑	00	00
	還付される税額㉒	△	△
この申告書が修正申告書である場合	この修正前の　小計㉓		
	納税猶予税額㉔	00	00
	申告納税額（還付の場合は、頭に△を記載）㉕		
	小計の増加額（⑲－㉓）㉖		
	この申告により納付すべき税額又は還付される税額（還付の場合は、頭に△を記載）（（㉑又は㉒）－㉕）㉗		

※税務署整理欄	申告区分	年分	グループ番号	補完番号	補完番号
	名簿番号	申告年月日	関与区分	書面添付	検算	管理補完	確認

作成税理士の事務所所在地・署名・電話番号

税理士法書面提出　30条　33条の2

この申告が修正申告である場合の異動の内容等

※税務署整理欄　通信日付印　年月日　・・（確認）

（注）⑲欄の金額が赤字となる場合は、⑲欄の左端に△を付してください。なお、この場合で、⑲欄の金額のうちに贈与税の外国税額控除額（第11の2表1⑨）があるときの㉒欄の金額については、「相続税の申告のしかた」を参照してください。

※の項目は記入する必要がありません。

（資4－20－1－1－A4統一）第1表（令5.7）

Section 3
贈与税とは

贈与税とはどのような税金で、どのように課税されるのでしょうか。
このSectionでは、贈与税の持つ機能や課税方式などを中心に学習します。

1 贈与税とは

贈与税は、個人から贈与により財産を取得した者（「受贈者（じゅぞうしゃ）*01)」と呼びます。）に対して、その取得した財産の価額を基に課される税です。

*01) 受贈者等の詳細については、Chapter2で学習します。

2 贈与税の持つ機能

贈与税は、相続税を補完する機能*01)を持っています。そのため、この贈与税の性格を踏まえ、次の２つの規定が設けられています。

*01) Section1の相続税法の特徴で説明しています。
☞1-5ページ

(1) 生前贈与加算（せいぜんぞうよかさん）*02)

被相続人から遺産を取得した者については、被相続人から贈与により取得した財産のうち相続開始前７年以内のものを相続税の課税対象とします。

*02) 生前贈与加算については、Chapter10で学習します。

(2) 相続時精算課税（そうぞくじせいさんかぜい）*03)

相続税と贈与税を一体化する仕組みによって、被相続人から贈与により取得したすべての財産を、被相続人から取得した遺産に累積して相続税を課税する制度です。

*03) 相続時精算課税については、基礎完成編のChapter1で学習します。

3 贈与税の課税方式

贈与税の課税方式には、その持つ機能が相続税の補完税であることから、相続税の課税方式に準じて決まります。*01)

大別すると、贈与をした人（贈与者）に課税する方式と贈与を受けた人（受贈者）に課税する方式がありますが、わが国の現在の相続税の課税方式は遺産取得課税方式を採用していることから、贈与税の課税方式は「受贈者課税方式」が採用されています。

*01) 相続税の課税方式は財産の取得者に課税する方式ですので、贈与税の課税方式も財産の取得者である受贈者に課税する方式を採用しています。

4 贈与税の期限内申告

1．概　要

贈与税についても相続税と同様、申告納税方式を採用しています。贈与税の場合は、受贈者がその年に贈与を受けた財産について納付すべき贈与税額があるときは、その年の翌年*01) 2月1日から3月15日までに、納税申告書(期限内申告書)を納税地の所轄税務署長に提出します。

*01) 贈与税額の計算は暦年単位(1/1～12/31)によるため、その年分の贈与税額確定後、その翌年に贈与税の申告を行います。

<図　解>

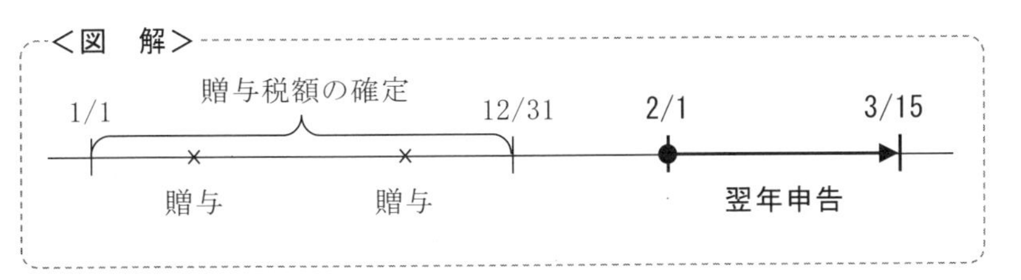

2．提出義務者

贈与により財産を取得した者で、次に該当する者は、贈与税の申告書を提出しなければなりません。

(1) その年分の贈与税の価格について110万円の基礎控除額を控除し、贈与税の税率を適用して算出した納付すべき贈与税額がある者*02)

(2) 相続時精算課税の適用を受ける財産を取得した者

*02) 贈与税の配偶者控除など、申告することを要件とする規定を適用する場合には、その適用により納付税額がなくなった者についても、贈与税の申告書を提出する必要があります。詳細については、Chapter9で学習します。

3．提出期限

贈与があった年の翌年2月1日から3月15日

4．申告書の提出先

贈与税の申告書の提出先は、提出義務者の納税地の所轄税務署長です。

5．納税地*03)

(1) 法施行地に住所を有する居住者の場合

➜ 法施行地にある住所地又は居所地

(2) 法施行地に住所を有しない非居住者及び出国する者

➜ 納税地を定めて納税地の所轄税務署長に申告しなければなりません。なお、その申告がないときは、国税庁長官がその納税地を指定します。

*03) 納税地は原則どおり納税者の住所地となります。なお、贈与税には、納税地の特例はありません。

6．納　付*04)

申告書を提出した者は、その申告書の提出期限までにその申告書に記載した金額に相当する国税を国に納付しなければなりません。

*04) 納付期限及び税金の支払いについては相続税と同じです。また、贈与税には延納のみが認められています。

税務署長
年　月　日提出

令和 0 年分贈与税の申告書（兼贈与税の額の計算明細書）

修正　F D 4 7 5 1

第一表（令和4年分以降用）

提出用

税務署 受付印

住所	〒　－　（電話　－　－　）
フリガナ	
氏名	
個人番号又は法人番号	↓個人番号の記載に当たっては、左端を空欄とし、ここから記入してください。
生年月日	明治1 大正2 昭和3 平成4 令和5　　職業

税務署整理欄（記入しないでください。）

整理番号		名簿	
補完		事案	
申告書提出年月日		財産細目コード	短期処理 / 確認
災害等延長年月日			関与区分 / 修正
出国年月日			訂正 / 枚数
死亡年月日			作成区分

Ⅰ 暦年課税分

私は、租税特別措置法第70条の2の5第1項又は第3項の規定による**直系尊属から贈与を受けた場合の贈与税の税率（特例税率）の特例**の適用を受けます。

ⅰ 特例贈与財産分

贈与者の住所・氏名（フリガナ）・申告者との続柄・生年月日 ○フリガナの濁点（゛）や半濁点（゜）は一字分とし、姓と名の間は一字空けて記入してください。	取得した財産の明細 種類／細目／利用区分・銘柄等／所在場所等	財産を取得した年月日／財産の価額（単位：円） 数量／単価／固定資産税評価額／倍数
住所 フリガナ 氏名　続柄 ←（直系尊属）父1 母2 祖父3 祖母4 上記以外5 ※5の場合に記入します。 生年月日	過去の贈与税の申告状況　平成・令和　年分　署	令和　年　月　日　円　円　倍 過去に、特例税率の適用を受けるために左記の贈与者との続柄を明らかにする書類を提出している場合には、その提出した年分及び税務署名を記入します。
住所 フリガナ 氏名　続柄 ←（直系尊属）父1 母2 祖父3 祖母4 上記以外5 ※5の場合に記入します。 生年月日	過去の贈与税の申告状況　平成・令和　年分　署	令和　年　月　日　円　円　倍 過去に、特例税率の適用を受けるために左記の贈与者との続柄を明らかにする書類を提出している場合には、その提出した年分及び税務署名を記入します。

特例贈与財産の価額の合計額（課税価格）①

ⅱ 一般贈与財産分

贈与者	取得した財産の明細	財産を取得した年月日／価額
住所 フリガナ 氏名　続柄 ←（直系尊属）父1 母2 祖父3 祖母4 上記以外5（その他）夫6 妻7 上記以外8 ※5又は8の場合に記入します。 生年月日		令和　年　月　日　円　円　倍
住所 フリガナ 氏名　続柄 ←（直系尊属）父1 母2 祖父3 祖母4 上記以外5（その他）夫6 妻7 上記以外8 ※5又は8の場合に記入します。 生年月日		令和　年　月　日　円　円　倍

一般贈与財産の価額の合計額（課税価格）②

配偶者控除額（右の事実に該当する場合には、「□」にレ印を記入します。… □ 私は、今回の贈与者からの贈与について、初めて贈与税の配偶者控除の適用を受けます。）（最高2,000万円）③
（贈与を受けた居住用不動産の価額及び贈与を受けた金銭のうち居住用不動産の取得に充てた部分の金額の合計額）＿＿＿円

不動産番号　1件目　2件目　←贈与税の配偶者控除の適用を受ける場合は、登記事項証明書等に記載されている13桁の不動産番号を記入してください。

⑦欄の税額の計算方法等については、申告書第一表（控用）の裏面をご確認ください。

【合計欄】（単位：円）

暦年課税分（③の控除後の課税価格）

Ⅰ	暦年課税分の課税価格の合計額（①＋（②－③））	④	
	基礎控除額	⑤	1100000
	⑤の控除後の課税価格（④－⑤）	⑥	000
	⑥に対する税額 「贈与税の速算表」を使用して計算します。	⑦	
	外国税額の控除額	⑧	
	医療法人持分税額控除額	⑨	
	差引税額（⑦－⑧－⑨）	⑩	
Ⅱ	相続時精算課税分の課税価格の合計額（特定贈与者ごとの第二表の⑩の金額の合計額）	⑪	
	相続時精算課税分の差引税額の合計額（特定贈与者ごとの第二表の⑭の金額の合計額）	⑫	

相続時精算課税分

Ⅲ 合計	課税価格の合計額（①＋②＋⑪）	⑬	
	差引税額の合計額（納付すべき税額）（⑩＋⑫）	⑭	00
	農地等納税猶予税額	⑮	00
	株式等納税猶予税額	⑯	00
	特例株式等納税猶予税額	⑰	00
	医療法人持分納税猶予税額	⑱	00
	事業用資産納税猶予税額	⑲	00
	申告期限までに納付すべき税額（⑭－⑮－⑯－⑰－⑱－⑲）	⑳	00
この申告書が修正申告である場合	修正前の 差引税額の合計額（納付すべき税額）	㉑	00
	修正前の 納税猶予税額の合計額	㉒	00
	修正前の 申告期限までに納付すべき税額	㉓	00
	差引税額の合計額（納付すべき税額）の増加額（⑭－㉑）	㉔	00
	申告期限までに納付すべき税額の増加額（⑳－㉓）	㉕	00

（この申告が修正申告である場合の異動の内容等）

作成税理士の事務所所在地・署名・電話番号

税理士法書面提出　30条　33条の2　通信日付印　確認

税務署整理欄（記入しないでください。）義務的修正期限　年　月　日

（資5－10－1－1－A4統一）（令4.12）

（住宅取得等資金の非課税の申告は申告書第一表の二又は第一表の三と、相続時精算課税の申告は申告書第二表と、一緒に提出してください。）

Chapter 2

民法の基礎知識

Section 1 民法に規定する用語

相続税法は民法に規定する用語を多用しているため、その理解が必要です。
このSectionでは、相続税法に関する民法の用語について学習します。

1 相　続

1．相続の意義

相続とは、個人が死亡した場合に、その死亡した者の財産上の権利義務[*01]をその死亡した者の配偶者（はいぐうしゃ）や子など一定の親族関係にある者に承継させる制度のことをいいます。この場合、死亡した者のことを「被相続人（ひそうぞくにん）」といい、財産上の権利義務を承継する者のことを「相続人（そうぞくにん）」といいます。また、被相続人から相続人に承継される財産のことを「相続財産」といいます。

*01）権利とは積極財産（不動産、預貯金などプラスの財産）のことで、義務とは消極財産（借入金などマイナスの財産）のことです。

2．相続開始の原因（民882）

相続は「人の死亡」によって開始します。なお、失踪（しっそう）の宣告[*02]を受けた場合も死亡したものとみなされます。

失踪宣告	普通失踪	失踪期間を７年とし、その期間が満了した時	死亡したものとみなされます。
	危難失踪[*03]（特別失踪）	失踪期間を１年とし、危難が去った時	

*02）音信不通、生死不明の状態が長期間続く場合（失踪）には、財産を相続することができないため、失踪宣告を家庭裁判所に申立てることができます。

*03）戦争や海難事故、震災等の危難に遭遇した者の生死がその危難が去った後１年間不明である場合には死亡とみなされます。

3．相続開始の場所（民883）

相続は、被相続人の住所[*04]において開始します。

*04）生活の本拠のことです。

相続開始地	税　務　署	相続税の申告書は、原則として相続開始地を管轄する税務署に提出します。
	家庭裁判所	相続の放棄や遺言の検認（けんにん）[*05]等は、相続開始地を管轄する家庭裁判所に申立てを行います。

*05）遺言の検認とは、遺言書の偽造・変造を防止し、その保存を確実にするために行われる証拠保全手続です。

4．相続の効力（民896）

相続の開始により、相続人はその相続の開始の時から被相続人の財産に属した一切の権利義務を承継することになります。ただし、被相続人の一身（いっしん）に専属（せんぞく）したものは、この限りではありません。

一身専属権	被相続人の一身に専属した権利は、その特定の人に専属し、他の者に移転しない性質のもので、相続、譲渡などはできず、その個人だけの資格、権利です。 ＜例＞　税理士資格、生活保護受給権など

2 相続の承認と放棄

1．概　要

相続の開始により、相続人は被相続人に属する一切の権利義務を承継することになりますが、債務が多いような場合には相続人にとって酷となるときもあります。

そこで、民法では、相続人に対して相続財産を承認するかどうかについて選択権を与えることとしています。

2．承　認*01)

単純承認 （民920）	無制限で積極財産と消極財産を承継することです。 ➜ 積極財産をもってしても消極財産(債務)を弁済しきれないときには、相続人は自己保有の財産をもって支弁することとなります。
限定承認 （民922）	積極財産の範囲内で消極財産を承継することです。 ➜ 相続人が限定承認をしようとするときは、相続の開始を知った時から3か月以内に財産目録を作成してこれを家庭裁判所に提出し、限定承認する旨を申述しなければなりません。なお、限定承認は、相続人が2人以上いる場合は相続人全員が共同でしなければなりません。

*01)「単純承認」と「限定承認」がありますが、試験の出題では単純承認を前提とした計算問題が想定されます。

＜図　解＞

〔単純承認の場合〕

積極財産

消極財産

債務超過の部分も承継する必要があります。

〔限定承認の場合〕

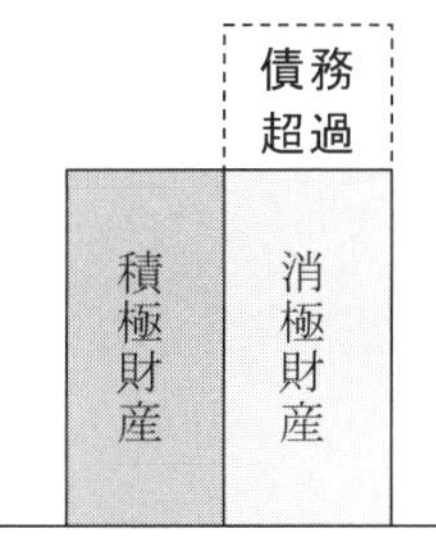

債務超過の部分は承継する必要がありません。

3. 放棄(ほうき)

相続の放棄（民938）	相続権を放棄[*02]することです。 ➜ 相続の放棄とは、債務を含めた相続財産の全ての承継を拒否することをいいます。なお、相続を放棄しようとする者は、その旨を家庭裁判所に申述しなければなりません。

*02) 被相続人の積極財産も消極財産もそのすべてについて相続権を放棄することで、例えば、被相続人が借金を残していたとしても返済する必要がなくなります。

4. 手 続

「単純承認」をする場合には、とくに手続きを必要としません。相続財産の全部又は一部を処分した場合や「限定承認」又は「放棄」をしなかった場合には、単純承認したとみなされます。

また、「限定承認」や「放棄」をする場合には、相続の開始があったことを知った時から３か月以内[*03]に家庭裁判所での手続きを必要とします。

*03) 相続放棄の期限は原則として相続開始を知った時から３か月以内となりますが、被相続人の遺産の状況（積極財産や消極財産がどれだけあるか）を知った時から３か月を経過していない等「相当の理由」があると認められる場合には、同期限を経過した後でも相続の放棄ができる場合もあります。

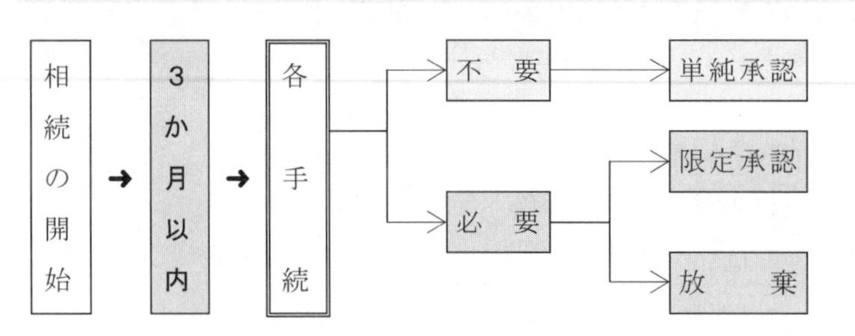

3 遺産の分割

1. 概 要

相続が開始すると、被相続人の財産はいったん相続人全員の共有財産*01)となり、その後、相続人全員が具体的にその財産を各人ごとに分けていくことになります。このことを「遺産の分割」といいます。

*01) 共有財産とは、一つの財産全体を数人が所有している状態のことをいいます。

2. 遺産分割協議書(いさんぶんかつきょうぎしょ)の作成及び遺産の分割方法

相続人間において遺産分割の協議を行った結果、遺産分割が成立した場合には遺産分割協議書を作成します。この遺産分割協議書は相続の内容を証明する書面として不動産の登記や預貯金の名義変更、相続税の申告書に添付する場合などに必要となります。

また、遺産の分割方法には下記の３つの方法があります。

<遺産の分割方法についての比較>

分割の方法	現物分割(げんぶつぶんかつ)	換価分割(かんかぶんかつ)	代償分割(だいしょうぶんかつ)
分割の内容	遺産を現物のまま分割する方法（分割の原則的方法）	遺産を譲渡して金銭に換価し、その換価代金を相続人間で分割する方法	一部の相続人が遺産を取得する代わりに、他の相続人に代償金を支払う分割方法
メリット	分割がしやすい 現物財産が残る	公平な遺産分割が可能	公平な遺産分割が可能 現物財産が残る
デメリット	相続分どおりの分割が困難	現物財産が残らない 譲渡益に所得税等がかかる	代償金の支払能力が必要

4 遺　贈

1．遺贈の意義

遺贈[*01]とは、遺言による財産の無償譲与のことをいいます。

この場合、遺言を行った者のことを「遺贈者(または遺言者)」といい、遺言により財産を取得する者のことを「受遺者」といいます。

*01)遺贈者は、自由に受遺者を決めることができるため、相続人でも他人でも、法人でも受遺者となることができます。

2．遺贈の種類（民964）

(1)　遺贈は、次の２つの種類に大別されます。

遺贈の種類	特　徴[*02]		
特定遺贈	遺贈する財産を具体的に特定し与えること。	➔	(特定)受遺者は、その特定財産についてのみ権利を有します。
包括遺贈	遺贈する財産を一定の割合で包括的に与えること。	➔	包括受遺者は、相続人と同一の権利及び義務を有します。

*02)例えば、「預金1,000万円を配偶者に遺贈する」というのが特定遺贈であり、「遺産の５分の１を弟に遺贈する」というのが包括遺贈です。

(2)　負担付遺贈[*03]（民1002）

特定の積極財産だけではなく、債務(消極財産)の負担も伴う遺贈のことをいいます。

負担付遺贈を受けた者については、特定財産の価額から債務(負担)の額を控除した残額が課税対象金額となります。

*03)「土地5,000千円を遺贈するが、銀行借入金2,000千円を負担すること。」という遺贈をした場合、5,000千円から2,000千円を控除した残額3,000千円が課税されます。

3．遺言の効力（民985）

(1)　遺言は、遺言者の死亡の時から効力が発生します。

(2)　遺言に停止条件を付した場合には、その条件が成就した時から効力が発生します。

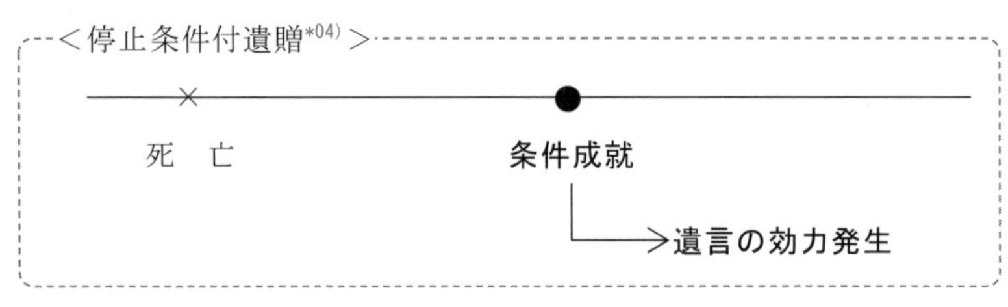

*04)「20歳に達したならば株式1,000万円を与える」とか「婚姻したならば土地2,000万円を与える」という遺贈です。

4．遺贈の承認と放棄[*05]（民986、995）

(1)　受遺者は、遺言者の死亡後、いつでも遺贈の放棄をすることができます。

(2)　遺贈の放棄は、遺言者の死亡時に遡って、その効力を生じます。なお、遺贈の放棄の目的となった財産は相続人に帰属します。

*05)遺贈の放棄は手続不要で、その意思表示によります。また、相続の放棄と異なり期限がありませんので、他の相続人等は受遺者に対し相当の期間を定めて遺贈の承認又は放棄の意思表示を催告することができます。

5．遺言の方式（民968、969、970）

遺言には普通方式と特別方式がありますが、一般的には普通方式による自筆証書遺言又は公正証書遺言が作成されます。

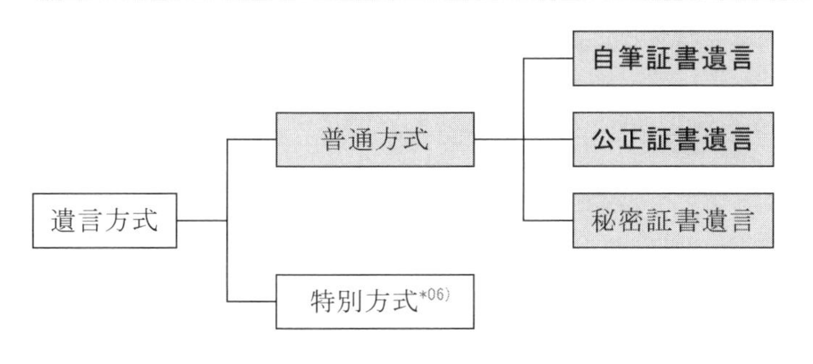

*06) 特別方式による遺言とは、伝染病隔離者や船舶遭難者等が危急時に作成する遺言です。

＜普通方式による遺言についての比較＞

遺言の種類	自筆証書遺言（じひつしょうしょいごん）	公正証書遺言（こうせいしょうしょいごん）	秘密証書遺言（ひみつしょうしょいごん）
作成形式	遺言書の全文、日付及び氏名を自筆し、押印したもの	遺言者が遺言の内容を公証人に口授し、公証人が筆記したもの	遺言者が署名・押印し封印した遺言書を公証人等の前に提出し、遺言者の遺言書であることの証明を受けたもの
メリット	・容易に作成できる ・自由に保管できる ・内容を秘密にできる ・費用がかからない ・財産目録はパソコン作成可 など	・検認の手続が不要 ・方式不備による無効なし ・公証役場で原本が保管され偽造や滅失の恐れなし ・遺言の有無を検索できる など	・内容を秘密にできる ・自由に保管できる ・パソコンや代筆の作成可 など
デメリット	・検認の手続が必要 ・方式不備による無効あり ・偽造や滅失の恐れあり など	・費用がかかる ・遺言の存在と内容を秘密にしておくことができない など	・費用がかかる ・検認の手続が必要 ・偽造や滅失の恐れあり など

【参 考】

民法の改正により令和２年７月10日から「自筆証書遺言書保管制度」がスタートしました。『終活』という言葉も耳慣れた近頃、相続による遺産争族を避けるため遺言を書く人も多くなりました。しかし、自筆証書遺言書は発見されないままということも少なくありませんし、特定の相続人がこっそり中を確認して自分に不利な内容だと遺言書を破棄してしまうなど、問題点もありました。そこで、民法の改正により自筆証書遺言書を法務局に保管する制度ができました。詳細については、法務省や法務局のホームページでも確認できます。

5 贈 与

1. 贈与の意義（民549）

贈与とは、当事者の一方が自己の財産を無償で相手方に与えるという意思を表示し、相手方がこれを受諾することによって成立する契約*01)です。

この場合、自己の財産を無償で与える者のことを「贈与者」といい、それを受諾して財産を受け取る者のことを「受贈者」といいます。

*01) 贈与は財産の無償移転という点において相続や遺贈と類似していますが、相続や遺贈は被相続人や遺贈者の死亡という事実の発生によりその効力が生ずるのに対し、贈与は当事者間の契約によりその効力が生ずる点において異なっています。

2. 贈与の方法と効力（民550）

贈与は、書面によるものと書面によらないもの（口頭によるもの）とがありますが、書面による贈与は撤回することができないのに対し、書面によらない贈与は既に履行した部分を除いて、いつでも撤回することができる点で法的効力が異なります。

3. 贈与の種類

一般的な贈与の他、特殊な形態の贈与として次のものがあります。

贈与の種類	贈与の形態
定期贈与 （民552）	「毎年100万円ずつ、10年間にわたり贈与する。」というように、定期の給付を目的とする贈与で、贈与者の死亡により終了します。
負担付贈与 （民553）	「自宅の贈与に当たり、その購入時の借入金の残債を負担させる。」というように、受贈者に一定の給付をなすべき義務を負わせる贈与です。
死因贈与 （民554）	「自分が死んだら、この絵画をあげる。」というように、財産を贈与する者が死亡したときに効力が生ずる贈与です。

＜財産の移転形態と呼称等のまとめ＞

移転形態	移 転	あげる側	もらう側	移転時期	税 目
相 続	民 法	**被相続人**	**相続人**	死 亡	**相続税**
遺 贈	遺 言	**遺贈者**	**受遺者**		
贈 与	契 約	**贈与者**	**受贈者**	生 前	**贈与税**

6 死因贈与

1．死因贈与(しいんぞうよ)の意義（民554）

贈与者の死亡により効力を生ずる贈与のことをいいます。

2．取扱い

死因贈与については、効力の発生の時期に着目して、遺贈と同様に取り扱うこととされ、相続税の課税対象となります。*01)

*01) 贈与者が死亡しないと財産を取得することができないため、相続税の課税対象としています。なお、課税される金額は贈与時の価額ではなく、相続開始時の価額となります。

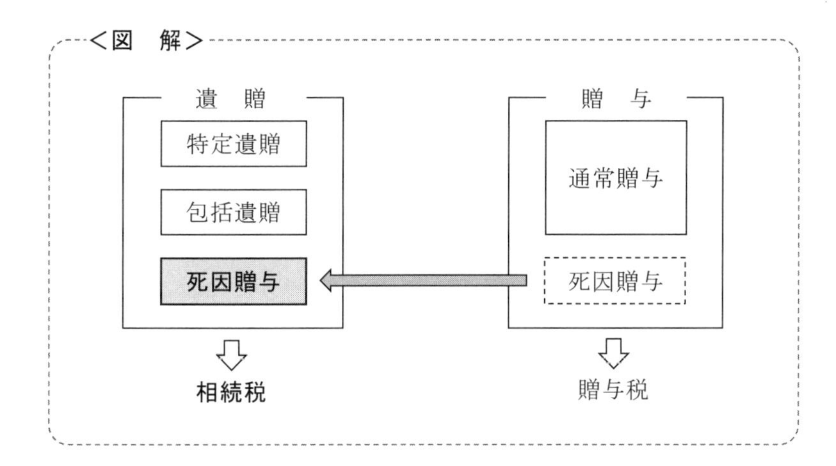

＜例　題＞

被相続人甲は、生前「自分が死亡した場合には、配偶者乙に土地（贈与時の価額2,500万円）を贈与する。」という贈与契約を締結していた。なお、土地の相続開始時の価額は2,000万円である。

（解　答）

配偶者乙　　土　地　2,000万円（相続税の課税対象）

Section 2 相続人

相続人は、民法によってその範囲と順位が決められています。

このSectionでは、相続人の範囲及び相続順位について学習します。

1 相続人の定義

≻≻問題集 問題1・2

相続人とは、被相続人の財産に属した一切の権利義務を承継する者のことをいい、以下のように大別されます。

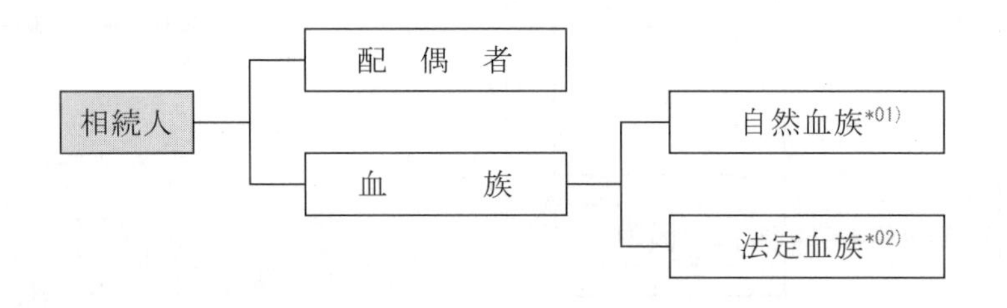

*01) 自然の血のつながりがある者(血縁関係者)です。

*02) 法律に基づいて血縁関係が認められる者(養子)です。

2 相続人の範囲と相続順位

民法に規定する相続人の範囲及び相続人の順位は次のとおりです。

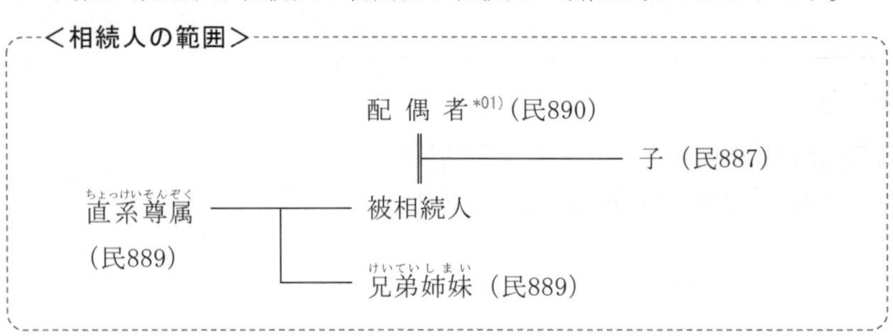

*01) 親族図の表記上、配偶者は二重線でつなげられます。なお、内縁関係の者や愛人などは二重線以外(点線等)でつなげられます。また、血族や姻族は単線でつなげられます。

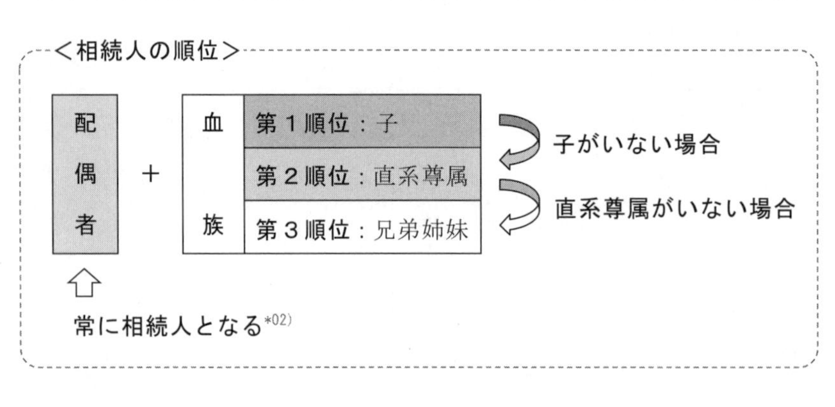

*02) 配偶者が先に死亡している場合や相続放棄をしている場合など、配偶者がいなければ、相続人は血族だけとなります。

3 配偶者[*01]

(1) 配偶者とは正式な婚姻関係にある夫婦の一方を指し、内縁関係にある者は含みません。

(2) 配偶者は血族相続人とは別に、常に血族相続人と同順位で相続人となります。

*01) 正式な婚姻関係にある夫婦とは婚姻届を提出している夫婦を指しますが、相続時において死別・離婚していた場合には、相続人となることはできません。また、内縁関係にある者とは事実婚の場合を指します。

4 子（第１順位）

(1) 嫡出子…正式な婚姻関係のもとに生まれた子[*01]

(2) 非嫡出子…正式な婚姻関係外に生まれた子（いわゆる婚外子）

① 被相続人が認知[*02]していれば子として認められます。

② 遺言による認知も可能です。この場合、出生した日に遡って子としての身分を取得します。

(3) 養子…法律によって子と扱われる者

養子は、養子縁組[*03]の届出をした日から養親の嫡出子としての身分を取得します。なお、普通養子の場合には実親及びその血族との親族関係は消滅しません。

*01) 父母が離婚している場合でも親子間における血族関係はなくなりませんので、子は父と母それぞれの相続人となることができます。

*02) 認知とは通常、男性からの行為であり母は出産という事実があるため認知の必要はありません。

*03) 養子縁組には、普通養子と特別養子の２つがあり、普通養子の場合には、養親と養子の合意に基づく縁組の届出のみで成立しますが、特別養子の場合には、養親の請求により家庭裁判所が成立させるものです。なお、養子縁組の届出は、届出人である養親・養子の本籍地又は住所地の市区町村役場で行います。

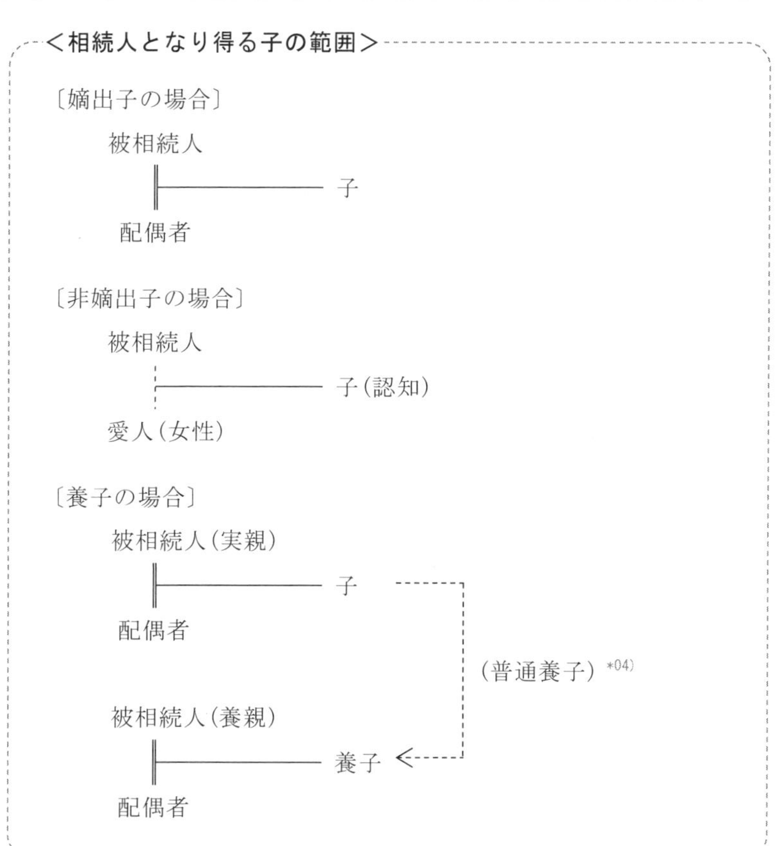

*04) 普通養子の場合には、実親との親族関係は消滅しませんので、実親の相続人にも養親の相続人にもなることができます。

5 直系尊属（第２順位）

被相続人に相続人となり得る子がいない場合[*01)]には、被相続人の父母、祖父母などの直系尊属[*02)]が相続人となります。また、親等の異なる者の間では、親等の近い者を優先[*03)]して相続人とします。

*01)「子がいない場合」とは、子が相続開始以前に死亡している場合、相続放棄している場合などが該当します。

*02) 配偶者乙の父、母、祖父、祖母は被相続人の直系尊属ではありませんので相続人となることはできません。

*03) 例えば、左図において父①が相続開始以前に死亡、かつ、母①が相続を放棄している場合には一親等の直系尊属がいない状況となるため、次に親等の近い祖父②と祖母②が相続人となります。

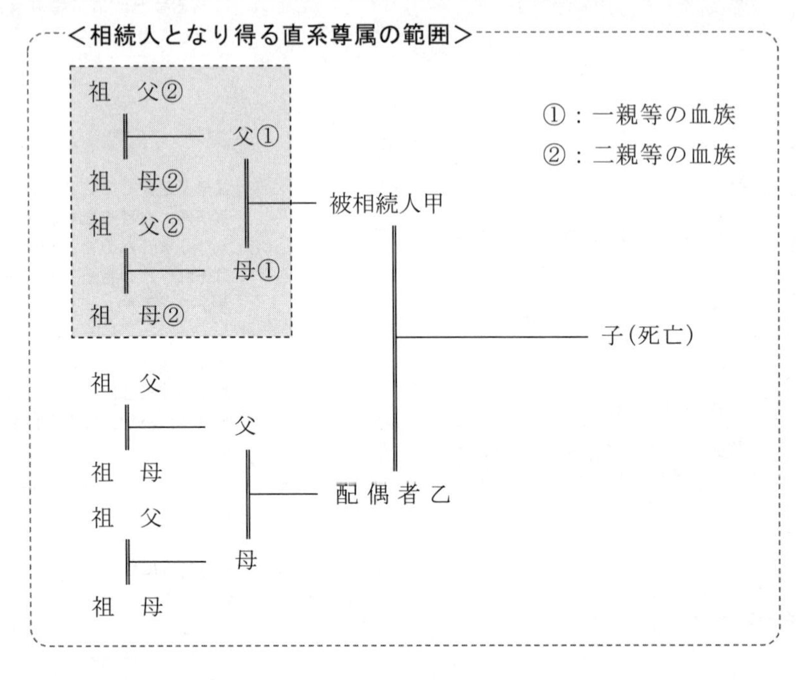

6 兄弟姉妹（第３順位）

被相続人に、相続人となり得る子（第１順位）がおらず、さらに、相続人となり得る直系尊属（第２順位）もいない場合には、兄弟姉妹（第３順位）が相続人となります。

この場合に、父母の双方を同じくする兄弟姉妹を「全血兄弟姉妹（ぜんけつけいていしまい）」といい、父母のうち一方のみを同じくするにすぎない兄弟姉妹を「半血兄弟姉妹（はんけつけいていしまい）」といいます。[*01)]

*01) 全血半血を問わず、相続人となることができます。

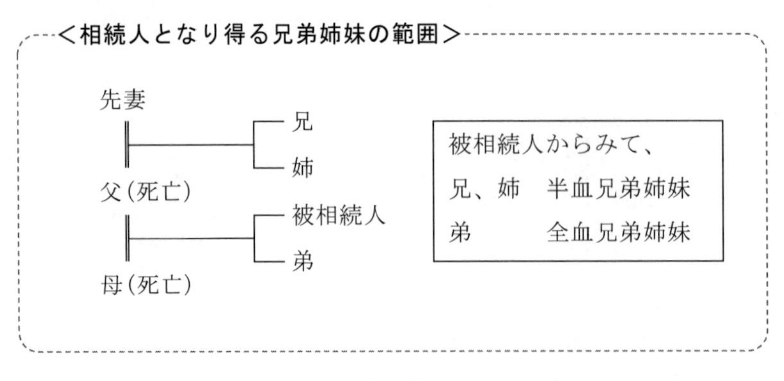

7 代襲(だいしゅう)相続

代襲相続とは、相続開始以前に相続人が死亡(同時死亡*01)を含む。)その他の事由で相続権を失った場合に、その者の直系卑属がその者に代わりに相続人となる制度です。

(1) 代襲原因

① 相続開始以前の死亡

② 欠格(けっかく)又は廃除(はいじょ)による相続権の喪失*02)

(注) 相続放棄は代襲原因にはなりません。

(2) 代襲相続人

① 子(第1順位)が被代襲者(ひだいしゅうしゃ)である場合

➜ 子の直系卑属(孫や曾孫(ひまご)など*03))が代襲相続人となります。

② 兄弟姉妹(第3順位)が被代襲者である場合

➜ 兄弟姉妹の子(甥(おい)や姪(めい))までが代襲相続人となります。

(注) 1 養子の連れ子は被相続人の直系卑属でないため、代襲相続人となることはできません。

2 直系尊属(第2順位)には代襲制度はありません。*04)

<具体例1>

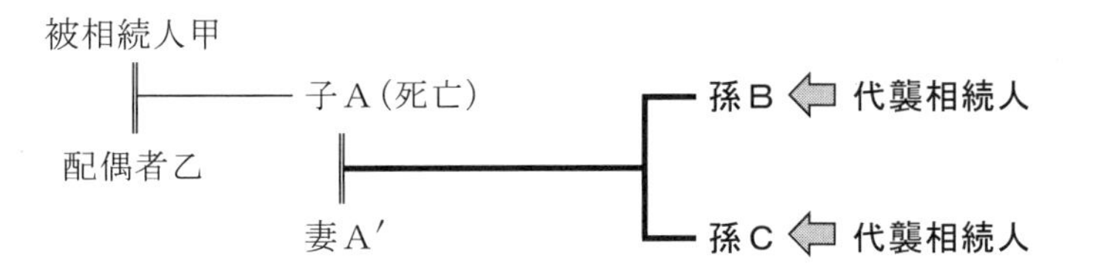

<具体例2>

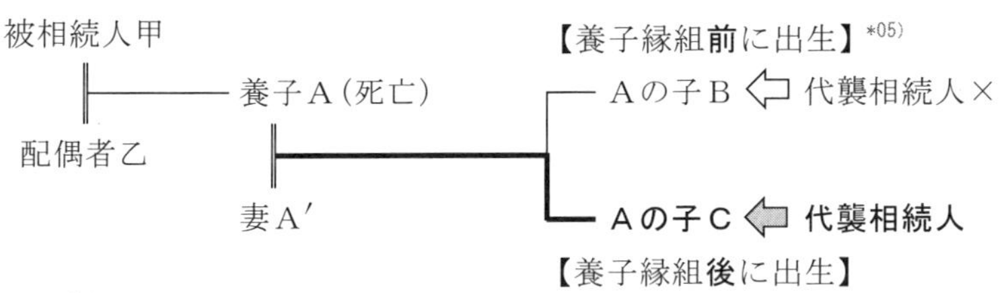

<具体例3>

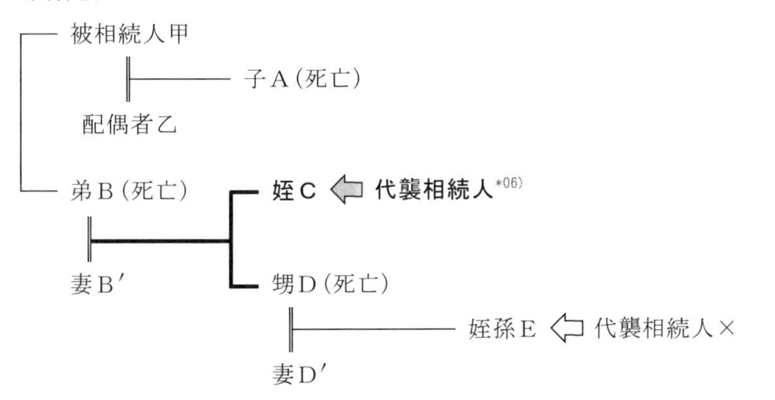

*01) 飛行機事故等で親子が同時死亡した場合には、互いの間に相続は起きないこととなり、親の相続において子は以前死亡として取り扱われます。

*02) 欠格とは、被相続人や他の相続人を死亡させるなど刑に処せられた者から相続権を剥奪する制度です。また、廃除とは、相続人となる者が被相続人に対して著しい非行を行った場合に、その被相続人が家庭裁判所に請求して相続人から除外することをいいます。

*03) 孫も死亡している場合には、曾孫がさらに代襲して相続人となります。(これを再代襲制度といいます。)

*04) 代襲とは上の世代から下の世代に世襲(せしゅう)することであるため、上の世代である直系尊属には代襲制度はそぐわないということです。

*05) Aの養子縁組前に出生したBは、甲からすれば養子の連れ子です。したがって、甲とBの間には血族関係は生じないため、Bは代襲相続人にはなれません。

*06) 第3順位の血族相続人には再代襲制度はありませんので、代襲相続人は甥・姪までということになります。

Section 3

相続分

相続分とは、各相続人が相続財産について相続すべき割合のことです。

このSectionでは、相続人の順位に応じた法定相続分を中心に学習します。

1 概　要（民898、899）

相続人が数人いるときは、相続財産は共有[*01]となり、各相続人は、その相続分に応じて被相続人の権利義務を承継します。

また、相続財産は相続人間の遺産分割協議により分割されることとなりますが、各相続人は、その分割がされるまでは相続財産に対して相続分に応じた持分を有していることになります。この相続分は、民法に規定されており、これを「法定相続分」といいます。

*01) 共有とは、一つの物全体を数人が所有している状態です。また、共有者の権利のことを持分といい、相続における共有者間（相続人）の持分の割合が法定相続分ということです。

2 法定相続分（民900）

≫問題集 問題3

法定相続分とは、各相続人が被相続人から承継する原則的な相続分[*01]であり、民法第900条において次の割合を規定しています。

*01) 法定相続分が原則的な相続分の割合であるのに対し、被相続人が遺言で相続分の割合を指定することも可能です。これを「指定相続分」といいます。

1．配偶者と第1順位の血族相続人

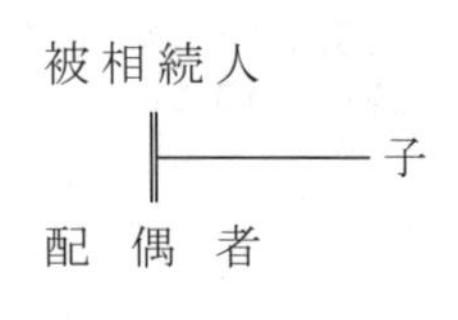

相続人	相続分	
配偶者	$\frac{1}{2}$	⇦ 優先[*02]
子	$\frac{1}{2}$	⇦ 残り

*02) 相続分は被相続人の配偶者から優先し、その相続分の残りを血族相続人に配分します。また、血族相続人との組み合わせにより配偶者の相続分も変わります。

2．配偶者と第2順位の血族相続人

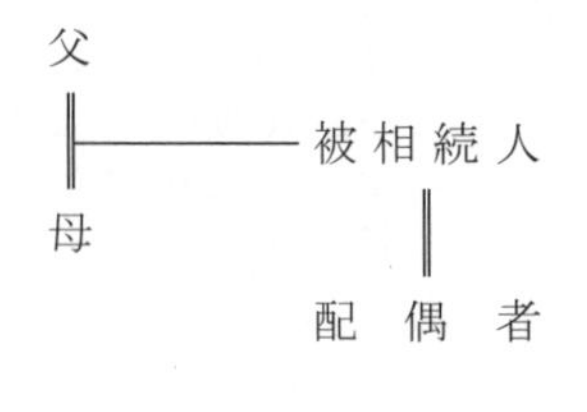

相続人	相続分	
配偶者	$\frac{2}{3}$	⇦ 優先
父・母	$\frac{1}{3}$	⇦ 残り

3．配偶者と第3順位の血族相続人

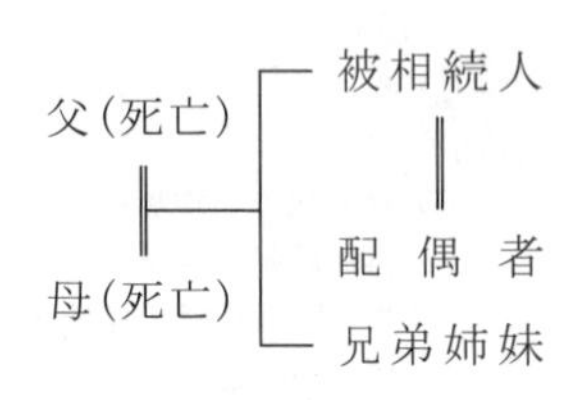

相続人	相続分	
配偶者	$\frac{3}{4}$	⇦ 優先
兄弟姉妹	$\frac{1}{4}$	⇦ 残り

3 子、直系尊属又は兄弟姉妹が複数いる場合

同順位の血族相続人が複数人いる場合には、法定相続分を均分します。

＜具体例１＞ 第１順位の血族相続人の場合

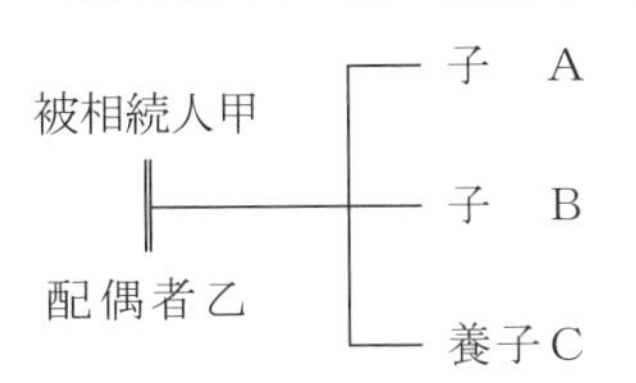

① 先に乙の相続分$\frac{1}{2}$を決定

② 残り$\frac{1}{2}$をA、B、Cで均分[*01)]

各 $\frac{1}{2}\times\frac{1}{3}(=\frac{1}{6})$

*01) 実子と養子との間において相続分に差は生じません。

＜具体例２＞ 第２順位の血族相続人の場合

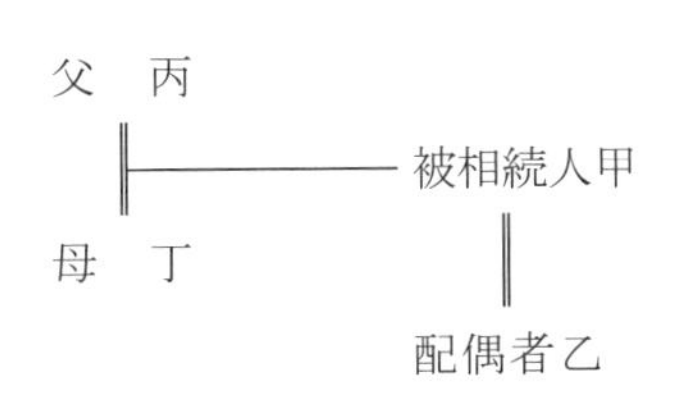

① 先に乙の相続分$\frac{2}{3}$を決定

② 残り$\frac{1}{3}$を丙と丁で均分

各 $\frac{1}{3}\times\frac{1}{2}(=\frac{1}{6})$

＜具体例３＞ 第３順位の血族相続人の場合

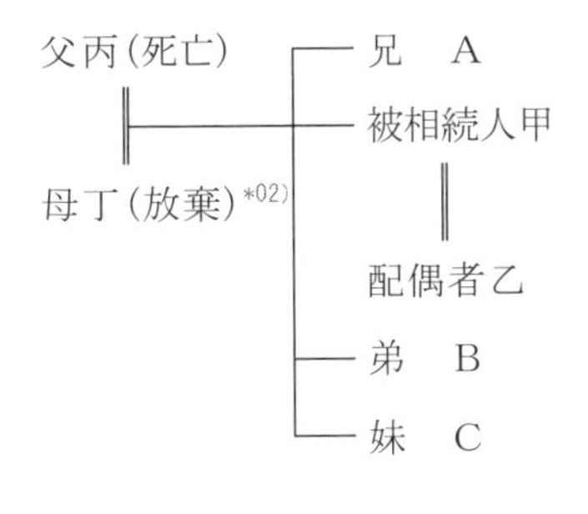

① 先に乙の相続分$\frac{3}{4}$を決定

② 残り$\frac{1}{4}$をA、B、Cで均分

各 $\frac{1}{4}\times\frac{1}{3}(=\frac{1}{12})$

*02) 父は死亡、母は放棄のため、相続人となり得る直系尊属がいない場合に該当します。もし母が放棄していなければ、相続分は乙2/3、丁1/3となります。

4 非嫡出子の場合

➜ 相続人のうちに非嫡出子がいる場合でも、非嫡出子の相続分は嫡出子の相続分と同じです。*01)

*01) 最高裁は平成25年9月4日、民法の規定について「親が結婚していないという選択の余地がない理由で子に不利益を及ぼすことは許されない」として違憲判断を示しました。改正民法では、900条の中の「嫡出でない子の相続分は、嫡出である子の相続分の2分の1とする」との箇所が削除され、嫡出子と非嫡出子の相続分は均等となりました。

<具体例>

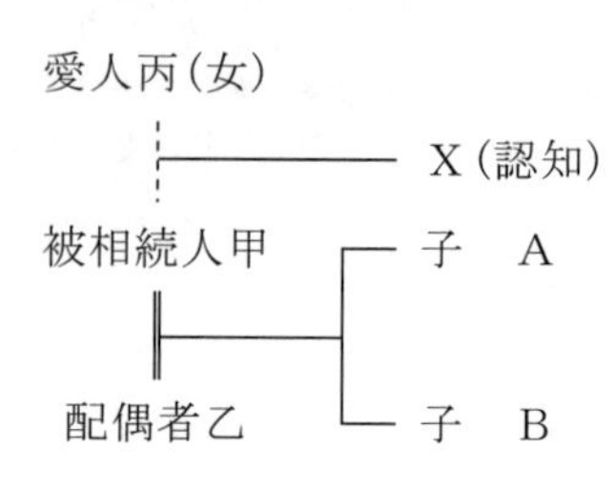

① 先に乙の相続分$\frac{1}{2}$を決定

② 残り$\frac{1}{2}$をX、A、Bで均分

各 $\frac{1}{2}\times\frac{1}{3}$ $(=\frac{1}{6})$

5 半血兄弟姉妹の場合

➜ 父母の一方のみを同じくする兄弟姉妹の相続分は、父母の双方を同じくする兄弟姉妹の相続分の半分とします。*01)

*01) 半血兄弟姉妹(異母兄弟等)の相続分は、全血兄弟姉妹の相続分の半分ですから、半血兄弟姉妹のところには数字の1を、全血兄弟姉妹のところには数字の2をおくと相続分が判定しやすくなります。

<具体例>

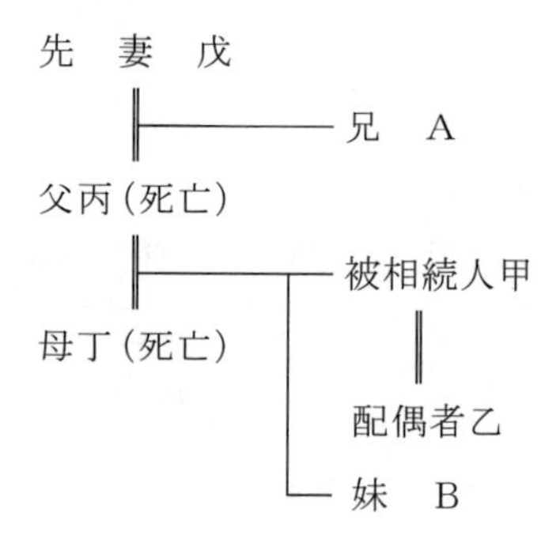

① 先に乙の相続分$\frac{3}{4}$を決定

② 残り$\frac{1}{4}$をA、Bで1：2で配分

A(半血) $\frac{1}{4}\times\frac{1}{3}(=\frac{1}{12})$

B(全血) $\frac{1}{4}\times\frac{2}{3}(=\frac{1}{6})$

6 代襲相続分（民901）

1．代襲相続人の代襲相続分[*01)]

代襲相続人の相続分は、相続人になるべきであった者（被代襲者）の相続分をそのまま承継します。ただし、複数の代襲相続人がいる場合には、その被代襲者の相続分を均分します。

*01) 直系尊属には代襲制度がありませんので、代襲相続分も当然にありません。

＜具体例１＞ 第１順位の場合

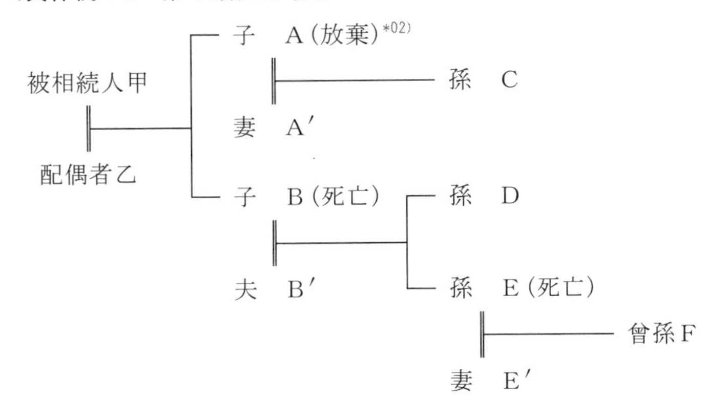

① 先に乙の相続分$\frac{1}{2}$を決定

② 残り$\frac{1}{2}$をD、Fで均分

各　$\frac{1}{2}\times\frac{1}{2}(=\frac{1}{4})$

*02) 相続放棄は、代襲原因ではありません。

＜具体例２＞ 第３順位の場合

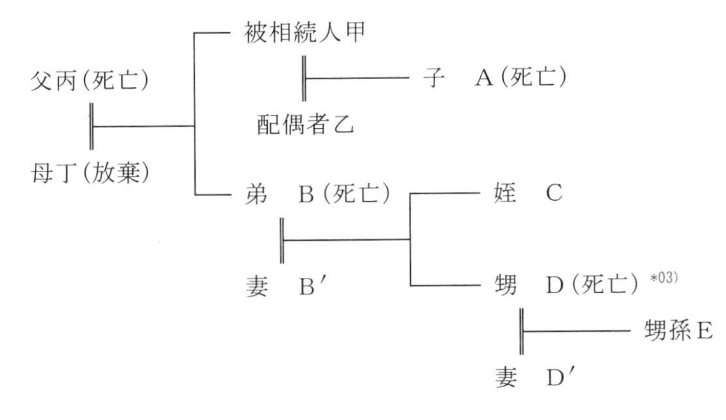

① 先に乙の相続分$\frac{3}{4}$を決定

② 残り$\frac{1}{4}$はCのみ

*03) 第３順位の血族相続人には再代襲制度はありません。したがって、代襲相続分についても甥・姪までということになります。

2．二重身分

被相続人が孫を養子としている場合で、被相続人の子が以前死亡しているときには、孫は養子としての身分及び代襲相続人としての身分を有する二重身分となり、各々の相続分を併せ持ちます。[*04)]

＜具体例＞

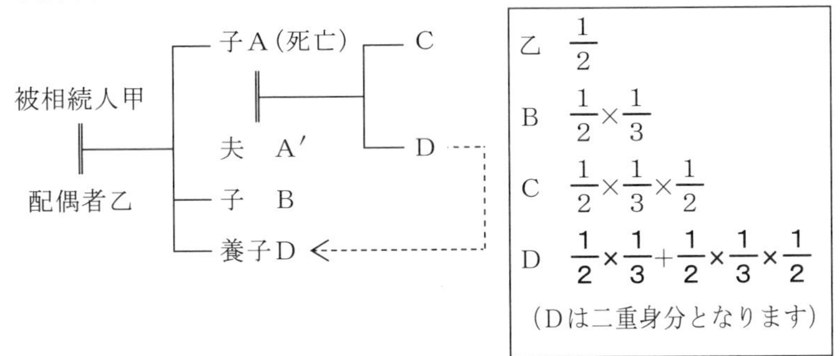

乙	$\frac{1}{2}$
B	$\frac{1}{2}\times\frac{1}{3}$
C	$\frac{1}{2}\times\frac{1}{3}\times\frac{1}{2}$
D	$\frac{1}{2}\times\frac{1}{3}+\frac{1}{2}\times\frac{1}{3}\times\frac{1}{2}$

（Dは二重身分となります）

*04) 二重身分となる孫養子のの相続分は、養子の相続分と孫（代襲相続人）の相続分を合計して求めます。具体例では、A・B・Dの相続分が1/2×1/3となり、次にAの相続分をCとDが２分の１ずつ代襲してDは養子としての相続分1/2×1/3に孫としての相続分1/2×1/3×1/2を加えた相続分を有することとなります。

7 指定相続分（民902）

➢➢問題集 問題4

被相続人は、遺言により法定相続分と異なる共同相続人の相続分を定めることができます。指定相続分*01)は、法定相続分及び代襲相続分に優先して適用されます。

*01) 指定相続は遺言書の資料の中に記載されてきますので、読み落としのないように気を付けて下さい。

1．全部指定

共同相続人全員の相続分を定める方式です。

2．一部指定

共同相続人中の１人若しくは数人の相続分を定めます。

指定されなかった者については、残りの相続分について法定相続分（民901）、代襲相続分（民902）によって定めます。

＜具体例＞

遺言で「Aの相続分を$\frac{1}{4}$」と指定している場合

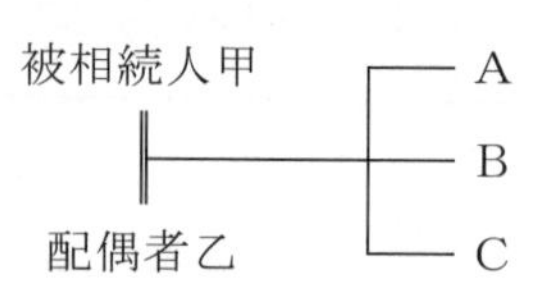

乙　$(1-\frac{1}{4})\times\frac{1}{2}$

A　$\frac{1}{4}$

B、C各　$(1-\frac{1}{4})\times\frac{1}{2}\times\frac{1}{2}$

①　先にAの指定相続分$\frac{1}{4}$を決定

②　残り$\frac{3}{4}$を乙、B、Cで配分

8 特別養子縁組制度（民817の2）

養親となる者の請求により、家庭裁判所の審判によって縁組を成立させるもので「実親及びその血族との親族関係を終了させて、特別養子と養父母との間に実の親子関係を取得させる」制度で、その成立要件は次のとおりです。

⑴ 養親となる者は、配偶者のある者に限ります。

⑵ 養親となる者は、25歳以上でなければなりません。

⑶ 養子となる者は、原則15歳未満*01) でなければなりません。

<縁組による血縁関係と相続権>

普通養子縁組：実親及びその血族との親族関係は消滅しません。

（相続権）：養子は実親と養親の両方に対して相続人となります。

特別養子縁組：実親及びその血族との親族関係が消滅します。*02)

（相続権）：養子は養親に対してのみ相続人となります。

*01) 令和元年6月7日に民法の改正法が成立、養子の年齢が6歳未満から引き上げられました。

*02) 戸籍への記載は普通養子の場合には養子、養女となりますが、特別養子の場合には、長男、長女のように実子と同様の記載となります。

<具体例>

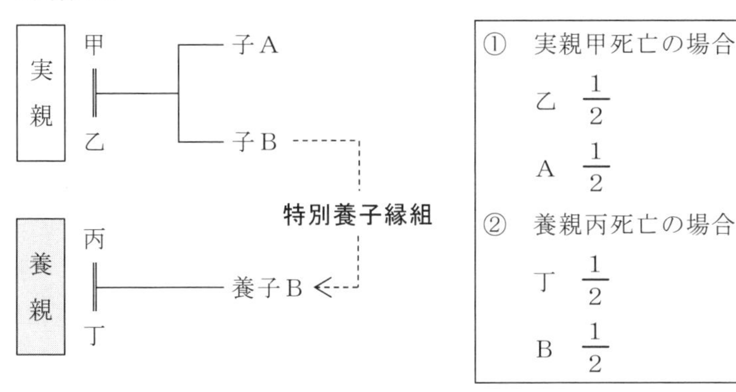

（解　説）

子Bは甲及び乙との親子関係を断ち切り、丙及び丁のみとの親子関係が成立します。したがって、子Bは甲及び乙の相続人とはならないため、①の場合では甲の子は子Aのみです。一方、②の場合には、子Bは養子として養親丙の相続人となります。

【親族図】（親族の範囲は配偶者・６親等内の血族・３親等内の姻族です）

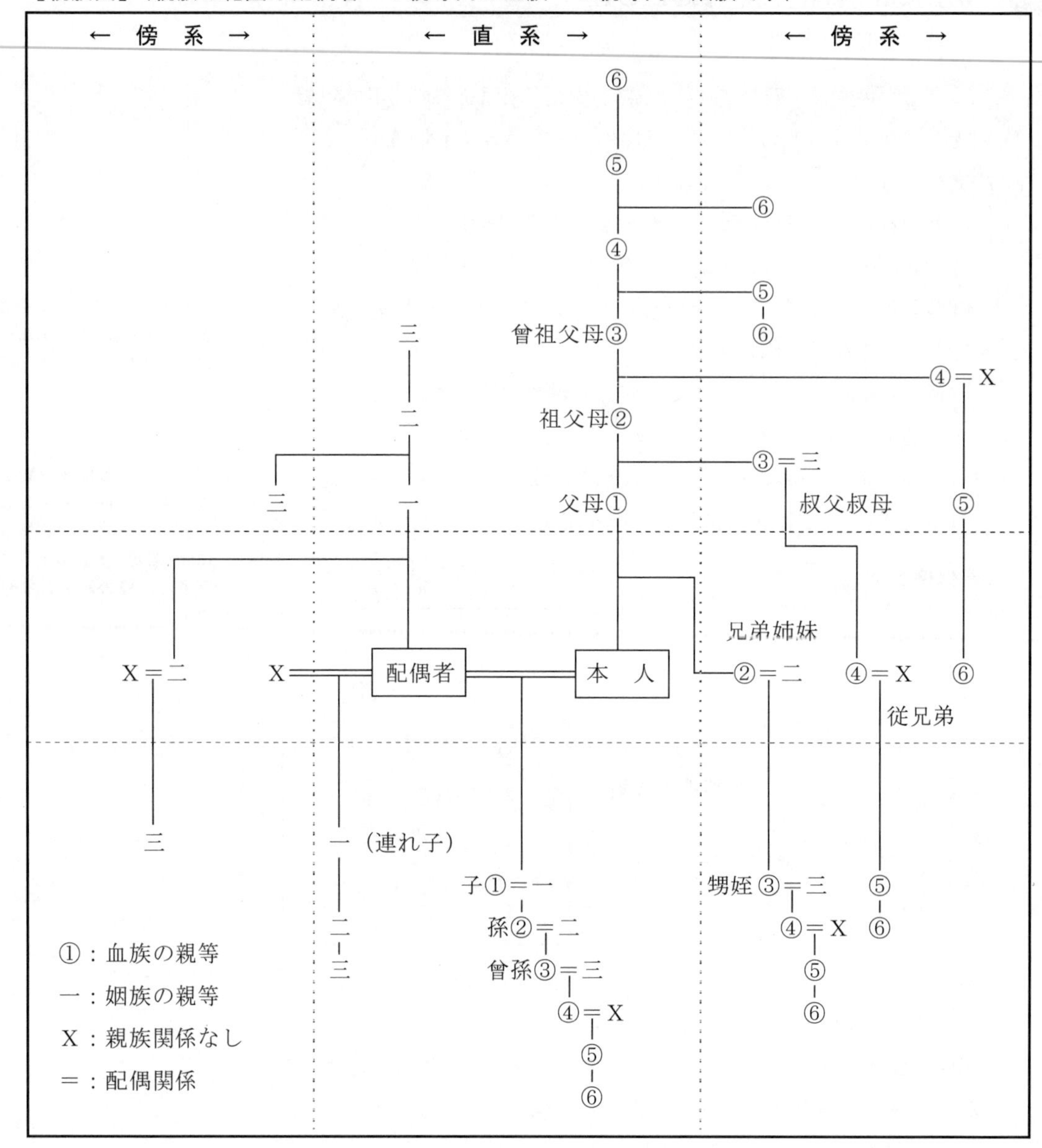

【用語の意義】

血　　族	自己と血縁関係のある者をいう。
姻　　族	婚姻関係を契機とする配偶者の血族および血族の配偶者をいう。
直　　系	血筋が親子関係によって直接につながっている系統をいう。
直系尊属	直系のうち、自己を中心として父祖(上)の世代をいう。
直系卑属	直系のうち、自己を中心として子孫(下)の世代をいう。
直系血族	世代が直上直下に連なる血縁者をいう。

Chapter 3

相続税の納税義務者

Section 1 相続税の納税義務者の区分

被相続人から遺産を取得した者は、相続税の納税義務を負います。

この Section では、相続税の納税義務者を中心に学習します。

1 相続税の納税義務者の区分

1．概　要

相続税の納税義務者は、相続又は遺贈(死因贈与を含みます。*01))により財産を取得した個人です。

また、その個人及び被相続人の住所・国籍の違いによって、以下の4つの納税義務者の種類に区分されます。

*01) 相続税の課税原因となる死因贈与も含まれます。

＜納税義務者の判定フローチャート＞

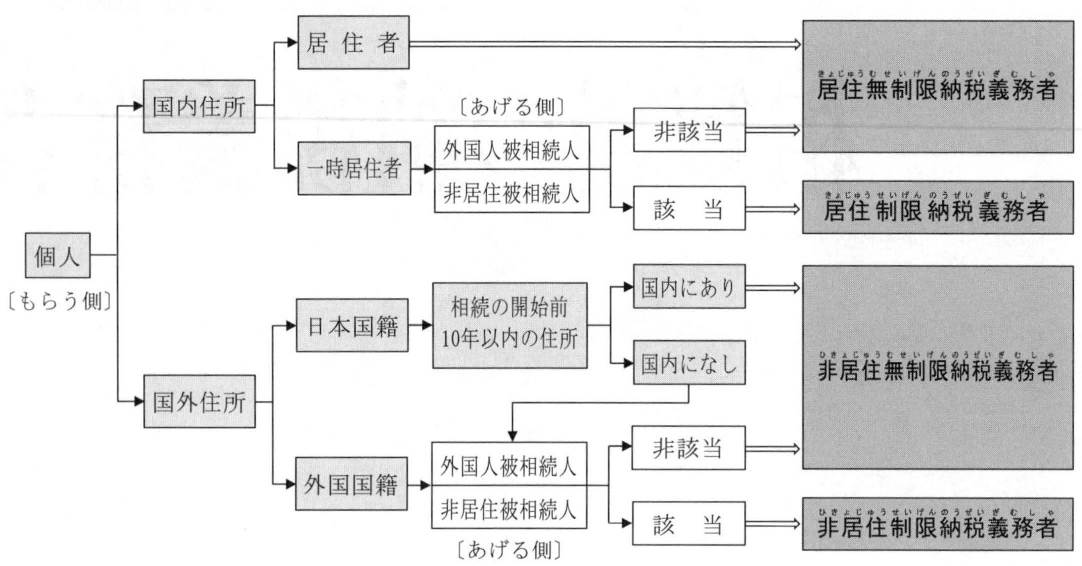

2．国外勤務者等の住所の判定（基通1の3・1の4共－6）

次に掲げる者の住所は、その者の住所が明らかに国外にあると認められる場合を除き、国内にあるものとして取り扱います。*02)

*02) 居住無制限納税義務者に該当するということです。

＜住所の判定＞

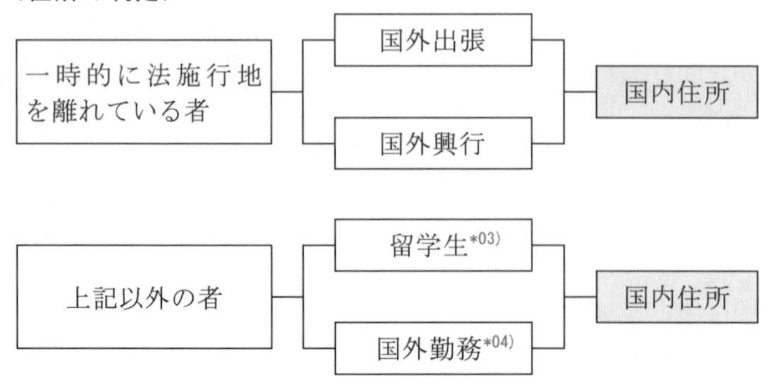

*03) 国内にいる者の扶養親族である留学生の場合です。

*04) 国外勤務の期間がおおむね1年以内の者です。

2 相続税の納税義務者の意義（法1の3）

納税義務者の区分	意　　　義
居住無制限納税義務者	相続又は遺贈により財産を取得した次に掲げる者であって、その財産を取得した時において法施行地に住所を有するもの (1)　一時居住者*01)でない個人 (2)　一時居住者である個人（被相続人が外国人被相続人*02)又は非居住被相続人*03)である場合を除く。）
非居住無制限納税義務者	相続又は遺贈により財産を取得した次に掲げる者であって、その財産を取得した時において法施行地に住所を有しないもの (1)　日本国籍を有する個人*04)であって次に掲げるもの ①　相続の開始前10年以内のいずれかの時において法施行地に住所を有していたことがあるもの ②　相続の開始前10年以内のいずれの時においても法施行地に住所を有していたことがないもの（被相続人が外国人被相続人又は非居住被相続人である場合を除く。） (2)　日本国籍を有しない個人（被相続人が外国人被相続人又は非居住被相続人である場合を除く。）
居住制限納税義務者	相続又は遺贈により法施行地にある財産を取得した個人でその財産を取得した時において法施行地に住所を有するもの（居住無制限納税義務者を除く。）
非居住制限納税義務者	相続又は遺贈により法施行地にある財産を取得した個人でその財産を取得した時において法施行地に住所を有しないもの（非居住無制限納税義務者を除く。）

*01) 一時居住者とは相続開始の時において在留資格を有する者（外国国籍を有する者。以下同じ。）でその相続の開始前15年以内において、法施行地に住所を有していた期間の合計が10年以下であるものをいいます。

*02) 外国人被相続人とは相続開始の時において在留資格を有し、かつ、法施行地に住所を有していた被相続人をいいます。

*03) 非居住被相続人とは相続開始の時において法施行地に住所を有していなかった被相続人で、次のものをいいます。
①その相続の開始前10年以内のいずれかの時において法施行地に住所を有していたことがあるもののうちそのいずれの時においても日本国籍を有していなかったもの
②その相続の開始前10年以内のいずれの時においても法施行地に住所を有していたことがないもの

*04) 日本国籍を有する個人には、日本国籍と外国国籍を併有する重国籍者も含みます。例えば、アメリカ人の男性と結婚した日本人女性がアメリカで子どもを出産した場合、子は日本国籍とアメリカ国籍の二重国籍となります。なお、日本は「国籍単一」の原則により一定の期限までにどちらかの国籍を選択する決まりとなっています。

Section 2

相続税の課税財産の範囲

各納税義務者の区分により国内外の財産についてその課税範囲が異なります。
このSectionでは、納税義務者の区分ごとの課税財産の範囲について学習します。

1 相続税の課税財産の範囲（法2）

≻≻問題集 問題1～4

1．納税義務者の区分と課税財産の範囲[*01)]

<table>
<tr><th></th><th colspan="2">納税義務者の区分</th><th>課税財産の範囲</th></tr>
<tr><td rowspan="4">個人</td><td>居住無制限納税義務者</td><td rowspan="2">無制限納税義務者</td><td rowspan="2">取得したすべての財産</td></tr>
<tr><td>非居住無制限納税義務者</td></tr>
<tr><td>居住制限納税義務者</td><td rowspan="2">制限納税義務者</td><td rowspan="2">取得した国内財産</td></tr>
<tr><td>非居住制限納税義務者</td></tr>
</table>

*01) 人や物が自由に行交うことができるようになった国際社会において、住所や財産を海外に移すことによる課税回避が問題となっていましたが、税制改正を繰り返しながら無制限納税義務者の範囲を徐々に拡大することでその問題を解消してきました。その結果、現在では無制限納税義務者に該当する場合がほとんどです。

【参 考】相続税の課税財産の範囲

<table>
<tr><td colspan="3" rowspan="3">相続人・受遺者
被相続人</td><td colspan="2">国内住所</td><td colspan="3">国外住所</td></tr>
<tr><td rowspan="2">居住者</td><td rowspan="2">一時居住者</td><td colspan="2">日本国籍あり</td><td rowspan="2">日本国籍なし</td></tr>
<tr><td>10年以内
国内住所あり</td><td>10年以内
国内住所なし</td></tr>
<tr><td rowspan="2">国内住所</td><td colspan="2"></td><td></td><td></td><td></td><td></td><td></td></tr>
<tr><td colspan="2">外国人被相続人</td><td></td><td>国内財産に
課税</td><td></td><td>国内財産に
課税</td><td>国内財産に
課税</td></tr>
<tr><td rowspan="3">国外住所</td><td rowspan="2">日本国籍あり</td><td>10年以内
国内住所あり</td><td></td><td></td><td></td><td></td><td></td></tr>
<tr><td>10年以内
国内住所なし
(非居住被相続人)</td><td></td><td>国内財産に
課税</td><td></td><td>国内財産に
課税</td><td>国内財産に
課税</td></tr>
<tr><td colspan="2">日本国籍なし
（外国人被相続人）</td><td></td><td>国内財産に
課税</td><td></td><td>国内財産に
課税</td><td>国内財産に
課税</td></tr>
</table>

（網掛け）：すべての財産に課税（無制限納税義務者）

（白地）：国内財産に課税（制限納税義務者）

2．納税義務者の区分と課税範囲のフローチャート

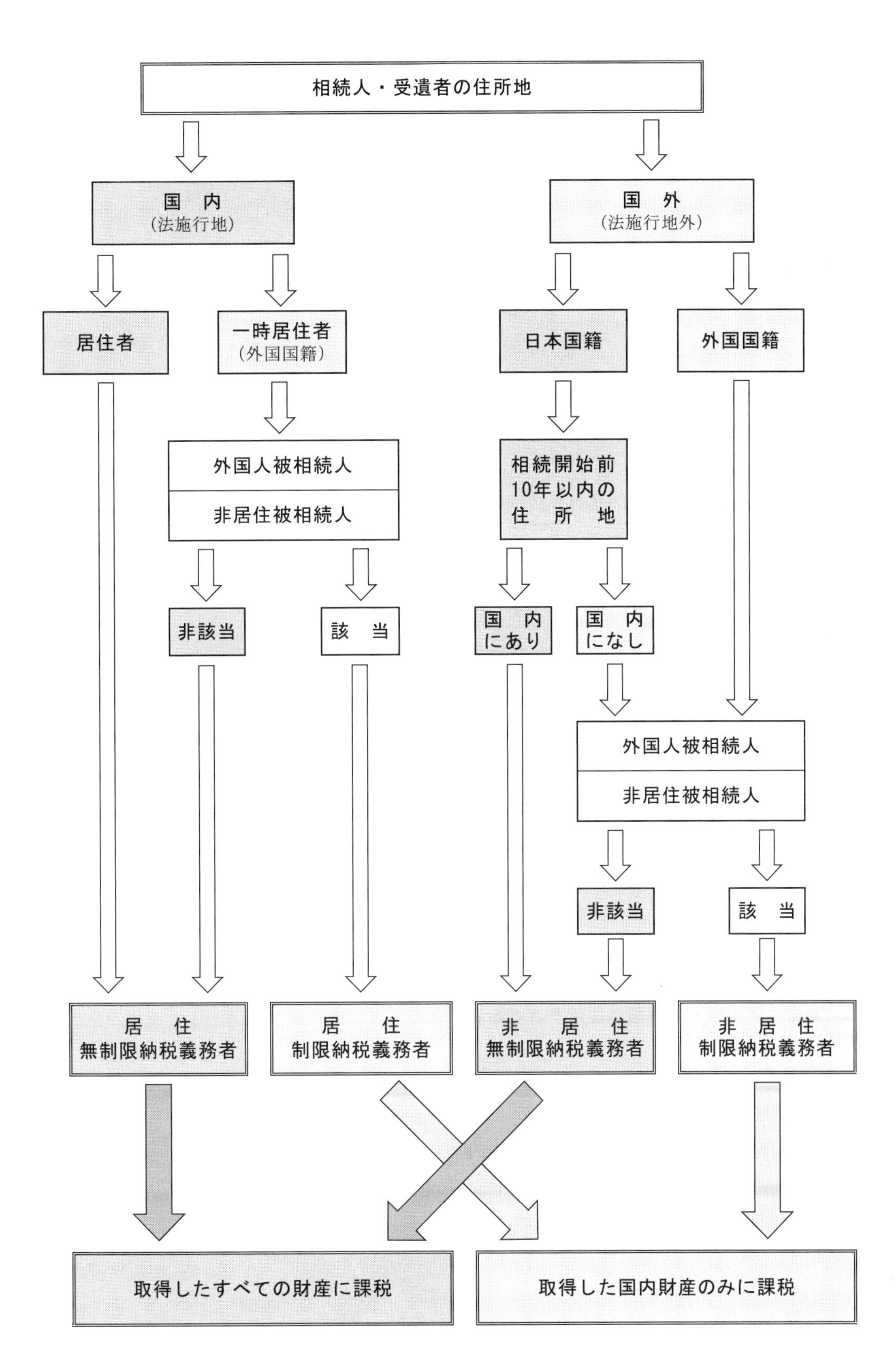

設例2－1　納税義務者と課税財産の範囲

被相続人甲（相続開始時における住所及び国籍：日本）の相続人等が相続又は遺贈により取得した財産は次のとおりである。これにより、各相続人等の納税義務者の区分を示すとともに課税財産の価額を求めなさい。

⑴　配偶者乙（相続開始時における住所及び国籍：日本）

土　地（国内財産）　　40,000千円

建　物（国内財産）　　12,000千円

預　金（国内財産）　　 8,000千円

⑵　長男A（相続開始時における住所及び国籍：日本）

日本国債（国内財産）　　5,000千円

株　　式（国外財産）　　10,000千円

⑶　友人B（相続開始時における住所：日本、国籍：アメリカ）

絵　画（国内財産）　　 3,000千円

別　荘（国外財産）　　15,000千円

（注）　友人Bは在留資格を有し、一時居住者に該当する。

解　答

（単位：千円）

納税義務者	納税義務者の区分	課税財産の価額
配偶者乙	居住無制限納税義務者	40,000＋12,000＋8,000＝60,000
長男A	居住無制限納税義務者	5,000＋10,000＝15,000
友人B	居住無制限納税義務者	3,000＋15,000＝18,000

解　説

①　配偶者乙及び長男Aは相続開始時において日本に住所を有し、かつ、日本国籍を有することから居住無制限納税義務者となります。

②　被相続人甲は、外国人被相続人にも非居住被相続人にも該当しません。したがって、友人Bは一時居住者ですが、居住無制限納税義務者となります。

・**外国人被相続人 ➜ 外国国籍を有する者であること**（被相続人甲は日本国籍のため非該当）

・**非居住被相続人 ➜ 国外住所を有する者であること**（被相続人は国内住所のため非該当）

設例２－２　納税義務者と課税財産の範囲

被相続人甲（相続開始時における住所：アメリカ、国籍：日本）の相続人等が相続又は遺贈により取得した財産は次のとおりである。これにより、各相続人等の納税義務者の区分を示すとともに課税財産の価額を求めなさい。

なお、被相続人甲及び配偶者乙は、被相続人甲が死亡する５年前まで日本に住所を有していたが、それ以降はアメリカに住所を有していた。

⑴　配偶者乙（相続開始時における住所：アメリカ、国籍：日本）

土　地（国外財産）　50,000千円

建　物（国外財産）　25,000千円

株　式（国内財産）　10,000千円

⑵　長男Ａ（相続開始時における住所及び国籍：日本）

日本国債（国内財産）　20,000千円

株　　式（国外財産）　5,000千円

⑶　長女Ｂ（相続開始時における住所：フランス、国籍：日本）

株　　式（国内財産）　12,000千円

米国国債（国外財産）　3,000千円

（注）長女Ｂは、被相続人甲が死亡する15年前からフランスに移住しており、被相続人甲が死亡するまでフランスに住所を有していた。

解答

（単位：千円）

納税義務者	納税義務者の区分	課税財産の価額
配偶者乙	非居住無制限納税義務者	50,000＋25,000＋10,000＝85,000
長男Ａ	居住無制限納税義務者	20,000＋5,000＝25,000
長女Ｂ	非居住無制限納税義務者	12,000＋3,000＝15,000

解説

①　配偶者乙は相続開始時において国外に住所を有していますが、日本国籍を有し、相続開始前10年以内に日本に住所を有していたことがあるため、非居住無制限納税義務者となります。

②　長男Ａは相続開始時において日本に住所を有し、かつ、日本国籍を有することから居住無制限納税義務者となります。

③　長女Ｂは、相続開始前10年を超えて国外に住所を有し、かつ、日本国籍を有していますが、被相続人甲が相続開始前10年以内に日本に住所を有していたことがあり、日本国籍を有するため非居住被相続人及び外国人被相続人ではないことから非居住無制限納税義務者となります。

Section 3 財産の所在

財産の所在についての国内外の判定は、財産の種類に応じて異なります。

このSectionでは、財産の所在について学習します。

1 財産の所在（法10）

1．概　要

無制限納税義務者は取得したすべての財産について相続税又は贈与税が課税されますが、制限納税義務者は取得した法施行地にある財産にのみ相続税又は贈与税が課税されます。つまり、その取得した財産が法施行地にあるかどうかによって課税対象の範囲が異なることとなります。そこで、相続税法では財産の種類別に財産の所在を規定しています。

2．財産の種類に応じた各所在

財　産　の　種　類	財　産　の　所　在
動産・不動産等	その動産、不動産の所在
預貯金等	預貯金等の受入れをした営業所又は事業所の所在
保険金*01)	その保険契約に係る保険会社等の本店等（法施行地に本店等がない場合には、法施行地にある契約事務を行う営業所等。退職手当金等において同じ。）の所在
退職手当金等*01)	退職手当金等を支払った者の住所又は本店等の所在
貸付金債権*02)	その債務者の住所又は本店若しくは主たる事務所の所在
営業上・事業上の権利*02)	営業所又は事業所の所在
社債・株式又は出資	発行法人の本店又は主たる事務所の所在
国債・地方債	法施行地
外国債・外国地方債	外国

*01) 外資系の保険会社との契約により受取る保険金や外資系の企業で勤務していた者が支給を受ける退職金も国内財産に該当します。

*02) 貸付金債権には、融通手形による貸付金を含み、売上債権（受取手形や売掛金）については課税時期から６月以内に返済期限が到来する短期回収可能な売上債権が除かれます。つまり、短期（６月以内）のものは営業上・事業上の権利に、長期（６月超）のものは貸付金債権に該当します。

設例３－１　財産の所在

被相続人甲（相続開始時における住所：アメリカ、国籍：日本（注））の相続人等が相続又は遺贈により取得した財産は次のとおりであるが、各相続人等の課税財産の価額を求めなさい。

（注）　被相続人甲は、相続開始の25年前から継続的にアメリカに住所を置いて生活しており、その間日本に住所を有したことはない。

⑴　配偶者乙（居住無制限納税義務者）が取得した財産

①	土地及び家屋（日本所在）	130,000千円
②	家庭用財産（日本所在）	12,000千円
③	株　式（日本国内に本店を有する会社）	3,000千円
④	日本国債	5,000千円

⑵　子Ａ（非居住無制限納税義務者）が取得した財産

①	別荘及別荘地（米国所在）	80,000千円
②	預　金（米国内の営業所に預入）	10,000千円
③	米国債	2,000千円

⑶　子Ｂ（非居住制限納税義務者）が取得した財産

①	土　地（オーストラリア所在）	60,000千円
②	預　金（日本国内の営業所に預入）	5,000千円
③	現　金（豪ドル：日本所在）	1,000千円

⑷　子Ｃ（非居住制限納税義務者）が取得した財産

①	社　債（米国内に本店を有する会社）	10,000千円
②	保険金（米国内に本店、日本国内に営業所を有する保険会社）	8,000千円

解答

（単位：千円）

納税義務者	課税財産の価額
配偶者乙	130,000＋12,000＋3,000＋5,000＝150,000
子　Ａ	80,000＋10,000＋2,000＝92,000
子　Ｂ	5,000＋1,000＝6,000
子　Ｃ	8,000

解説

①　配偶者乙及び子Ａは無制限納税義務者であるため、財産の所在を判定するまでもなく、取得した全ての財産が課税対象となります。

②　子Ｂ及び子Ｃは制限納税義務者であるため、取得した国内財産のみ課税対象となります。なお、預金は預入営業所の所在地で判定しますが、現金は動産ですのでその所在地により判定します。

また、国債・社債・株式については、その発行元である国やその発行会社の本店等の所在地で判定します。

········ 日本の相続税の歴史 ········

我が国の相続税は、今から100年以上前の1905年（明治38年）に日露戦争に端を発して創設されたものと言われていますが、国税庁の「租税史料ライブラリー」の内容からも覗い知ることができます。

その当時、イギリス、フランス、イタリア、ベルギー、オランダ、ロシアなどの世界各国では、すでに相続税制度を採用していました。

同じ頃、日本でも大蔵省（現財務省）は各国の租税制度調査のためにヨーロッパ各国に官吏を派遣していて、西洋の租税制度に倣い、相続税を導入しようと考えていたタイミングでもありました。

さて、日本の相続税における課税方式は遺産課税方式からスタートしましたが、1950年（昭和25年）に連合国軍による占領下において、租税学者のシャウプ博士の勧告による抜本的な改正が行われました。その影響により、これまでの課税方式は遺産取得課税方式へと切り替わることとなります。しかし、その翌年（昭和26年）のサンフランシスコ講和条約の調印により、およそ7年にも及んだ連合国軍による占領下から独立を回復すると、占領下の相続税制は我が国の実情に合わないとして改正され、現在における相続税の基本的な構造が出来上がりました。

それから50年以上が経過し、日本では高齢化が進み、経済社会の構造が変化したことから、経済の活性化という社会的な要請の高まりに応える税制として、2003年（平成15年）に相続時精算課税制度が改正により導入されました。当時の塩川財務大臣に「シャウプ以来の税制の改革」と言わせたほど、相続税制にとっての大きな改正と位置づけられました。

このように、日本の相続税制は戦争の歴史とともに歩み、変化を繰り返してきたと言えますが、同時に相続税が持つ意義や機能も変化してきたことが分かります。

明治38年の創設時には、日露戦争の戦費調達が目的だったため偶然所得の発生に担税力を見出して課税するという「所得税の補完」がその意義でした。第二次大戦後の連合国軍による占領下においては、財閥解体という占領政策と財閥復活阻止のための「富の集中抑制」という意義を持つようになりました。しかし、連合国軍による占領から開放されると「富の集中抑制」という同じ機能であっても、富の社会への還元という意味での「富の再分配」という意義を持つことになりました。

最後に。租税には所得・消費・資産に対する課税という三つの柱がありますが、相続税は「資産に対する課税」を担っています。これら三つの課税を組み合わせた最良の税制「タックス・ミックス」を構築していく上で、消費税率の引上げによる所得の再分配機能の低下という問題を抱える中、相続税の富の再分配機能は今後においてより期待されるものになっていくと思われます。

Chapter 4

相続税の課税価格 I

Section 1 相続税の課税価格計算の基礎

相続税の課税価格とは、財産を取得した者ごとに集計した課税金額です。
このSectionでは、相続税の課税価格の各計算項目について学習します。

1 概　要

>>問題集 問題6・7

相続税の課税価格を計算するには、相続や遺贈等により取得した財産のほかに、生命保険金などのみなし相続財産と呼ばれるものも加えていきます。それらの財産のうち、非課税とされる財産を除き、さらに、相続により承継した債務（実際には負担した債務や葬式費用）を控除した金額が相続税の課税価格[*01]となります。

なお、課税価格とは税金計算上の課税標準とされる金額のことで、基本的な税金計算のルールとして、課税標準に税率を乗じて税額を計算することになります。この場合、課税標準である課税価格については、千円未満の端数を切り捨てます。

*01）相続税の課税価格は、財産の取得者ごとに集計していきます。最終的に課税価格が多い人は税額も多くなり、課税価格が少ない人は税額も少なくなります。

＜課税価格までの計算の流れ＞[*02]

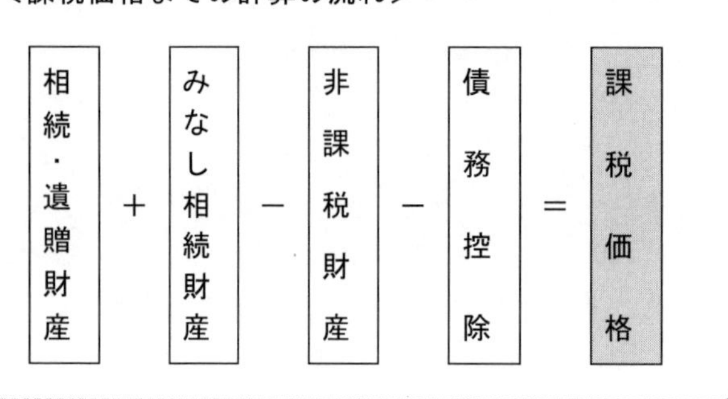

*02）各計算の項目については、このChapterで順次学習していきます。また、課税価格の計算の項目は左記以外にもありますが、今後において追加学習していきます。

2 相続・遺贈財産（法22）

相続又は遺贈により取得した財産については、その財産を評価した金額（これを「価額」といいます。）に基づいて課税価格を計算します。

また、この価額は、相続開始時における時価[*01]によることとされていますが、具体的には相続税法財産評価基本通達に定められた方法によって計算した金額（これを「相続税評価額」といいます。）を用いることとなります。

*01）ここでいう時価とは一般的な時価ではなく、相続税評価額（相続税の計算における独自の時価）のことをいいます。

【課税価格までの答案用紙の一例】

I　相続人及び受遺者の相続税の課税価格の計算

1　遺贈財産価額の計算　(単位：円)

財産の種類	取得者	計算過程	金額
		被相続人の遺言に基づき取得した財産を計算します。	

2　相続財産価額の計算　(単位：円)

〔計算過程〕

相続人間の遺産分割協議に基づき取得した財産を計算します。

3　相続又は遺贈によるみなし取得財産価額の計算　(単位：円)

財産の種類	取得者	計算過程	金額
		生命保険金等や退職手当金等を計算します。	

4　債務控除額の計算　(単位：円)

債務及び葬式費用	負担者	計算過程	金額
		被相続人の債務、葬式費用を計算します。	

5　相続税の課税価格の計算　(単位：円)

区分＼相続人等		配偶者乙	子　A	子　B	子　C	孫　D	計
遺贈による取得財産							
相続による取得財産							
みなし財産	生命保険金等						
	退職手当金等						
債務控除	債務						
	葬式費用						
課税価格(1,000円未満切捨)							

(注) 相続人等の欄の記入順序については特に決まりはありませんが、左から配偶者➔アルファベット順(A➔B➔C➔D) で記入するか、配偶者➔相続人➔相続放棄者➔受遺者の順序で記入すると良いです。なお、試験の解答作成では「配偶者」「子」「孫」などの表記は省略しても構いません。

Section 2

みなし相続財産 1

被相続人の死亡により取得した生命保険金や死亡退職金には相続税がかかります。
このSectionでは、みなし相続財産について学習します。

1 生命保険金等の課税関係

≻≻問題集 問題1

1．概　要

死亡保険金は民法における相続の効果として取得するのではなく、保険会社との契約に基づいて取得するものであることから、そもそも相続財産には該当しないため、本来は課税対象から除かれるべき財産といえます。しかし、死亡保険金を取得した者と取得しなかった者との税負担公平の見地から死亡保険金を相続財産とみなして*01)相続税が課税されることとなっています。

なお、この生命保険金のことを「みなし相続財産」と呼んでいます。

*01)「みなす」とは、他の事項と本来性質の異なるある事項を法令上同一なものとして扱うことです。

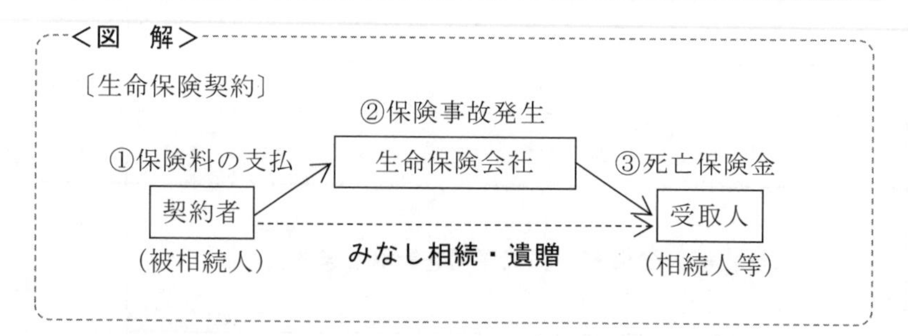

＜生命保険契約に関する用語＞

被保険者	保険事故の対象者でその者の死亡等*02)が保険事故とされている者です。
保険契約者	保険契約の当事者で保険会社と保険契約を締結し、保険料の支払い義務を負う者です。
保険料負担者	保険料を支払う者*03)です。
保険金受取人	保険事故に基づく保険契約の履行により保険金を受け取る者又は保険金請求権を有する者です。

*02) 死亡以外にも満期となった場合に保険金が支払われる契約もあります。この場合には被保険者の死亡ではないので贈与税や所得税が発生します。

*03) 保険料は原則として契約者が負担すべきものですが、実際には契約者以外の者が保険料を負担するケースもあります。

2．生命保険金等の課税要件等（法3①一）

項　　目	内　　容
課税要件	(1) 被相続人の死亡*04) (2) 生命保険契約又は損害保険契約の死亡保険金を取得した場合
課税対象者	保険金受取人
課税財産	保険金×被相続人が負担した保険料※／被相続人の死亡の時までに払い込まれた保険料の全額
取得原因	相続又は遺贈*05)により取得したものとみなす

※　死亡保険金であっても保険金受取人が保険料を負担している部分には所得税、第三者が負担している部分には贈与税が課税されます。

*04) 保険をかけられた被保険者が死亡した場合に死亡保険金が支払われます。つまり、被保険者が被相続人である保険契約が課税対象です。

*05) 保険金受取人が相続を放棄していても保険契約により保険金を受け取れますが、この場合には「みなし遺贈」として課税されます。

＜例　題＞

次の資料により保険金の受取人に対する課税関係を答えなさい。

1　被相続人甲の相続人等の状況は次のとおりである。

被相続人甲
　　├── 子A（放棄）
配偶者乙

2　被相続人甲に関する生命保険契約は、次の表のとおりである。

被保険者	契約者	受取人	保険金額	保険料
被相続人甲	被相続人甲	配偶者乙	30,000千円	6,000千円

（注）保険料は被相続人甲が3,000千円、配偶者乙が2,000千円及び子Aが1,000千円負担している。

（解　答）　　　　　　　　　　　　　　　　（単位：千円）

(1) 被相続人甲負担部分

$$30,000 \times \frac{3,000}{3,000+2,000+1,000} = 15,000$$ ➜ 相続税

(2) 配偶者乙負担部分

$$30,000 \times \frac{2,000}{3,000+2,000+1,000} = 10,000$$ ➜ 所得税

(3) 子A負担部分

$$30,000 \times \frac{1,000}{3,000+2,000+1,000} = 5,000$$ ➜ 贈与税

〈保険料負担者〉		〈課税関係〉*06)
被相続人	➜	相続税
受取人	➜	所得税
被相続人・受取人以外	➜	贈与税

*06) 保険料負担者の違いにより相続税や所得税、贈与税のいずれかを負担することになりますが、試験の出題では被相続人が保険料の全部又は一部を負担していることが前提となります。

３．生命保険金等の非課税

生命保険金等については、被相続人の死亡後における相続人等の生活安定等を考慮し、一定の金額まで非課税としています。

⑴　対象者

相続人のみ[*07)]

（注）　相続人とは「相続の放棄をした者及び相続権を失った者を含まない民法上の相続人」のことです。

⑵　非課税限度額

500万円×法定相続人の数

（注）　法定相続人の数とは「相続の放棄があった場合でもその放棄がなかったものとした場合における相続人の数」のことで、民法上の相続人の数とは違う、税金計算上の公平を目的とした税法上の相続人の数です。

＜具体例＞[*08)]

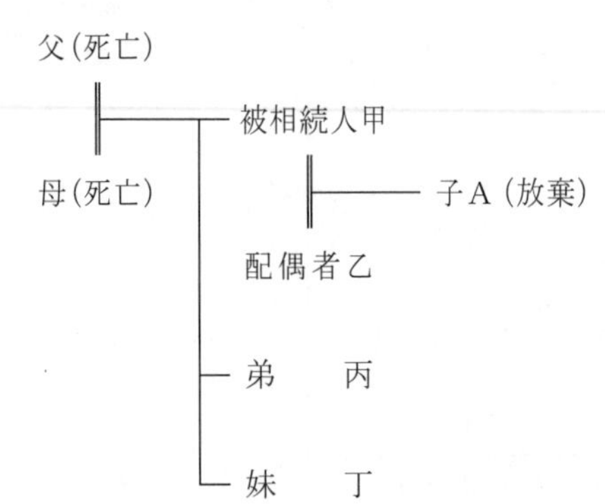

民　法　上	税　法　上
配偶者乙	**配偶者乙**
弟　　丙	**子　　Ａ**
妹　　丁	
合計３人	**合計２人**

〈生命保険金等の非課税限度額〉
5,000千円×**２人（法定相続人の数）**＝10,000千円

⑶　各人の非課税金額

①　相続人の取得した生命保険金等の合計額が非課税限度額以下の場合

➜　その相続人の取得した生命保険金等の全額が非課税です。

②　相続人の取得した生命保険金等の合計額が非課税限度額を超える場合

➜　非課税限度額を各相続人が取得した生命保険金等の割合であん分します。

$$\text{非課税限度額} \times \frac{\text{各相続人の取得した保険金等の合計額}^{*09)}}{\text{すべての相続人が取得した保険金等の合計額}}$$

*07) 保険金受取人が相続を放棄した場合でも、保険契約に基づいて保険会社からその相続放棄者に対し保険金は支払われますが、相続人ではないため非課税の適用を受けることはできません。

*08) 生命保険金等の非課税限度額の計算について「民法上」の相続人の数とした場合には、子Ａの相続放棄により相続人の数が３人となり、非課税限度額が500万円分増えます。このように、相続放棄を利用した税負担の軽減を防止するため、本来の相続人ともいうべき相続の放棄者を含めた税法上の相続人の数を用いることにしています。

*09) １人の相続人が複数の保険金を受け取った場合には、その合計額となります。

設例２－１　　**生命保険金等の課税関係**

次の資料により、各人の生命保険金等の非課税金額を計算しなさい。

1　被相続人甲の相続人等の状況は次のとおりである。

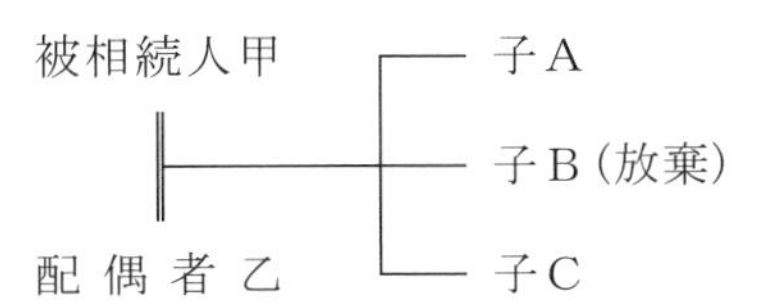

2　被相続人甲の死亡に伴い相続人等が取得した生命保険金等は次のとおりであり、保険料はすべて被相続人甲が負担していた。

(1)　配偶者乙　50,000千円

(2)　子　　A　40,000千円

(3)　子　　B　30,000千円

(4)　子　　C　10,000千円

解　答　　（単位：千円）

(1)　非課税限度額

5,000×４人＝20,000

(2)　相続人が取得した保険金等の合計額

配偶者乙：50,000
子　　A：40,000
子　　C：10,000
} 合計　100,000

(3)　非課税金額

(1)＜(2)　∴　20,000

配偶者乙　20,000× $\frac{50,000}{100,000}$ ＝10,000

子　　A　20,000× $\frac{40,000}{100,000}$ ＝8,000

子　　C　20,000× $\frac{10,000}{100,000}$ ＝2,000

子Bは相続人でないため適用なし

解　説

①　子Bは相続の放棄をしていますが、非課税限度額を算定する際には法定相続人の数を用いるため、放棄がなかったものとした場合における相続人の数となることから、子Bも含めて法定相続人の数は、４人となります。

②　相続を放棄している子Bは、相続人ではないため非課税の適用はありません。

なお、非課税金額の計算上、子Bの取得した保険金額は相続人が取得した保険金等の合計額にも含めませんので、注意してください。

また、非課税の適用がないことについて、解答のようにコメントを付すようにしてください。

2　退職手当金等の課税関係

≻≻問題集 問題2

1．概　要

　死亡退職により勤務会社から遺族が受取る死亡退職金についても、死亡保険金と同様に民法上における相続の効果として取得するもの[*01]ではありませんが、死亡退職金を取得した者と取得しなかった者との税負担公平の見地から死亡退職金を相続財産とみなして相続税が課税されることとなっています。

　なお、この死亡退職金のことも「みなし相続財産」と呼んでいます。

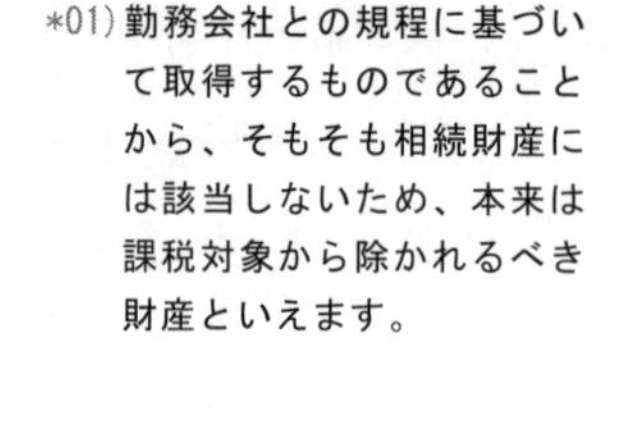

*01）勤務会社との規程に基づいて取得するものであることから、そもそも相続財産には該当しないため、本来は課税対象から除かれるべき財産といえます。

＜図　解＞

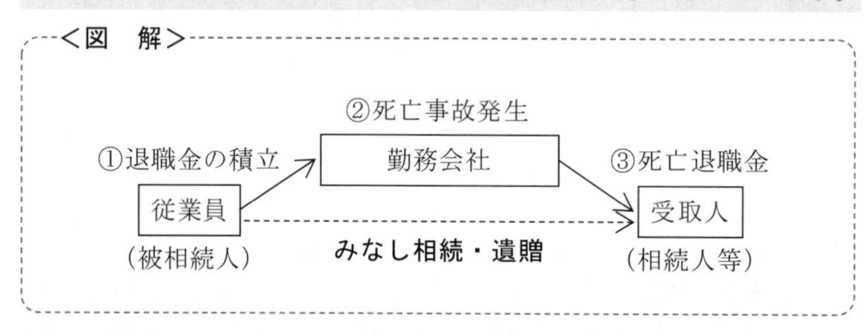

2．退職手当金等の課税要件等（法3①二）

項　　目	内　　容
課税要件	⑴　被相続人の死亡 ⑵　被相続人の死亡後３年以内に支給が確定した退職手当金等を取得した場合
課税対象者	退職手当金等を取得した者[*02]
課税財産	退職手当金等として支給を受けた金額
取得原因	相続又は遺贈により取得したものとみなす

*02）会社の支給規程等により、配偶者が退職金を受け取ることが一般的といえます。

⑴　死亡退職と生前退職

　被相続人の死亡後３年以内に支給が確定した退職手当金等とは、被相続人の死亡後３年以内に支給額が確定したものをいい、実際の支給時期がその死亡後３年以内であるかどうかは問いません。

　なお、課税対象となる退職金は原則として「死亡退職金」ですが、生前退職金であっても支給額の確定が被相続人の死亡後３年以内であるものは、「みなし相続財産」として課税されます。

＜死亡退職で死亡後３年以内に支給額が確定した退職手当金＞[*03]

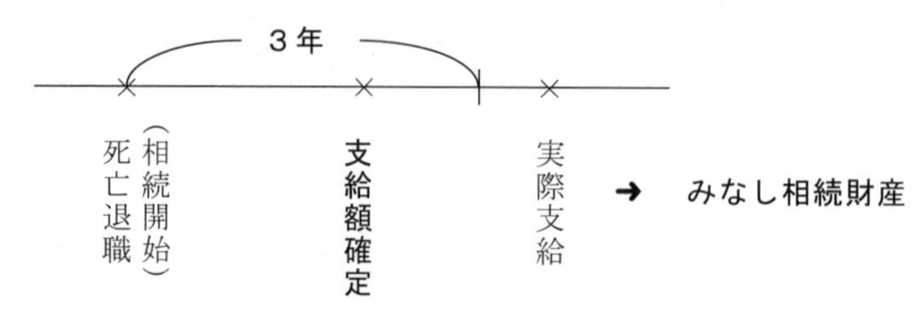

*03）支給することが確定していても、支給額が確定していないものは除きます。なお、３年を超えて支給額が確定した場合には所得税が課税されます。

<生前退職で死亡後に支給額が確定した退職手当金[*04]>

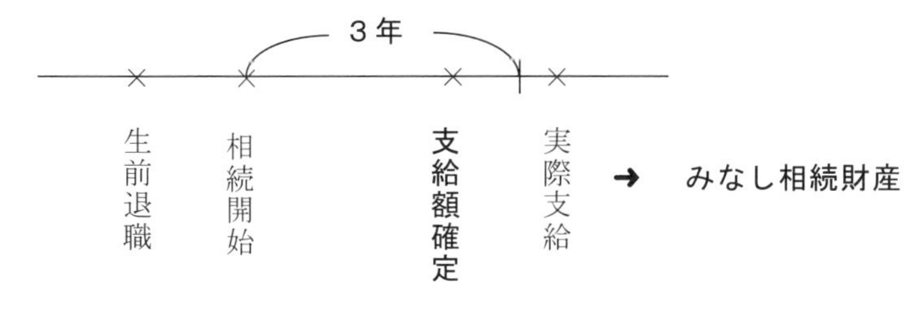

*04) 相続税が課税される場合は原則として死亡退職金ですが、生前退職金であっても支給額が死亡後3年以内に確定した場合に限り、同じく相続税が課税されます。

<生前退職で死亡前に支給額が確定した退職手当金[*05]>

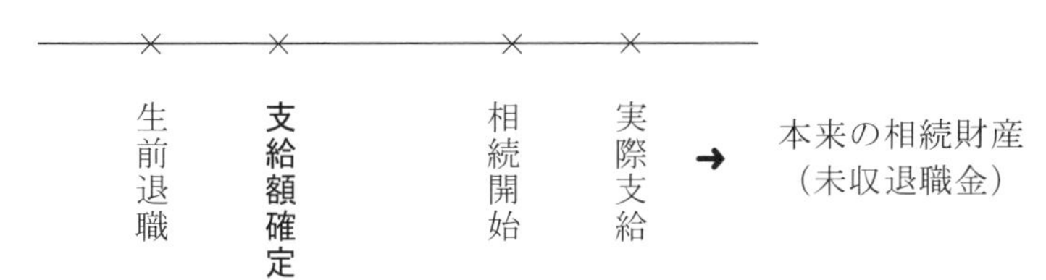

*05) 生前退職で、相続開始前に支給額が確定していれば、預貯金などと同じく本来の相続財産（被相続人の遺産）となります。

<まとめ>

	支給額の確定時期	区分
死亡退職	3年以内に支給額が確定	みなし相続財産[*06]
生前退職	死亡後3年以内に支給額が確定	みなし相続財産[*06]
	死亡前に支給額が確定	本来の相続財産

*06) みなし相続財産に区分されると非課税の適用を受けることができます。
☞4-10ページ

3. 弔慰金等（ちょういきん）

被相続人の死亡により、相続人等が被相続人の雇用主から受ける弔慰金、花輪代、葬祭料等については、原則として課税されません。

⑴ 実質的に退職手当金等に該当するもの（実質基準）

退職手当金等は、名義を問わず実質で判定します。したがって、実質的に退職手当金等に該当するものは、弔慰金等から除外して退職手当金等として課税します。

⑵ ⑴で判定できないもの（形式基準）

次の金額を課税されない弔慰金等とし、その残額は退職手当金等として課税します。

① 被相続人の死亡が業務上の死亡※の場合

賞与以外の普通給与[*07]×3年分	➜ 課税対象外

② 被相続人の死亡が業務上以外の死亡の場合

賞与以外の普通給与[*07]×6月分	➜ 課税対象外

※ 業務上の死亡とは、直接業務に起因する死亡又は業務と相当因果関係があると認められる死亡をいいます。[*08]

*07) 俸給、給料、賃金、扶養手当、勤務地手当、特殊勤務地手当等の合計額となります。

*08) 通勤途中の事故により死亡した場合も、業務上の死亡に該当します。

⑶ 2以上の勤務会社から弔慰金等の支給を受けた場合

弔慰金等の支払をする雇用主（会社）ごとに判定し計算をします。

4. 退職手当金等の非課税[*09)]

退職手当金等については、被相続人の死亡後における相続人等の生活安定等を考慮し、一定の金額まで非課税としています。

*09) 退職手当金等の非課税計算は、対象者も計算もすべて生命保険金等の非課税計算と同じです。

(1) 対象者

相続人のみ

(2) 非課税限度額

500万円×法定相続人の数

(3) 各人の非課税金額

① 相続人の取得した退職手当金等の合計額が非課税限度額以下の場合

➜ その相続人の取得した退職手当金等の全額が非課税です。

② 相続人の取得した退職手当金等の合計額が非課税限度額を超える場合

➜ 非課税限度額を各相続人が取得した退職手当金等の割合であん分します。

$$\text{非課税限度額} \times \frac{\text{各相続人の取得した退職手当金等の合計額}}{\text{すべての相続人が取得した退職手当金等の合計額}}$$

5. 本来の相続財産[*10)]

被相続人が受けるべきであった賞与で被相続人の死亡後確定したもの(未収賞与)又は相続開始時に支給期の到来していない給料等(未収給与)は、本来の相続財産に該当し、相続税が課税されます。

*10) 本来の相続税財産については、退職手当金等の非課税の適用はありません。

設例2－2　退職手当金等の課税関係

以下の資料により、退職手当金等の課税金額を計算しなさい。

1　被相続人甲の相続人等の状況は次のとおりである。

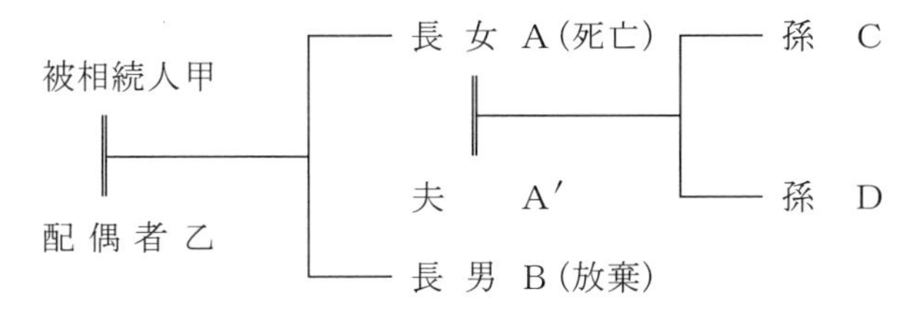

(注) 1　被相続人甲及び相続人等はすべて日本国内に住所を有している。

2　長男Bは、被相続人甲の死亡に係る相続について、適法に相続の放棄をしている。

2　被相続人甲の死亡退職により、被相続人甲が生前に勤務していたX株式会社から次の金額が配偶者乙に対して支払われている。なお、被相続人甲の死亡は業務上の死亡には該当しない。また、被相続人甲に係る相続開始時における賞与以外の普通給与の月額は500千円である。

(1)　退職手当金　25,000千円

(2)　弔慰金　4,000千円

解　答

（単位：千円）

1　退職手当金等の金額

25,000＋4,000－※3,000＝26,000

※　弔慰金等の判定

4,000＞500×６月＝3,000　∴　3,000

2　非課税金額

(1)　非課税限度額

5,000×４人＝20,000

(2)　相続人が取得した退職手当金等の合計額

配偶者乙：26,000

(3)　非課税金額

(1)＜(2)　∴　20,000

3　課税金額

26,000－20,000＝6,000

解　説

①　弔慰金等の判定については、問題資料より業務上の死亡に該当するか否かを先に確認してから行います。なお、試験の出題では形式基準による判定がほとんどです。

②　退職手当金等の非課税金額の計算は、生命保険金等と同様に行います。

Section 3

相続税の非課税財産

相続税の課税価格の計算上、一定の理由から非課税とされる財産があります。

このSectionでは、相続税の非課税財産について学習します。

1 相続税の非課税財産（法12）

≻≻問題集 問題3

相続税の課税対象となる財産の中には、その財産の性質や社会政策的な見地、国民感情などから見て、課税対象とすることが適当でない財産があります。

したがって、このような財産を相続税の課税価格に算入しない旨の規定を設けています。

1．皇室経済法(こうしつけいざいほう)の規定により皇位とともに皇嗣(こうし)が受けた物*01)

理　由

憲法上の特殊な地位に随伴するもので、私的なものと異なり自由に処分できない性質のものだからです。

*01) 三種の神器などです。三種の神器とは、天皇の地位の標識として、歴代の天皇が受け継いだ三つの宝物。八咫鏡（やたのかがみ）、草薙剣（くさなぎのつるぎ）、八尺瓊勾玉（やさかにのまがたま）をいいます。

2．墓所(ぼしょ)、霊(れい)びょう及び祭具(さいぐ)並びにこれらに準ずるもの

理　由

祖先崇拝(そせんすうはい)の慣行を尊重する意味と日常礼拝(にちじょうれいはい)の用に供されているものを課税対象とすることに対する国民感情を考慮したものです。

ただし、商品、骨とう品又は投資の対象として所有するもの*02)は課税の対象となります。

*02) 例えば、金の仏像が銀行の貸金庫に保管されていたという場合には課税対象です。

＜例　題＞

被相続人の死亡により、配偶者乙が取得した相続財産は以下のとおりである。この場合の相続税の課税価格に算入される金額を求めなさい。

土　地	30,000千円	建　物	15,000千円
墓　地	4,000千円	仏　像	20,000千円
墓　石	1,000千円	仏　壇	500千円

※　上記の仏像は、銀行の貸金庫に保管されているものである。

（解　答）

30,000千円(土地)＋15,000千円(建物)＋20,000千円(仏像)＝65,000千円

※　墓地、墓石及び仏壇は相続税の非課税

3．公益事業用財産

理　由

公共性の高い民間公益事業の特殊性を考慮してその保護育成の見地から設けられています。

⑴　宗教、慈善、学術その他公益を目的とする事業を行う者が相続又は遺贈により取得した財産[*03]でその公益を目的とする事業の用に供することが確実なものです。

*03）幼稚園教育用財産（園舎・運動場など）が挙げられます。

⑵　課税価格に算入される場合

その財産を取得した者がその財産を取得した日から２年を経過した日[*04]において、なおその財産をその公益を目的とする事業の用に供していない場合には、取得時の価額で相続税の課税価格に算入し、計算のやり直しを行います。[*05]

*04）２年を「経過する日」と「経過した日」では１日異なります。例えば、令和７年４月１日を起算日とした場合、２年を経過する日は令和９年３月31日となり、２年を経過した日は令和９年４月１日となります。

*05）非課税を利用した節税対策を防止するためです。なお、非課税取消者には延滞税や加算税も課せられます。

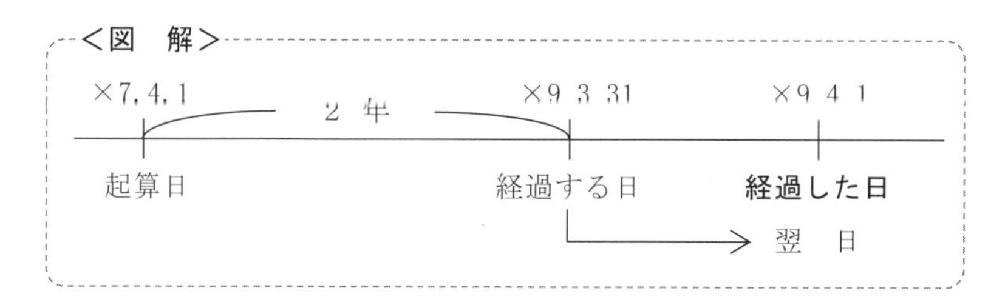

4．心身障害者共済制度（しんしんしょうがいしゃきょうさいせいど）に基づく給付金の受給権

理　由

条例の規定によりその範囲が限定されていること及び受給権の性格が心身障害者を扶養するためのものであることを考慮して設けられています。

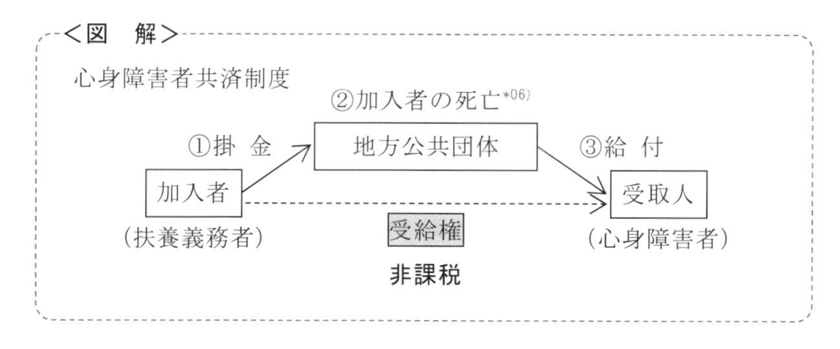

*06）加入者が死亡した場合には、受取人が受益権を相続又は遺贈により取得したものとみなして相続税を課税しますが、それを非課税としています。

5．生命保険金等及び退職手当金等の非課税

Section2で学習した非課税金額です。

Section 4

債務控除

相続税の課税価格の計算上、相続人が負担した債務は控除して計算します。

このSectionでは、債務控除について学習します。

1 債務控除（法13、14）

≻≻問題集 問題4・5

1．概　要

相続税は、相続人が取得した財産から、その相続人が承継した債務を控除した正味財産に対して課税されます。

課税価格の計算上、控除できる債務の範囲は、納税義務者の区分により異なります。また、控除できる債務の金額は、その相続人が実際に負担した部分の債務の金額に相当する部分の金額*01）となります。

なお、葬式費用は被相続人から承継すべき債務とは異なり、本来、遺族が負担すべきものであって、課税価格の計算上控除できないものと考えられますが、相続開始に伴い必然的に生ずる費用であり、社会通念上も必要な経費として認められていることから債務と同様に控除が認められています。

*01）本来、相続分や包括遺贈の割合に応じた債務の金額を負担したものとして税額計算をすべきですが、実際に負担する債務の金額により税額計算することを認めるということです。

2．債務控除の適用対象者

債　　務	相続人・包括受遺者
葬式費用	相続人・包括受遺者＋相続放棄者*02）

*02）相続放棄者であっても葬式費用を負担した場合には、その負担額を控除することができます。

＜債務控除の適用対象者＞

⑴「**相続人**は、相続開始の時から、被相続人の財産に属した一切の権利・**義務**を承継する。」

⑵「**包括受遺者**は、相続人と同一の権利・**義務**を有する。」

⇨ 相続人と包括受遺者 ➜ 債務控除の適用対象者です。

＜葬式費用の控除対象者＞

〔葬式費用の負担額が確定*03）している場合〕

被相続人甲 ‖ 配偶者乙 ― 子　A ／ 子　B ／ 子　C（相続放棄）

⑴　相続人の場合：乙、A、Bは葬式費用の負担額を控除できる

⑵　相続放棄者の場合：Cも葬式費用の負担額を控除できる

*03）葬式費用の負担額が未確定の場合や相続人等の一人が立替払いをしていた場合には、相続人が相続分で負担したものとして債務控除額を計算します。

3. 債務控除の範囲

(1) 無制限納税義務者の場合

① 被相続人の債務で相続開始の際現に存するもの(公租公課を含む。[*04])
② 葬式費用

*04) 被相続人に係る所得税や住民税なども債務控除の対象となります。詳細はこの後学習します。

(2) 制限納税義務者の場合

被相続人の債務のうち、課税対象となった国内財産に係る債務が原則として控除の対象となります。

① その財産に係る公租公課[*05]
② その財産を目的とする留置権[*06]等で担保される債務
③ その財産の取得・維持・管理のために生じた債務[*07]
④ その財産に関する贈与の義務
⑤ 法施行地にある営業所、事業所に係る営業上又は事業上の債務

*05) 例えば、不動産に係る固定資産税などです。

*06) 例えば、車の修理を依頼された自動車整備会社は車の所有者が修理代金を支払うまでは留置権に基づいて、修理した車の返還を拒絶することができます。

*07) その財産の未払取得代金、未払修繕費、未払管理人賃金などが該当します。

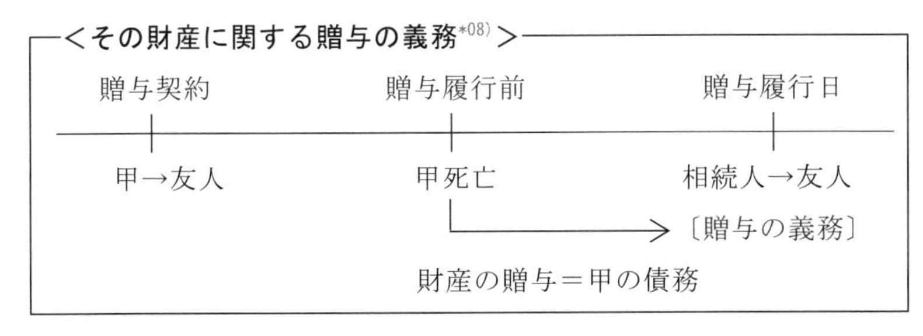

*08) 相続人は友人に対する贈与の義務を承継し、その贈与する財産については、一旦相続人の課税財産とし、同額を甲の債務として債務控除することができます。

<納税義務者の区分に応じた債務控除の範囲のまとめ>

納税義務者の区分		控除できる債務の範囲
無制限納税義務者	居住無制限納税義務者	・被相続人の債務(公租公課を含む) ・葬式費用
	非居住無制限納税義務者	
制限納税義務者	居住制限納税義務者	・取得した国内財産に係る債務 ・被相続人の国内事業上の債務
	非居住制限納税義務者	

4. 控除が認められない債務

次の非課税財産の取得等により生じた債務は、債務控除ができません。

(1) 墓所、霊びょう及び祭具並びにこれらに準ずるもの

(注) 被相続人の生存中に墓地[*09]を購入し、その代金の未払いがある場合、この未払代金は債務控除ができません。

墓　地 ➜ 墓地購入未払金
(非 課 税)　(債務控除は認められない)

*09) 墓地は相続税の非課税ですから課税されていません。課税されていない財産に係る債務までは控除しないということです。

(2) 公益を目的とする事業を行う者が相続又は遺贈により取得した財産でその公益を目的とする事業の用に供することが確実なもの[*10]

*10) 取得日から2年を経過した日において非課税が取り消された場合には、取得財産は課税されるため債務控除ができるようになります。

5. 債務の確実性

(1) 係争中の債務

相続財産から控除することができる債務は、確実と認められるものに限ります。[*11)]

また、存在が確実と認められる債務については、その金額が確定していないものであっても、相続開始当時の現況によって確実と認められる範囲の金額だけは控除することができます。

*11) 引当金や保証債務のように確実でないものは控除できません。

<係争中の債務>

被相続人	⇐	友 人 丙
(債 務 者)		(債 権 者)
借入金 1,000万円主張		貸付金1,200万円主張

➜ 「確実な債務」は1,000万円となります。

(2) 保証債務[*12)]

① 原則：控除できません。

② 例外：主たる債務者が弁済不能の状態にあるため、保証債務者がその債務を履行しなければならない場合で、かつ、主たる債務者に求償して返還を受ける見込みがない場合には、主たる債務者が弁済不能の部分の金額は、その保証債務者の債務として控除することができます。

*12) 債務者が債務を履行しない場合、その債務者に代わって履行をする保証人の債務のことです。また、連帯保証債務も保証債務の一種ですので、取扱いは保証債務と同じです。

(3) 連帯債務[*13)]

① 原則：負担すべき金額が明らかとなっている場合には、その負担金額を控除します。

② 例外：連帯債務者のうちに弁済不能の状態にある者があり、かつ、求償して弁済を受ける見込みがなく、その弁済不能者の負担部分も負担をしなければならないと認められる場合には、その負担部分の金額も控除します。

*13) 数人の債務者が、同一内容の給付について各自独立して全部の給付をなす義務を負います。そのうちの１人の給付があれば、他の債務者も債務を免れる多数当事者の債務のことです。

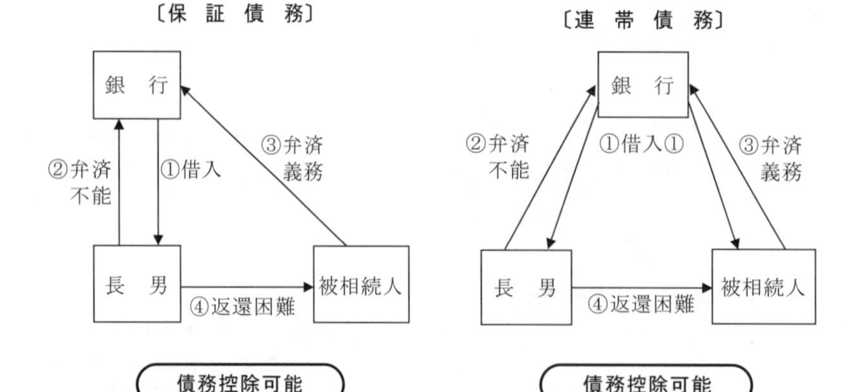

6．公租公課

控除すべき公租公課には以下のものが含まれます。

⑴　被相続人の死亡時に納税義務が確定しているもの

⑵　被相続人の死亡後相続税の納税義務者が納付し又は徴収されることとなった被相続人に係る所得税額等（準確定申告[※1]）

⑶　被相続人の責めに帰すべき事由による附帯税

①　延滞税（納付遅延の利子）

②　過少申告加算税（罰金）

③　無申告加算税（罰金）

④　重加算税（仮装、利益の隠ぺいによる特別な罰金）

⑷　賦課期日（ふかきじつ）[*14)]の定めのある地方税[※2]

個人の住民税、固定資産税及び都市計画税などです。

*14) その日現在で、1年度分の納税義務、税額などを確定する日のことで、住民税、固定資産税及び都市計画税の賦課期日は1月1日です。

※1　準確定申告は相続開始後4月以内に相続人が行うものですが、被相続人の所得税であることからその準確定申告分の所得税は債務控除が可能です。

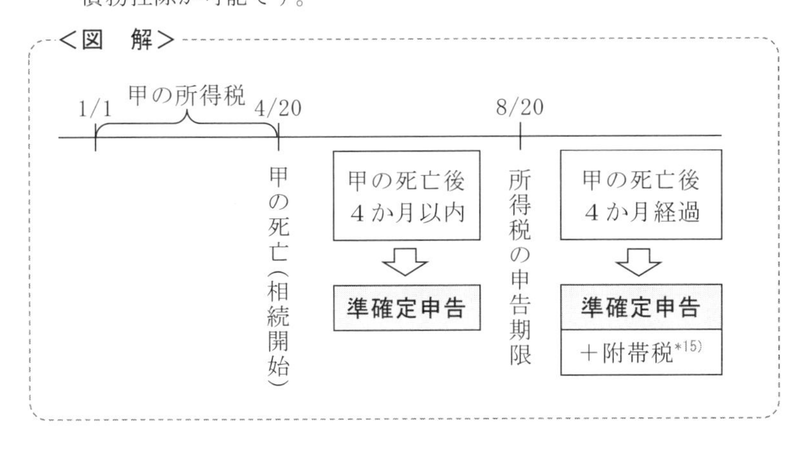

*15) 準確定申告に係る附帯税は相続人の責めに帰すべきものであり、被相続人の債務ではないため、債務控除はできません。

※2　住民税、固定資産税のように賦課期日の定めのある地方税は、その賦課期日において納税義務が確定したものとして取扱います。

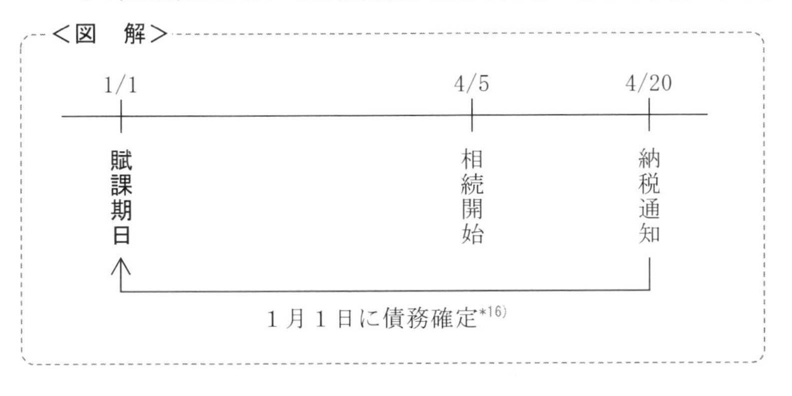

*16) 相続開始後に納税通知書が届いた場合でも債務控除はできます。

7. 債務の範囲と例示

<table>
<tr><th colspan="3">項　　　　目</th><th>控除の適否</th><th>例　　　示</th></tr>
<tr><td colspan="3">相続財産に関する費用</td><td>控除不可</td><td>相続財産の管理費用・登記費用
遺言執行費用
弁護士や税理士への報酬</td></tr>
<tr><td colspan="3">非課税財産に係る債務</td><td>控除不可</td><td>墓地購入未払金</td></tr>
<tr><td rowspan="2">保証債務</td><td colspan="2">原　　則</td><td>控除不可</td><td></td></tr>
<tr><td colspan="2">例　　外</td><td>主たる債務者が弁済不能で、主たる債務者に求償しても返還を受ける見込みがない
➜ 控除可</td><td>求償して返還を受ける見込みがない部分</td></tr>
<tr><td rowspan="2">連帯債務</td><td colspan="2">原　　則</td><td>自己負担部分は控除可</td><td>被相続人の負担すべき金額</td></tr>
<tr><td colspan="2">例　　外</td><td>他の連帯債務者が弁済不能で、その債務者に求償しても返還を受ける見込みがない
➜ 他の連帯債務者の負担部分も控除可</td><td>被相続人の負担すべき金額
＋
負担しなければならないと認められる部分の金額</td></tr>
<tr><td colspan="3">相続開始時において既に消滅時効の完成した債務</td><td>控除不可</td><td>消滅時効完成の飲食代未払金</td></tr>
<tr><td rowspan="4">公租公課</td><td colspan="2">所得税・贈与税</td><td>控除可</td><td>準確定申告に係る所得税</td></tr>
<tr><td colspan="2">賦課期日が１月１日のもの</td><td>控除可</td><td>住民税、固定資産税など</td></tr>
<tr><td rowspan="2">附帯税</td><td>被相続人の責め</td><td>控除可</td><td>相続開始の前年以前の所得税に係る附帯税</td></tr>
<tr><td>相続人の責め</td><td>控除不可</td><td>相続開始年分の所得税（準確定申告）に係る附帯税</td></tr>
</table>

8. 葬式費用の範囲と例示[*17)]

	項目	例示
控除対象	葬式又は葬送に要した費用	通夜費用 仮葬式費用 本葬式費用 納骨費用
	葬式に際し施与した金品	お布施 戒名料
	上記のほか葬式の前後に生じた出費で通常葬式に伴うもの	通夜葬儀会場設置費用
	死体の捜索又は運搬に要した費用	遺体運搬費用
控除不可	香典の返戻のために要した費用	香典返戻費用
	墓碑及び墓地の買入費並びに墓地の借入料	墓地未払購入費
	法要に要する費用	初七日法会費用 四十九日法会費用
	医学上又は裁判上の特別の処置に要した費用	遺体解剖費用

*17) 葬式費用は様々な名称で出題される可能性があります。控除することができない4つの項目を覚えておきましょう。

【コメント】[*18)]

債　務

・×××は控除できない

葬式費用

・×××は控除できない

・香典収入は贈与税の非課税

*18) 計算過程に付すコメントにも配点が置かれている可能性があります。時間の許す限り、記述するようにしていきましょう。

設例４－１　相続税の課税価格の計算

以下の資料により、各相続人等の相続税の課税価格を計算しなさい。

1　被相続人甲(住所：東京都品川区、日本国籍)の相続人等の状況は、次の親族図表のとおりである。

被相続人甲
║――――― 長 男　A(死亡) ―┬― 孫　B(放棄)
配 偶 者 乙　　　　 ║――――――┼― 孫　C
　　　　　　　　　妻　A′　　└― 孫　D

(注) 1　被相続人甲は日本国外に住所を有したことはない。

2　孫Bは被相続人甲の死亡に係る相続について、適法に相続の放棄をしている。

3　孫Cは被相続人甲に係る相続開始時においてメルボルンに居住し、オーストラリア国籍を有している。なお、他の相続人等は相続開始時において日本国内に住所を有し、日本国籍を有している。

2　被相続人甲の遺言書により、各相続人等は以下のとおり財産を取得している。

(1)　配偶者乙が取得した財産

①　土地及び家屋（品川区所在）　150,000千円

②　家庭用財産（品川区所在）　11,000千円

この他に、墓地及び仏壇（品川区所在）が3,100千円ある。

(2)　孫Bが取得した財産

①　土　地（港区所在）　80,000千円

②　純金の仏像　10,000千円

この仏像は、M銀行品川支店の貸金庫内で保管されている。

(3)　孫Cが取得した財産

①　土　地（オーストラリア所在）　60,000千円

②　定期預金（M銀行品川支店預入）　30,000千円

(4)　孫Dが取得した財産

①　株　式（本社港区所在の会社）　20,000千円

3　上記の遺贈財産以外の被相続人甲の遺産(すべて国内財産である。)は総額150,000千円である。これについては、相続人間の協議により各相続人が民法に規定する法定相続分及び代襲相続分に応じて取得することとしている。

4　相続開始時において被相続人甲に係る債務は8,000千円、葬式費用は3,000千円である。これについては、配偶者乙が全額負担することとした。

5　上記の他、被相続人甲の死亡により被相続人甲が保険料の全額を負担していた生命保険契約により以下の生命保険金が各保険金受取人に対して支払われている。

(1)　配偶者乙　80,000千円

(2)　孫　B　25,000千円

(3)　孫　D　20,000千円

解　答

I　相続人及び受遺者の相続税の課税価格の計算

1　遺贈財産価額の計算　（単位：千円）

財産の種類	取得者	計算過程	金額
土地及び家屋	配偶者乙		150,000
家庭用財産	配偶者乙	※　墓地・仏壇は相続税の非課税	11,000
土地	孫B		80,000
純金の仏像	孫B		10,000
土地	孫C		60,000
定期預金	孫C		30,000
株式	孫D		20,000

2　相続財産価額の計算　（単位：千円）

配偶者乙・孫C・孫D　150,000×
- 配偶者乙　$\frac{1}{2}$ ＝75,000
- 孫C　$\frac{1}{2}\times\frac{1}{2}$＝37,500
- 孫D　$\frac{1}{2}\times\frac{1}{2}$＝37,500

3　相続又は遺贈によるみなし取得財産価額の計算　（単位：千円）

財産の種類	取得者	計算過程	金額
生命保険金等	配偶者乙	80,000－(注)16,000＝64,000	64,000
	孫B		25,000
	孫D	20,000－(注)4,000＝16,000	16,000
		(注)　生命保険金等の非課税 (1)　5,000×4人＝20,000 (2)　80,000＋20,000＝100,000 (3)　(1)＜(2)　∴　20,000 配偶者乙・孫D　20,000× 配偶者乙　$\frac{80,000}{100,000}$＝16,000 孫D　$\frac{20,000}{100,000}$＝　4,000 孫Bは相続人でないため適用なし	

4　債務控除額の計算　（単位：千円）

債務及び葬式費用	負担者	計算過程	金額
債務	配偶者乙		△ 8,000
葬式費用	配偶者乙		△ 3,000

5　各人の課税価格の計算　（単位：千円）

項目＼相続人等	配偶者乙	孫B	孫C	孫D	計
遺贈財産	161,000	90,000	90,000	20,000	
相続財産	75,000		37,500	37,500	
みなし取得財産	64,000	25,000		16,000	
債務控除	△ 11,000				
課税価格（千円未満切捨）	289,000	115,000	127,500	73,500	605,000

第13表（令和2年4月分以降用）

債務及び葬式費用の明細書

被相続人	国税 太郎

「種類」欄は、公租公課、銀行借入金、未払金、買掛金、その他の債務に区分して記入します。
なお、「細目」欄は次の事項を記入します。
（公租公課）
所得税及び復興特別所得税、市町村民税、固定資産税などの税目とその年度
（銀行借入金）
当座借越、証書借入れ、手形借入れ
（未払金）
未払金の発生原因
（買掛金）
記入の必要はありません。
（その他）
債務の内容

公租公課については、税務署名や市町村名などを「氏名又は名称」欄に記入し、「住所又は所在地」欄の記入は省略しても差し支えありません。

各相続人が相続分に応じてそれぞれ負担するとした場合に計算される各相続人の金額を記入します。

1 債務の明細

（この表は、被相続人の債務について、その明細と負担する人の氏名及び金額を記入します。なお、特別寄与者に対し相続人が支払う特別寄与料についても、これに準じて記入します。）

債務の明細						負担することが確定した債務	
種類	細目	債権者 氏名又は名称	債権者 住所又は所在地	発生年月日 弁済期限	金額	負担する人の氏名	負担する金額
公租公課	5年度分 固定資産税	春日部市役所		5・1・1 / ・・	円 345,900	国税 一郎	円 345,900
公租公課	5年度分 固定資産税	文京都税事務所		5・1・1 / ・・	250,800	国税 一郎	250,800
公租公課	5年度分 固定資産税	○○町役場		5・1・1 / ・・	4,800	国税 一郎	4,800
公租公課	5年分所得税（準確定申告）	春日部税務署		5・5・10 / ・・	310,800	国税 一郎	310,800
公租公課	5年度分 住民税	春日部市役所		5・1・1 / ・・	510,700	国税 一郎	510,700
銀行借入金	証書借入れ	○○銀行 ○○支店	春日部市○○ ○丁目○番○号	26・4・15 / 6・4・15	22,633,340	国税 一郎	22,633,340
合計					24,056,340		

2 葬式費用の明細

（この表は、被相続人の葬式に要した費用について、その明細と負担する人の氏名及び金額を記入します。）

葬式費用の明細				負担することが確定した葬式費用	
支払先 氏名又は名称	支払先 住所又は所在地	支払年月日	金額	負担する人の氏名	負担する金額
○○寺	春日部市○○ ×丁目×番×号	5・5・12	円 1,500,000	国税 花子	円 1,500,000
○○タクシー	春日部市○○ ×丁目×番×号	5・5・12	150,600	国税 花子	150,600
○○商店	春日部市○○ ×丁目×番×号	5・5・12	100,900	国税 花子	100,900
○○酒店	春日部市○○ ×丁目×番×号	5・5・12	20,300	国税 花子	20,300
○○葬儀社	春日部市○○ ×丁目×番×号	5・5・12	1,500,000	国税 花子	1,500,000
その他	（別紙のとおり）	・・	87,800	国税 花子	87,800
合計			3,359,600		

3 債務及び葬式費用の合計額

債務などを承継した人の氏名			（各人の合計）	国税 花子	国税 一郎		
債務	負担することが確定した債務	①	円 24,056,340	円	円 24,056,340	円	円
債務	負担することが確定していない債務	②					
債務	計（①＋②）	③	24,056,340		24,056,340		
葬式費用	負担することが確定した葬式費用	④	3,359,600	3,359,600			
葬式費用	負担することが確定していない葬式費用	⑤					
葬式費用	計（④＋⑤）	⑥	3,359,600	3,359,600			
合計（③＋⑥）		⑦	27,415,940	3,359,600	24,056,340		

（注）1 各人の⑦欄の金額を第1表のその人の「債務及び葬式費用の金額③」欄に転記します。
2 ③、⑥及び⑦欄の金額を第15表の㉝、㉞及び㉟欄にそれぞれ転記します。

第13表（令5.7）　（資4－20－14－A4統一）

Chapter 5

算出相続税額

Section 1 相続税の総額

各人の相続税額を計算する前に、相続税の総額を計算します。

このSectionでは、相続税の総額計算の仕組みを中心に学習します。

1 相続税の課税方式

➢➢問題集 問題2

1．概　要*01)

現行相続税の課税方式は遺産取得課税方式を基本とし、その短所である仮装分割による税負担の回避や分割不能財産への税負担の過重を補うために、遺産課税方式を考慮した「法定相続分課税方式による遺産取得課税方式」がとられています。

*01)「遺産課税方式」から開始した日本の相続税ですが、その後「遺産取得課税方式」を経て、両者をミックスした現行の「法定相続分課税方式による遺産取得課税方式」に落ち着きました。☞1-8ページ

2．相続税の総額の計算の仕組み

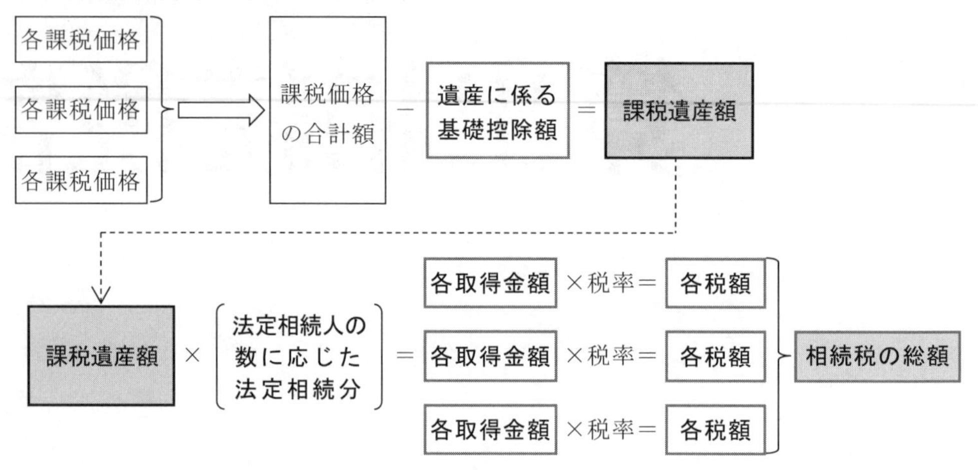

＜遺産に係る基礎控除額＞

3,000万円＋600万円×法定相続人の数*02)

＜各取得金額＞

実際の財産取得者とは無関係に、法定相続人の数に応じた法定相続分（代襲相続分を含む）によって計算します。なお、千円未満の端数があるときは切り捨てます。

＜各税額＞

各取得金額に税率を乗じて計算します。この場合の税率は、超過累進税率を用いますが、実際には相続税の速算表*03)に当てはめて各税額を計算します。

*02) 法定相続人の数とは「相続の放棄があった場合でもその放棄がなかったものとした場合における相続人の数」をいい、民法上の相続人の数とは異なる、税金計算上の公平を目的とした税法上の相続人の数です。☞4-6ページ

*03) 速算表は資料として問題に与えられるものですので、覚える必要はありません。

＜相続税の総額＞

各取得金額に税率を乗じて計算した各税額を合計した金額が相続税の総額です。なお、相続税の総額に百円未満の端数があるときは切り捨てます。

【超過累進税率と速算表】

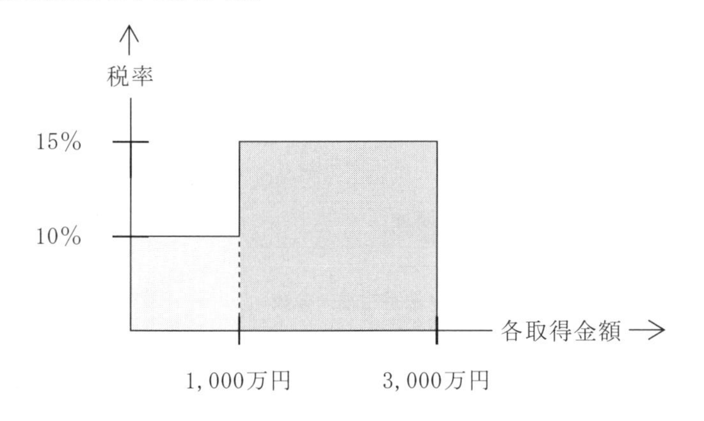

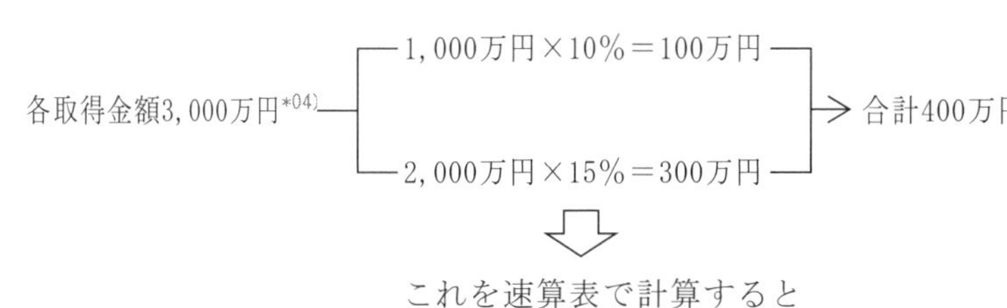

これを速算表で計算すると

3,000万円×15%－50万円*05)＝400万円

1,000万円×(15%－10%)＝50万円

*04) 各取得金額が3,000万円の場合1,000万円までは10%、1,000万円を超え3,000万円までが15%となります。

*05) 1,000万円までは10%でよいのに、全体に15%を乗じていますので、乗じ過ぎてしまった5%分を控除します。

【相続税の速算表】

各法定相続人の取得金額	税　率(%)	控　除　額	各法定相続人の取得金額	税　率(%)	控　除　額
10,000千円以下	10	―	200,000千円以下	40	17,000千円
30,000千円以下	15	500千円	300,000千円以下	45	27,000千円
50,000千円以下	20	2,000千円	600,000千円以下	50	42,000千円
100,000千円以下	30	7,000千円	600,000千円超	55	72,000千円

2 法定相続人の数に算入する養子の数

>>問題集 問題1

1．概　要

養子は、民法上も相続税法上も法定相続人に該当しますので、被相続人が生前に複数と養子縁組をすることによって遺産に係る基礎控除額を恣意的に増額させることも可能となります。*01)

そこで、養子縁組を何人としようとも、遺産に係る基礎控除などの税金計算に用いる法定相続人の数については、養子は１人又は２人までとする税法上の制限が加えられています。

*01) 実際に養子縁組を利用して基礎控除額を増やすことで相続税を免れた納税者がいました。そこで、昭和63年の税制改正により養子の数に制限を加えることとなりました。

2．取り扱い

(1) 法定相続人の数を用いる計算項目

計算項目	算　式
遺産に係る基礎控除額*02)	3,000万円＋600万円×**法定相続人の数**
生命保険金等の非課税限度額 退職手当金等の非課税限度額	500万円×**法定相続人の数**

*02) 生命保険金等の非課税限度額や退職手当金等の非課税限度額の計算同様、税法上の相続人の数を用いて計算します。

(2) 法定相続人の数に算入する養子の数

法定相続人の数　＋　**養子の数**

＜養子の数の制限*03)＞

① 被相続人に実子がいる場合(例題１)　➜　１人

② 被相続人に実子がいない場合(例題２、３)　➜　２人

*03) 趣旨として被相続人に実子がいる場合には婿養子を１人、被相続人に実子がいない場合には夫婦養子を１組認めるということです。

(3) みなし実子の取扱い

次に掲げる者は、実子とみなします。

① 特別養子縁組による養子となった者(例題４)
② 被相続人の配偶者の実子で被相続人の養子となった者(例題５)
③ 被相続人との婚姻前に配偶者の特別養子縁組による養子となった者で婚姻後にその被相続人の養子となった者(例題６)
④ 実子又は養子の代襲相続権を有する者*04)(例題７、８、９)

*04) 代襲相続について放棄した場合でもみなし実子に該当します。

(注) 二重身分の取扱い(基通15-４)

代襲相続人であり、かつ、被相続人の養子となっている者がいる場合には、その者は実子１人として法定相続人の数を計算します。

次の各例題において、法定相続人、遺産に係る基礎控除額を計算する上での法定相続人の数及びその数に応じた法定相続分を求めなさい。

＜例題１＞

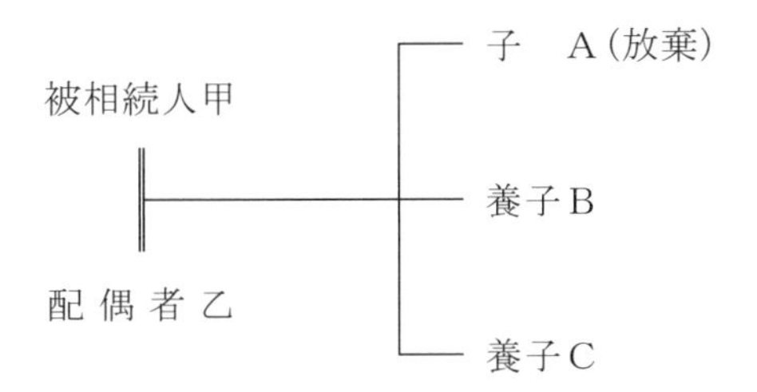

（解　答）

法定相続人		法定相続分
配偶者乙		$\frac{1}{2}$
子A		$\frac{1}{2}\times\frac{1}{2}$
養子B		$\frac{1}{2}\times\frac{1}{2}$
養子C		
合計	３人	1

（解　説）

実子である子Aがいるため、養子B又は養子Cのうち１人までとなります。

＜例題２＞

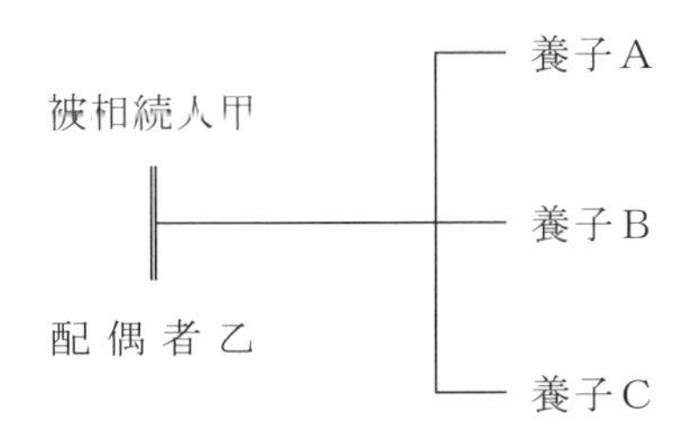

（解　答）

法定相続人		法定相続分
配偶者乙		$\frac{1}{2}$
養子A		$\frac{1}{2}\times\frac{1}{2}$
養子B		$\frac{1}{2}\times\frac{1}{2}$
養子C		
合計	３人	1

（解　説）

実子がいないため、養子A、養子B及び養子Cのうち２人までとなります。

＜例題３＞

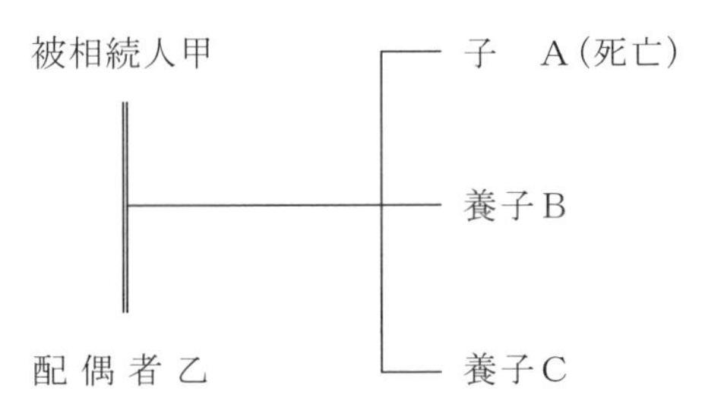

（解　答）

法定相続人		法定相続分
配偶者乙		$\frac{1}{2}$
養子B		$\frac{1}{2}\times\frac{1}{2}$
養子C		$\frac{1}{2}\times\frac{1}{2}$
合計	３人	1

（解　説）

実子である子Aが死亡しているため、養子B及び養子Cの２人となります。

<例題４>

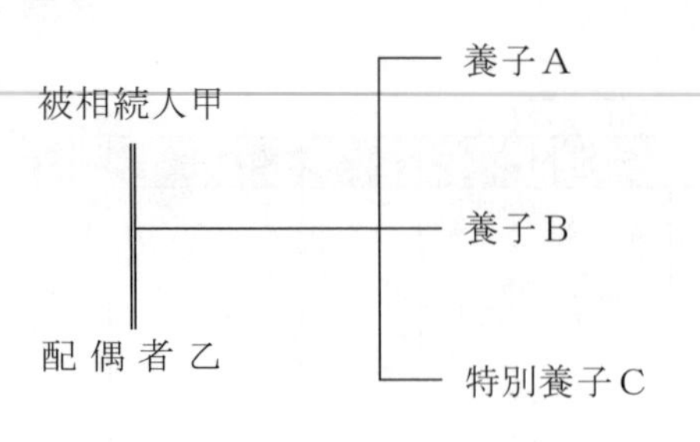

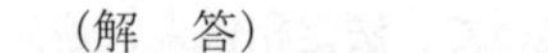

（解　答）

法定相続人		法定相続分
配偶者乙		$\frac{1}{2}$
養　子　A		$\frac{1}{2}\times\frac{1}{2}$
養　子　B		
特別養子C		$\frac{1}{2}\times\frac{1}{2}$
合計	３人	1

（解　説）

特別養子Cはみなし実子であるため、養子A又は養子Bのうち１人までとなります。

<例題５>

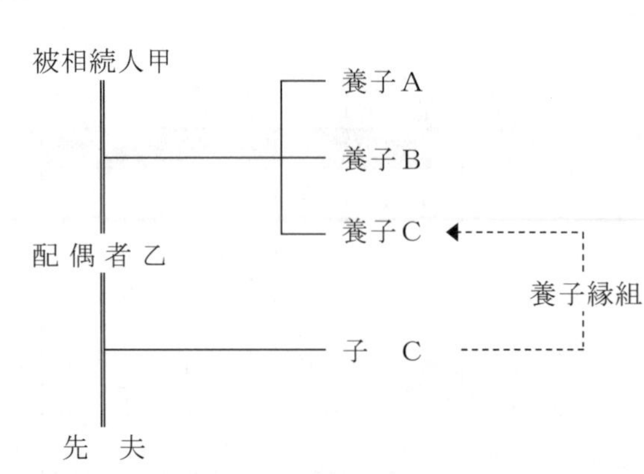

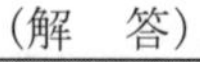

（解　答）

法定相続人		法定相続分
配偶者乙		$\frac{1}{2}$
養　子　A		$\frac{1}{2}\times\frac{1}{2}$
養　子　B		
養　子　C		$\frac{1}{2}\times\frac{1}{2}$
合計	３人	1

（解　説）

被相続人の配偶者の実子で被相続人の養子となった者は、みなし実子であるため、養子A又は養子Bのうち１人までとなります。

<例題６>

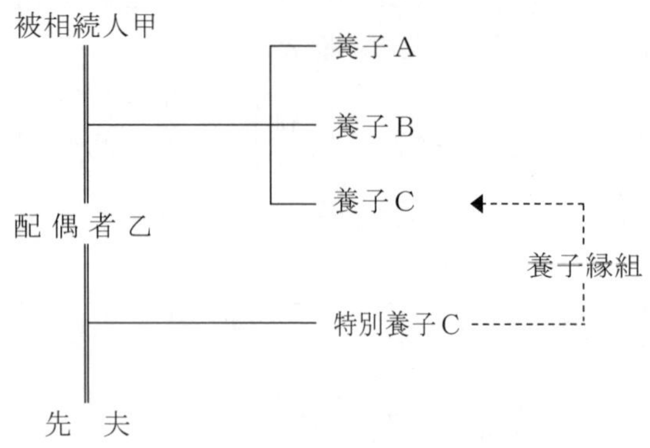

（解　答）

法定相続人		法定相続分
配偶者乙		$\frac{1}{2}$
養　子　A		$\frac{1}{2}\times\frac{1}{2}$
養　子　B		
養　子　C		$\frac{1}{2}\times\frac{1}{2}$
合計	３人	1

（解　説）

被相続人との婚姻前に配偶者の特別養子縁組による養子となった者で婚姻後にその被相続人の養子となった者は、みなし実子であるため、養子A又は養子Bのうち１人までとなります。

＜例題７＞

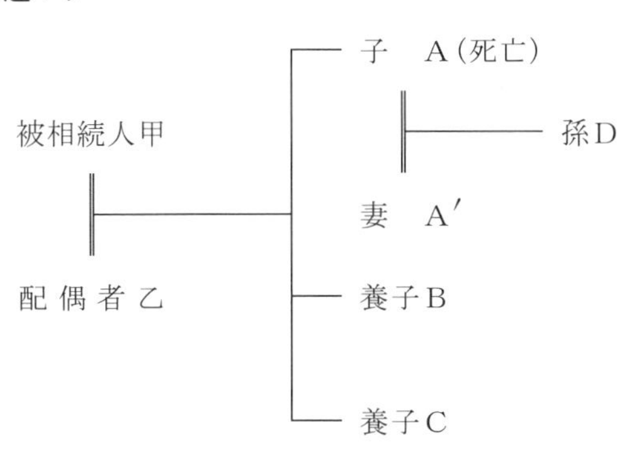

（解　答）

<table>
<tr><th colspan="2">法定相続人</th><th>法定相続分</th></tr>
<tr><td colspan="2">配 偶 者 乙</td><td>$\frac{1}{2}$</td></tr>
<tr><td colspan="2">養　子　B</td><td rowspan="2">$\frac{1}{2}\times\frac{1}{2}$</td></tr>
<tr><td colspan="2">養　子　C</td></tr>
<tr><td colspan="2">孫　　　D</td><td>$\frac{1}{2}\times\frac{1}{2}$</td></tr>
<tr><td>合計</td><td>３人</td><td>1</td></tr>
</table>

（解　説）

子Aが以前死亡しているため被相続人甲に実子はいませんが、代襲相続人孫Dがみなし実子に該当するため、養子B又は養子Cのうち１人までとなります。

＜例題８＞

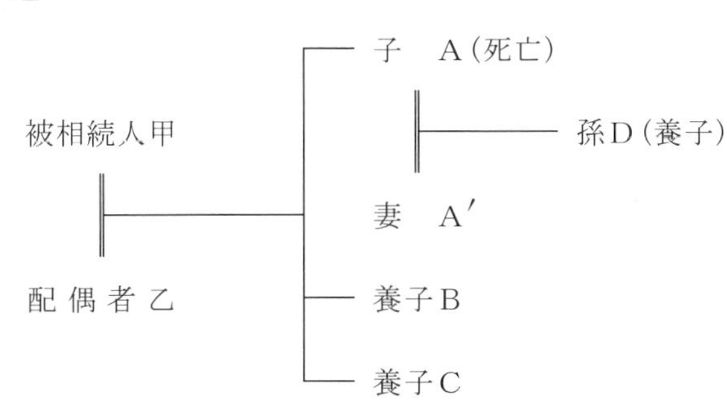

（解　答）

<table>
<tr><th colspan="2">法定相続人</th><th>法定相続分</th></tr>
<tr><td colspan="2">配 偶 者 乙</td><td>$\frac{1}{2}$</td></tr>
<tr><td colspan="2">養　子　B</td><td rowspan="2">$\frac{1}{2}\times\frac{1}{3}$</td></tr>
<tr><td colspan="2">養　子　C</td></tr>
<tr><td colspan="2">養　子　D</td><td>$\frac{1}{2}\times\frac{1}{3}+\frac{1}{2}\times\frac{1}{3}$</td></tr>
<tr><td>合計</td><td>３人</td><td>1</td></tr>
</table>

（注）　孫Dは、被相続人甲及び配偶者乙との間で養子縁組を行っている。

（解　説）

二重身分である孫養子Dは、実子１人として法定相続人の数を計算します。

＜例題９＞

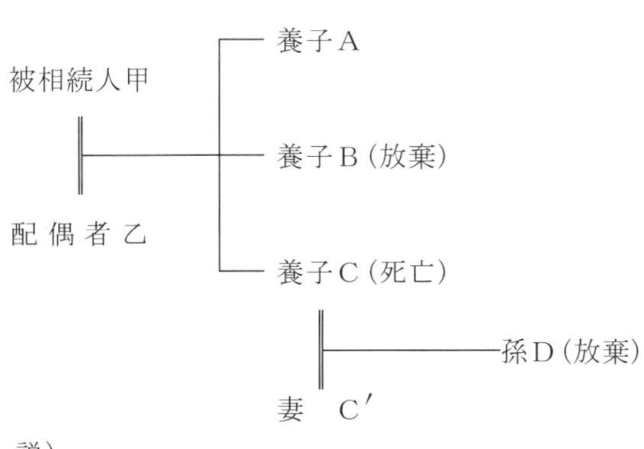

（解　答）

<table>
<tr><th colspan="2">法定相続人</th><th>法定相続分</th></tr>
<tr><td colspan="2">配 偶 者 乙</td><td>$\frac{1}{2}$</td></tr>
<tr><td colspan="2">養　子　A</td><td rowspan="2">$\frac{1}{2}\times\frac{1}{2}$</td></tr>
<tr><td colspan="2">養　子　B</td></tr>
<tr><td colspan="2">孫　　　D</td><td>$\frac{1}{2}\times\frac{1}{2}$</td></tr>
<tr><td>合計</td><td>３人</td><td>1</td></tr>
</table>

（解　説）

孫Dは代襲相続権を放棄していますが、みなし実子に該当します。したがって、養子A又は養子Bのうち１人までとなります。

【相続税の総額の計算方法までの手順】

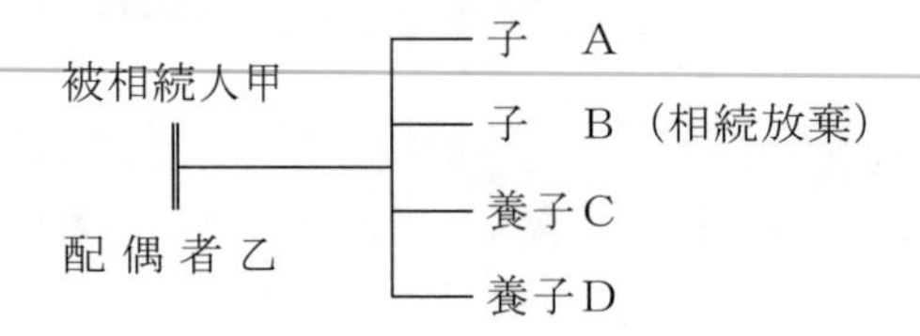

各人の課税価格の計算　（単位：円）

	配偶者乙	子　A	養子　C	養子　D	計
遺贈財産	××××	××××	××××	××××	
相続財産	××××	××××	××××	××××	
みなし取得財産	××××				
債務控除	△××××	△××××			
課税価格	282,345,000	187,530,000	55,770,000	29,910,000	555,555,000

相続税の総額の計算

課税価格の合計額	遺産に係る基礎控除額	課税遺産総額
①　千円 555,555	②　千円 30,000＋6,000×４人＝54,000	③　千円 501,555

法定相続人	法定相続分	法定相続分に応ずる取得金額	相続税の総額の基となる税額
④	⑥	⑦　千円	⑧　円
配偶者乙	$\frac{1}{2}$	250,777←千円未満切捨	85,849,650
子　A	$\frac{1}{2}\times\frac{1}{3}$	83,592←千円未満切捨	18,077,600
子　B	$\frac{1}{2}\times\frac{1}{3}$	83,592←千円未満切捨	18,077,600
養子　C 養子　D	$\frac{1}{2}\times\frac{1}{3}$	83,592←千円未満切捨	18,077,600
合計　⑤４人	1		相続税の総額　⑨140,082,400円

↑百円未満切捨

① **課税価格の合計額欄**

各人の課税価格の合計額を転記します。

② **遺産に係る基礎控除額欄**

3,000万円＋600万円×法定相続人の数[*05]

*05) 下記⑤の「合計人数欄」の数を用いて計算します。

③ **課税遺産総額欄**

①－②＝×××←残額を記載します。

④ **法定相続人欄**[*06]

*06) 養子の数の制限を考慮する前の法定相続人を記載します。

法定相続人に該当するものはすべて記載します。

⑤ **合計人数欄**

養子の数の制限を考慮した後の人数を記載します。

⑥ **法定相続分欄**[*07]

*07) 養子の数の制限を考慮した後の法定相続分です。

法定相続人の数に応じた相続分を記載します。

⑦ **法定相続分に応ずる取得金額欄**

③［課税遺産額］×⑥［法定相続分］（千円未満切捨）[*08]

*08) 税率を乗ずる前の金額については千円未満の端数を切捨てます。

配偶者乙 $\frac{1}{2}$ ＝250,777.5 → 250,777

子　A $\frac{1}{2}\times\frac{1}{3}$＝ 83,592.5 → 83,592

子　B $\frac{1}{2}\times\frac{1}{3}$＝ 83,592.5 → 83,592

養　子 C
養　子 D } $\frac{1}{2}\times\frac{1}{3}$＝ 83,592.5 → 83,592

↑養子の数の制限を受ける場合[*09]

*09) 養子の数の制限を受ける場合にはカッコをつけて表記するようにしてください。

⑧ **相続税の総額の基となる税額**

⑦で計算した各取得金額について相続税の速算表を用いて計算した金額を記入します。

各取得金額(千円未満切捨)×税率－控除額＝相続税の総額の基となる税額（円未満切捨）

⑨ **相続税の総額**

⑧で計算した相続税の総額の基となる税額を合計します。この合計額については、百円未満切捨の端数処理を行います。

Section 2

各人の算出相続税額

相続税の総額に各人の課税価格の割合を乗じて相続税額を算出します。

このSectionでは、各人の算出相続税額について学習します。

1 算出相続税額

≻≻問題集 問題3

1. 概　要

相続税の総額を各人の課税価格の比(あん分割合)で配分し、各人の相続税額を算出します。さらに、所定の加算又は税額控除*01)が行われ、実際に納付すべき相続税額が確定します。

*01) 各人の算出相続税額に対し各人の立場や状況に応じて算出税額の2割加算や各種税額控除が設けられています。

あん分割合

相続税の総額× $\dfrac{\text{各人の課税価格}}{\text{課税価格の合計額}}$ ＝各人の算出相続税額

2. あん分割合*02)

小数点以下2位未満の端数がある場合には、その財産の取得者全員が選択した方法により各取得者の割合の合計値が1になるようにその端数を調整して差し支えないとされています。そこで、試験の出題では「小数点以下2位未満の端数の大きいものから順次繰り上げて、その合計が1.00となるように調整すること。」という指示を与えることが考えられます。

*02) 試験の出題ではあん分割合について端数処理を調整しないで計算するパターンが主流です。設例2-2で確認をしておきましょう。

<例　題>

次の場合における各相続人等のあん分割合を求めなさい。ただし、あん分割合に端数が生じる場合には、小数点以下2位未満の端数の大きいものから順次繰り上げて、その合計が1.00となるように調整すること。

(単位：千円)

	配偶者乙	子　A	子　B	子　C	計
課税価格	178,543	62,543	55,452	36,795	333,333

(解　答)

配偶者乙 178,543千円	÷333,333千円	＝0.5356	→ 0.53
子　A　62,543千円		＝0.1876	→ 0.19
子　B　55,452千円		＝0.1663	→ 0.17
子　C　36,795千円		＝0.1103	→ 0.11
		0.98	1.00

設例２－１　算出相続税額の計算

次の場合における各相続人等の算出相続税額を求めなさい。なお、あん分割合に端数が生じる場合には、小数点以下２位未満の端数の大きいものから順次繰り上げてその合計が1.00となるように調整すること。

1　各相続人等の課税価格

乙	223,253千円	合計456,789千円
A	78,252千円	
B	62,254千円	
C	48,981千円	
D	44,049千円	

2　相続税の総額　　94,036,000円

解　答

(1)　あん分割合

乙	223,253千円	÷456,789千円	＝0.4887	➜	**0.49**
A	78,252千円		＝0.1713	➜	0.17
B	62,254千円		＝0.1362	➜	0.13
C	48,981千円		＝0.1072	➜	**0.11**
D	44,049千円		＝0.0964	➜	**0.10**
			0.97		1.00

(2)　算出相続税額

乙	94,036,000円×	0.49	＝	46,077,640円
A		0.17	＝	15,986,120円
B		0.13	＝	12,224,680円
C		0.11	＝	10,343,960円
D		0.10	＝	9,403,600円

【参　考】

算出相続税額を求めた後、２割加算額や各税額控除額を加減算して最終的な納付税額を計算します。

＜各相続人等の納付すべき相続税額の計算＞　　(単位：円)

項目＼相続人等	乙	A	B	C	D	合　計
あん分割合	0.49	0.17	0.13	0.11	0.10	1.00
算出相続税額	46,077,640	15,986,120	12,224,680	10,343,960	9,403,600	94,036,000
２割加算額				×××	×××	
各税額控除額	△×××	△×××	△×××	△×××	△×××	
納付税額 (百円未満切捨)	×××00	×××00	×××00	×××00	×××00	

設例２－２　算出相続税額の計算

次の場合における各相続人等の算出相続税額を求めなさい。なお、あん分割合は端数を調整しないで計算すること。

1　各相続人等の課税価格

乙	223, 253千円	合計456, 789千円
A	78, 252千円	
B	62, 254千円	
C	48, 981千円	
D	44, 049千円	

2　相続税の総額　　94, 036, 000円

解　答

乙	94, 036, 000円×	223, 253千円	÷456, 789千円	＝ 45, 959, 554円
A		78, 252千円		＝ 16, 109, 199円
B		62, 254千円		＝ 12, 815, 801円
C		48, 981千円		＝ 10, 083, 380円
D		44, 049千円		＝ 9, 068, 063円

【参　考】

あん分割合について端数を調整しないで算出相続税額を計算する出題も考えられます。その場合には、あん分割合の欄は与えられませんので、電卓上、算出相続税額(円未満切捨)を求めます。

＜各相続人等の納付すべき相続税額の計算＞　(単位：円)

項目＼相続人等	乙	A	B	C	D	合　計
算出相続税額	45, 959, 554	16, 109, 199	12, 815, 801	10, 083, 380	9, 068, 063	94, 035, 997
2 割 加 算 額				×××	×××	
各税額控除額	△×××	△×××	△×××	△×××	△×××	
納付税額 (100円未満切捨)	×××00	×××00	×××00	×××00	×××00	

【電卓の使い方】

1．あん分割合を求めてから算出相続税額を計算する場合

(1) あん分割合（定数表示(K)のでない電卓）*03)

乙 223,253 [÷] 456,789 [=] 0.488744… → 0.49

A 78,252 [=] 0.171308…

B 62,254 [=] 0.136286…

C 48,981 [=] 0.107228…

D 44,049 [=] 0.096431…

(2) 算出相続税額

.49でもOK

乙 94,036,000 [×] 0.49 = 46,077,640

A 0.17 [=] 15,986,120

B 0.13 [=] 12,224,680

C 0.11 [=] 10,343,960

D 0.10 [=] 9,403,600

2．あん分割合の端数を調整しないで算出相続税額を計算する場合

乙 94,036,000 [÷] 456,789 [×] 223,253 [=] 45,959,554

A 78,252 [=] 16,109,199

B 62,254 [=] 12,815,801

C 48,981 [=] 10,083,380

D 44,049 [=] 9,068,063

*03) 定数表示（K）のでる電卓は÷や×を2回押します。

Section 3

相続税額の加算

一親等の血族及び配偶者以外の者は、相続税額が２割増しとなります。

このSectionでは、相続税額の加算について学習します。

1 概　要

≻≻問題集 問題4

相続税額の加算の規定は、相続又は遺贈により財産を取得した者が被相続人との血族関係が疎いものである場合、又は全く血縁関係がないものである場合には、その財産の取得について偶然性が高いため担税力が強いこと、被相続人が子を越して孫に財産を遺贈することにより相続税の課税を１回免れることとなること、また、被相続人の遺産形成に貢献した者とそうでない者との調整を図るために設けられています。

相続又は遺贈により財産を取得した者がその相続又は遺贈に係る被相続人の一親等の血族及び配偶者以外の者である場合においては、その者に係る相続税額は、算出税額にその20%に相当する金額を加算した金額とします。

＜図　解＞

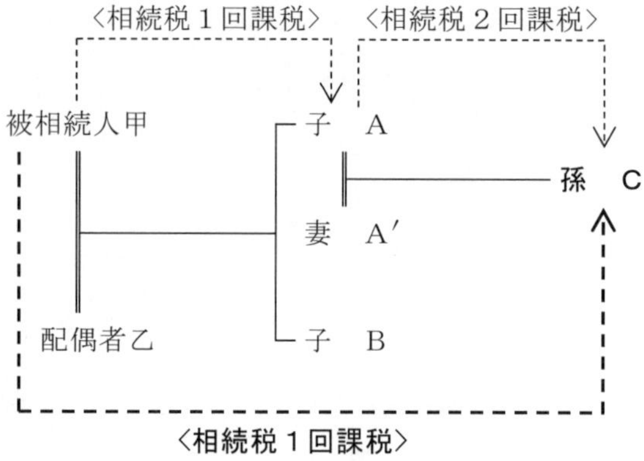

〈相続税１回課税〉　〈相続税２回課税〉

被相続人甲

配偶者乙

子　A

妻　A′

子　B

孫　C

〈相続税１回課税〉

被相続人甲から子Aに財産が相続され、さらに子Aから孫Cに財産が相続された場合には、被相続人甲の遺産が孫Cに承継されるまでには、相続税の課税は２回となります。そこで、相続税の負担軽減のために遺言により孫Cに承継させれば、相続税の課税は１回で済むことになります。

2 相続税額の加算対象者

1．加算対象者（法18）

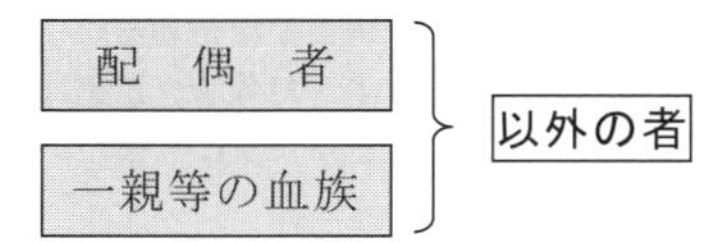

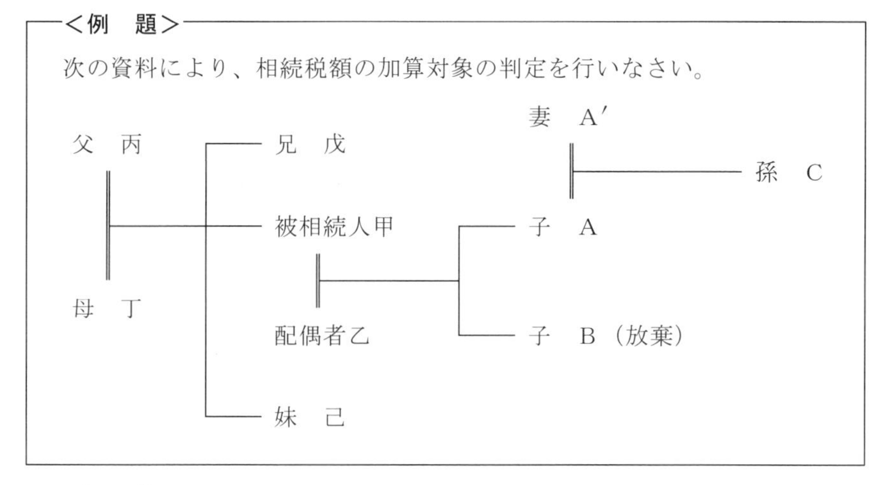

（解 答）

配偶者乙 ➜ 配偶者のため、加算対象外。
子 A ➜ 一親等の血族のため、加算対象外。
妻 A′ ➜ 一親等の姻族のため、加算対象。
子 B ➜ 一親等の血族のため、加算対象外。*01)
孫 C ➜ 二親等の血族のため、加算対象。
父 丙 ➜ 一親等の血族のため、加算対象外。
母 丁 ➜ 一親等の血族のため、加算対象外。
兄 戊 ➜ 二親等の血族のため、加算対象。
妹 己 ➜ 二親等の血族のため、加算対象。

*01) 相続を放棄していた場合でも、一親等の血族であれば加算対象外となります。

2．養子の取扱い

一親等の血族からは被相続人の直系卑属(孫など)*02)が被相続人の養子となっている場合を除きます。ただし、代襲相続人となる者は加算対象者には該当しません。

*02) 被相続人が孫と養子縁組を行うと、孫は一親等の血族にも該当するため加算対象とはなりません。しかし、租税回避行為を目的としてこのような養子縁組が増加したことから、加算対象者の範囲に孫養子を加えるとする改正が行われました。ただし、孫が代襲相続人であれば加算対象者から除外されます。

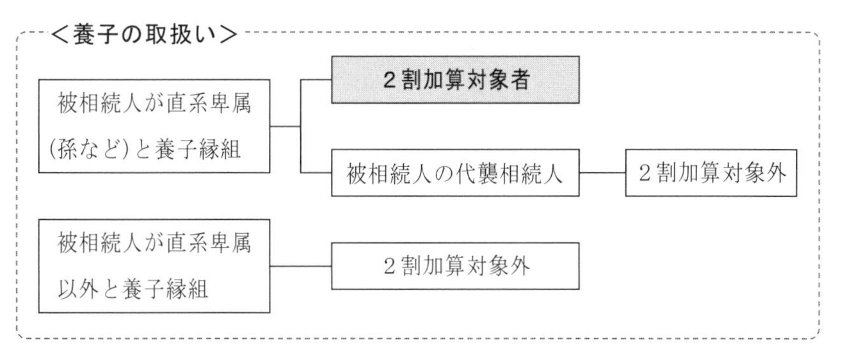

3．加算額

【基本算式】 *03)

算出相続税額 × $\frac{20}{100}$

【コメント】

・加算対象者がいない場合 ➜ 加算対象者なし

*03) 試験では、対象者の判定に得点が置かれるはずですので、対象者を正確に判定できるようにしましょう。

設例3－1 相続税額の加算

次の資料により2割加算対象者を求めなさい。

被相続人甲の親族すべてが相続又は遺贈により財産を取得し、相続税額が算出されている。

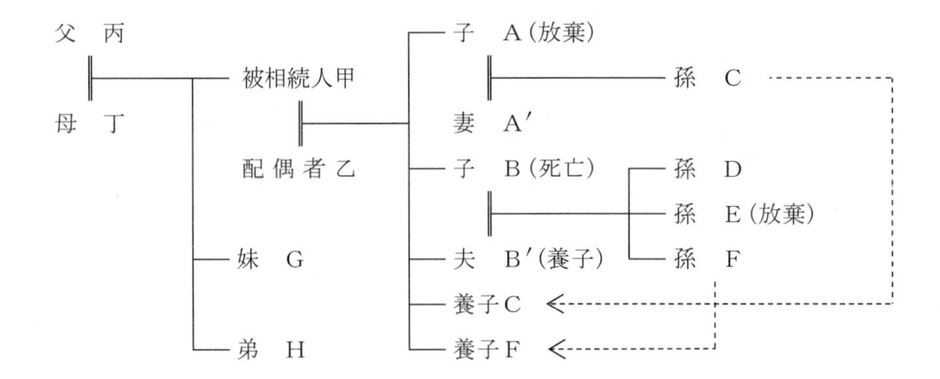

解 答

養子C、孫E、妹G、弟H及び妻A′が加算対象者となる。

解 説

① 子Aは相続を放棄していますが、一親等の血族のため加算対象外です。
② 妻A′は血族ではないため、加算対象者です。
③ 婿養子の夫B′は一親等の血族のため、加算対象外です。
④ 養子Cは孫養子のため、加算対象者です。
⑤ 孫Dは代襲相続人のため、加算対象外です。
⑥ 孫Eは代襲相続人ではないため、加算対象者です。
⑦ 養子Fは孫養子ですが、代襲相続人のため、加算対象外です。
⑧ 父丙及び母丁は一親等の血族のため、加算対象外です。
⑨ 妹G及び弟Hは二親等の血族のため、加算対象者です。

Chapter 6

税額控除 I

Section 1

配偶者に対する相続税額の軽減 1

配偶者には税負担の軽減措置として大幅な税額控除額が設けられています。

このSectionでは、配偶者に対する相続税額の軽減について学習します。

1 概　要

≻≻問題集 問題1

配偶者に対する相続税額の軽減の規定は、遺産の維持形成に対する配偶者の貢献度、配偶者の生活保障及び次の相続開始の時期が比較的早期に到来すること等を考慮して設けられた配偶者のみの優遇措置です。被相続人の配偶者については、被相続人から相続又は遺贈により取得した財産の合計額*01)がその配偶者の法定相続分以下の場合又は1億6千万円以下の場合には、その納付すべき税額はないものとし、これらの金額を超えて財産を取得した場合にのみ、その超えた部分に対応する納付税額が生じます。

*01) 合計額とは、配偶者の課税価格の金額です。したがって、債務控除額がある場合にはその控除後の金額となります。

2 適用対象者（法19の2）

被相続人の配偶者

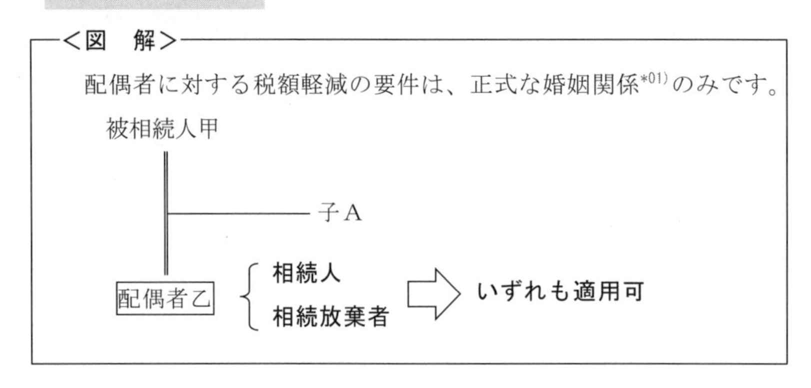

*01) 配偶者が相続の放棄をした場合や配偶者が国外に住所を有している場合でも適用があります。ただし、先妻や婚姻届出のない内縁関係者には適用がありません。

3 申告要件（法19の2③④）

この規定の適用を受ける場合には、相続税の申告書にこの規定の適用を受ける旨を記載し、かつ、所定の書類の提出が必要です。*01)

なお、申告書の提出がなかった場合等でも、税務署長がやむを得ない事情があると認めた場合には適用を受けることができます。

*01) 配偶者に対する税額軽減を受けることによって納付すべき税額がなくなった場合でも、相続税の申告書を提出する必要があります。

4 控除額

【基本算式】

(1) 算出相続税額

(2) 軽減額

① 配偶者の法定相続分相当額[*01)]

課税価格の合計額×配偶者の法定相続分

（160,000千円未満の場合には、160,000千円とします。）

② 配偶者の課税価格（千円未満切捨）

③ ①と②のいずれか低い金額

④ $\dfrac{\text{相続税の総額}\times③}{\text{課税価格の合計額}}$

(3) 控除額

(1)と(2)のいずれか低い金額

*01) 配偶者が本来取得すべき財産の上限と考えている金額です。配偶者の課税価格がこの金額の範囲内であれば、配偶者の算出相続税額から税額軽減額を控除した後の相続税額は0となります。

<算式の考え方>

（ケース１）[*02)]

(2)③の金額が①の配偶者の法定相続分相当額となった場合

⇨ **配偶者の課税価格が法定相続分又は１億６千万円超の場合**

$$\text{相続税の総額}\times\frac{\text{配偶者の法定相続分相当額}}{\text{課税価格の合計額}}=\text{配偶者の税額軽減額}$$

$$\wedge$$

$$\text{相続税の総額}\times\frac{\text{配偶者の課税価格}}{\text{課税価格の合計額}}=\text{配偶者の算出相続税額}$$

上記のとおり、配偶者の税額軽減額の算式において配偶者の法定相続分相当額を限度として計算しているため、配偶者の課税価格とその限度との差額部分については、配偶者の納付税額となります。

*02) 分数式の分子を比べてみると配偶者の課税価格が法定相続分を超えているため、その超過分に応じる税額が配偶者の納付税額です。

（ケース２）[*03)]

(2)③の金額が②の配偶者の課税価格となった場合

⇨ **配偶者の課税価格が法定相続分又は１億６千万円以下の場合**

$$\text{相続税の総額}\times\frac{\text{配偶者の課税価格}}{\text{課税価格の合計額}}=\text{配偶者の税額軽減額}$$

$$\parallel$$

$$\text{相続税の総額}\times\frac{\text{配偶者の課税価格}}{\text{課税価格の合計額}}=\text{配偶者の算出相続税額}$$

上記のとおり、配偶者の税額軽減額の算式と配偶者の算出税額の算式は全く同じとなるため、配偶者の納付税額はゼロとなります。

*03) 分数式の分子を比べてみると配偶者の課税価格が法定相続分以下のため、配偶者の納付税額はありません。

設例1－1　　配偶者に対する相続税額の軽減1

以下の資料により配偶者の税額軽減額を求めなさい。

⑴　配偶者乙の課税価格(配偶者乙の法定相続分は1/2)　416,000,000円

⑵　相続税の課税価格の合計額　800,000,000円

⑶　相続税の総額　226,000,000円

⑷　配偶者乙の算出相続税額　117,520,000円

解　答　　(単位：円)

⑴　算出相続税額

117,520,000

⑵　軽減額

①　配偶者の法定相続分相当額

$800,000,000 \times \frac{1}{2} = 400,000,000 \boxed{\geqq} 160,000,000$

∴　400,000,000

配偶者の法定相続分相当額が1億6千万円以上のときは不等号を「≧」で示します。

②　配偶者の課税価格

416,000,000

③　①と②のいずれか低い金額

①＜②　∴　400,000,000

④　$\frac{226,000,000 \times 400,000,000}{800,000,000} = 113,000,000$

⑶　控除額

⑴$\boxed{>}$⑵④　∴　113,000,000

⑴の金額の方が⑵の金額よりも大きいので、不等号は「＞」となります。

【参　考】

配偶者の算出相続税額を求めたら、配偶者の税額軽減額などの税額控除額を差し引いて最終的な納付税額を計算します。

<各相続人等の納付すべき相続税額の計算>

項目＼相続人等	乙	A	B	C	D	合　計
あん分割合	0.52	0.××	0.××	0.××	0.××	1.00
算出相続税額	117,520,000	××××	××××	××××	××××	226,000,000
2割加算額						
配偶者の税額軽減額	△113,000,000					
納付税額(100円未満切捨)	4,520,000	×××00	×××00	×××00	×××00	

(注) 配偶者には2割加算額はありません。

設例１－２　配偶者に対する相続税額の軽減１

以下の資料により配偶者の税額軽減額を求めなさい。

⑴　配偶者乙の課税価格（配偶者乙の法定相続分は1/2）　156,000,000円

⑵　相続税の課税価格の合計額　300,000,000円

⑶　相続税の総額　40,978,600円

⑷　配偶者乙の算出相続税額　21,308,872円

解　答

（単位：円）

⑴　算出相続税額

21,308,872

⑵　軽減額

①　配偶者の法定相続分相当額

$300,000,000 \times \frac{1}{2} = 150,000,000 < 160,000,000$

∴　160,000,000

配偶者の法定相続分相当額が１億６千万円未満のときは不等号を「<」で示します。

②　配偶者の課税価格

156,000,000

③　①と②のいずれか低い金額

①＞②　∴　156,000,000

④　$\frac{40,978,600 \times 156,000,000}{300,000,000} = 21,308,872$

⑶　控除額

⑴≦⑵④　∴　21,308,872

⑴の金額が⑵の金額以下なので、不等号は「≦」となります。

【参　考】

配偶者の算出相続税額が配偶者の税額軽減額以下の場合には、最終的な納付税額はゼロです。

<各相続人等の納付すべき相続税額の計算>

項目＼相続人等	乙	A	B	C	D	合　計
あん分割合	0.52	0.××	0.××	0.××	0.××	1.00
算出相続税額	21,308,872	××××	××××	××××	××××	40,978,600
２割加算額						
配偶者の税額軽減額	△21,308,872					
納付税額（100円未満切捨）	0	×××00	×××00	×××00	×××00	

（注）配偶者には２割加算額はありません。

相続税の課税価格～算出相続税額までの解答フォームと納付すべき相続税額の計算

各相続人等の相続税の納付税額を求めなさい。

【資　料】

被相続人及び相続人等は以下のとおりである。

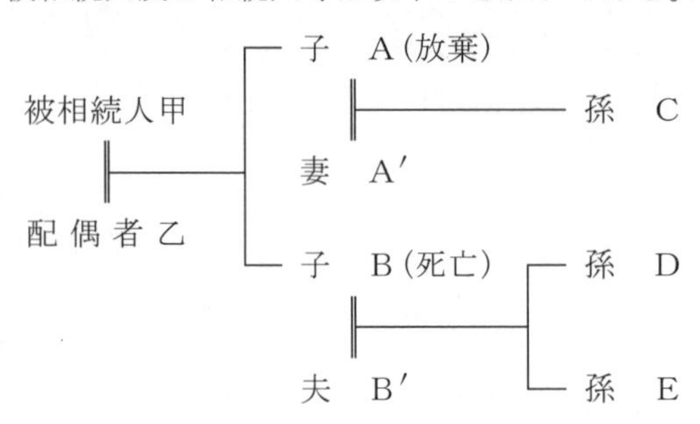

1　各人の課税価格の計算　（単位：千円）

	配偶者乙	子　A	孫　C	孫　D	孫　E	計
相続・遺贈財産	399,567	115,620	105,820	54,810	46,960	
みなし取得財産	60,000	20,000	10,000			
債務控除	△ 25,000	△ 10,000				
課税価格	434,567	125,620	115,820	54,810	46,960	777,777

2　相続税の総額の計算

課税価格の合計額		遺産に係る基礎控除額	課税遺産額	
777,777 千円		30,000＋6,000×4人＝54,000 千円	723,777 千円	
法定相続人	法定相続分	法定相続分に応ずる取得金額	相続税の総額の基となる税額	
配偶者乙	$\frac{1}{2}$	361,888 千円	138,944,000 円	
子　A	$\frac{1}{2}\times\frac{1}{2}=\frac{1}{4}$	180,944	55,377,600	
孫　D	$\frac{1}{2}\times\frac{1}{2}\times\frac{1}{2}=\frac{1}{8}$	90,472	20,141,600	
孫　E	$\frac{1}{2}\times\frac{1}{2}\times\frac{1}{2}=\frac{1}{8}$	90,472	20,141,600	
合計　4人	1		相続税の総額	234,604,800円

3　各相続人等の納付すべき相続税額の計算　（単位：円）

	配偶者乙	子　A	孫　C	孫　D	孫　E	計
あん分割合	0.56	0.16	0.15	0.07	0.06	1.00
算出税額	131,378,688	37,536,768	35,190,720	16,422,336	14,076,288	234,604,800
2割加算額						
配偶者の税額軽減額						
納付すべき相続税額						

配偶者の税額軽減の計算パターンのつくり方（ⒶⒷⒸⒹの金額を転記して控除算式を作成します。）

1　各人の課税価格の計算

（単位：千円）

	配偶者乙	子　A	孫　C	孫　D	孫　E	計
相続・遺贈財産	399,567	115,620	105,820	54,810	46,960	
みなし取得財産	60,000	20,000	10,000			
債務控除	△ 25,000	△ 10,000				
課税価格	**434,567Ⓒ**	125,620	115,820	54,810	46,960	777,777

2　相続税の総額の計算

課税価格の合計額		遺産に係る基礎控除額	課税遺産額
777,777Ⓐ 千円		30,000＋6,000×４人＝54,000 千円	723,777 千円
法定相続人	法定相続分	法定相続分に応ずる取得金額	相続税の総額の基となる税額
配偶者乙	$\frac{1}{2}$Ⓑ	361,888 千円	138,944,000 円
子　A	$\frac{1}{2}\times\frac{1}{2}=\frac{1}{4}$	180,944	55,377,600
孫　D	$\frac{1}{2}\times\frac{1}{2}\times\frac{1}{2}=\frac{1}{8}$	90,472	20,141,600
孫　E	$\frac{1}{2}\times\frac{1}{2}\times\frac{1}{2}=\frac{1}{8}$	90,472	20,141,600
合計　４人	1		相続税の総額　**234,604,800Ⓓ**円

3　各相続人等の納付すべき相続税額の計算

（単位：円）

	配偶者乙	子　A	孫　C	孫　D	孫　E	計
あん分割合	0.56	0.16	0.15	0.07	0.06	1.00
算出税額	131,378,688	37,536,768	35,190,720	16,422,336	14,076,288	234,604,800
２割加算額			7,038,144			
配偶者の税額軽減額	△117,302,400					
納付すべき相続税額	14,076,200	37,536,700	42,228,800	16,422,300	14,076,200	

4　算出税額の２割加算額及び控除額の計算

（単位：円）

控除等の項目	対象者	計算過程	金額
２割加算	孫　C	$35,190,720\times\frac{20}{100}=7,038,144$	7,038,144
配偶者の税額軽減	配偶者乙	(1)　131,378,688 (2)①　777,777,000Ⓐ × $\frac{1}{2}$Ⓑ＝388,888,500≧160,000,000 ∴　388,888,500 ②　434,567,000Ⓒ ③　①＜②　∴　388,888,500 ④　$\frac{234,604,800Ⓓ\times388,888,500}{777,777,000Ⓐ}$＝117,302,400 (3)　(1)＞(2)④　∴　117,302,400	△117,302,400

Section 2

未成年者控除 1

未成年者が 18 歳に達するまでの養育費の負担を考慮して設けられています。

この Section では、未成年者控除について学習します。

1 概 要

≻≻問題集 問題2

相続又は遺贈により財産を取得した者（居住制限納税義務者、非居住制限納税義務者に該当する者を除きます。）が未成年者である場合には、算出税額から10万円にその者が18歳に達するまでの年数（１年未満切上げ）を乗じて算出した金額を控除した金額をもってその納付すべき相続税額とします。

2 適用要件等（法19の３）

1．適用対象者

相続又は遺贈により財産を取得した者で、次のすべての要件を満たすものであること

⑴ 居住無制限納税義務者又は非居住無制限納税義務者*01)

⑵ 法定相続人(注)

⑶ 18歳未満の者*02)

（注） 相続の放棄により、相続人に該当しないこととなった場合でも、法定相続人に該当すれば適用を受けることができます。

*01) 無制限納税義務者に適用される規定となります。

*02) 民法改正に伴い、令和４年４月１日以後の相続から18歳未満の者となりました。

2．納付すべき相続税額

算出税額（配偶者の税額軽減までを適用して計算した金額*03)）	−	未成年者控除額	＝	納付税額

*03) 各税額控除の適用順序に従い、配偶者の税額軽減の次に未成年者控除を適用します。なお、令和４年３月31日以前の相続までは20歳未満の配偶者について配偶者の税額軽減と、未成年者控除の重複適用も可能でした。

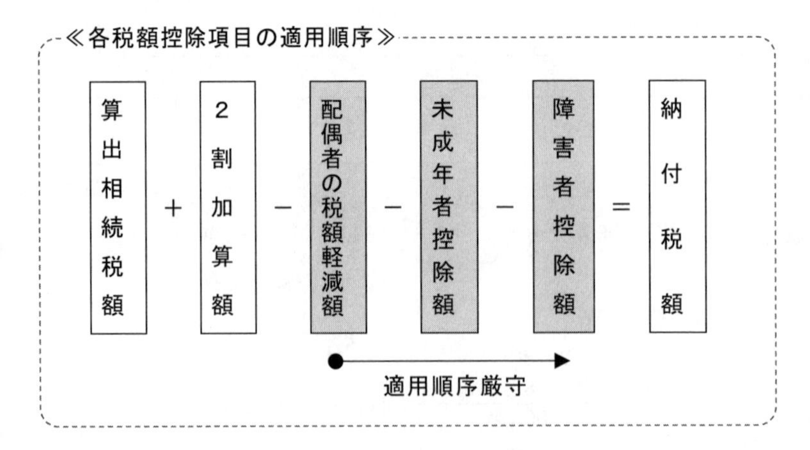

3. 控除額

【基本算式】

10万円×(18歳[*04] －その者の年齢(1年未満切捨))

*04) 民法改正に伴い、令和4年4月1日以後の相続から18歳となりました。

＜例題1＞

次の資料により、未成年者控除額を求めなさい。

被相続人甲 ── 子 A(17歳1月)……居住無制限納税義務者
║ ── 子 B(15歳11月)……非居住制限納税義務者
配偶者乙 ── 胎児C(出　生)……居住無制限納税義務者

(解　答)

子　A：100,000円×(18歳－17歳)＝100,000円

子　B：非居住制限納税義務者のため適用なし

胎児C：1,800,000円[*05]（＝100,000円×(18歳－0歳))

*05) 胎児の未成年者控除額は、満額の180万円です。算式を立てても確認できます。

＜例題2＞

次の資料により、未成年者控除額を求めなさい。

なお、全員居住無制限納税義務者に該当している。

被相続人甲 ── 子 A（17歳5月）(放棄)
║ ── 子 B（16歳6月）
配偶者乙 ── 養子C（9歳9月）

(解　答)

子　A：100,000円×(18歳－17歳)＝100,000円[*06]

子　B：100,000円×(18歳－16歳)＝200,000円

養子C：100,000円×(18歳－9歳)＝900,000円

*06) 未成年者控除の適用対象者は法定相続人であるため、放棄していても控除できます。また、養子についても適用可能です。

Section 3

障害者控除 1

障害者の生活保障を考慮し、社会福祉の増進を図るため設けられています。

このSectionでは、障害者控除について学習します。

1 概　要

≻≻問題集 問題3

相続又は遺贈により財産を取得した者が障害者である場合には、その者については、算出税額から10万円（特別障害者である場合には20万円）にその者が85歳に達するまでの年数（1年未満切上げ）を乗じて算出した金額を控除した金額をもってその納付すべき相続税額とします。

2 適用要件等（法19の4）

1．適用対象者

相続又は遺贈により財産を取得した者で、次のすべての要件を満たすものであること

(1) 居住無制限納税義務者[*01]

(2) 法定相続人

(3) 障害者

*01) 国外に住所を有する者には障害者控除の適用はありません。未成年者控除の場合には、非居住無制限納税義務者にも適用があるので違いに注意してください。

2．納付すべき相続税額

算出税額（未成年者控除までを適用して計算した金額[*02]）－ 障害者控除額 ＝ 納付税額

*02) 18歳未満の障害者については、未成年者控除と障害者控除の重複控除が可能となります。

3．控除額

【基本算式】

一般障害者10万円
特別障害者20万円 ｝×（85歳－その者の年齢（1年未満切捨））

3 障害者の意義[*01]（法19の4②）

障害者とは、精神上の障害により事理を弁識する能力を欠く常況にある者、失明者その他の精神又は身体に障害がある者をいい、特別障害者とは、その障害者のうち精神又は身体に重度の障害がある者をいいます。

*01) 一般障害者と特別障害者との区分は以下のとおりです。
①身体障害者手帳
・等級が1級・2級の者
　⇒特別障害者
・等級が3級～6級の者
　⇒一般障害者
②精神障害者保健福祉手帳
・等級が1級の者
　⇒特別障害者
・等級が2級・3級の者
　⇒一般障害者

＜例題１＞

次の資料により、障害者控除額を求めなさい。

なお、全員居住無制限納税義務者に該当している。

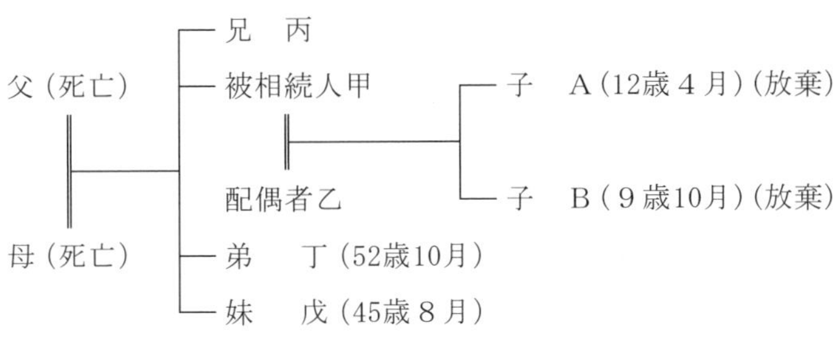

（注）子Ａ及び妹戊は一般障害者、子Ｂは特別障害者に該当する。

（解　答）

子　Ａ：100,000円×（85歳－12歳）＝7,300,000円

子　Ｂ：200,000円×（85歳－９歳）＝15,200,000円

妹　戊：法定相続人でないため適用なし

＜例題２＞

次の資料により、障害者控除額を求めなさい。

なお、全員居住無制限納税義務者に該当している。

（相続開始日：令和7年４月20日）

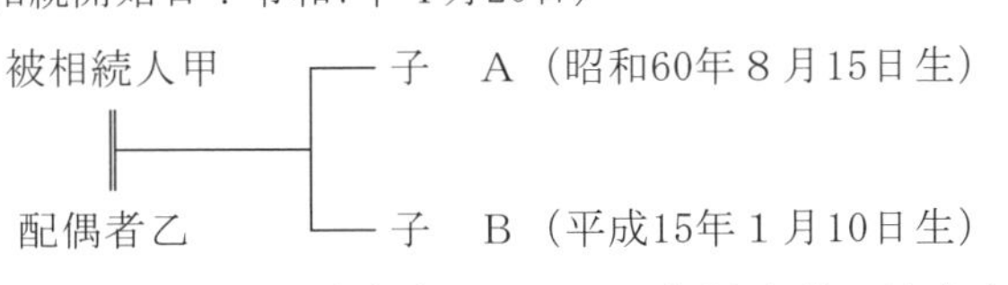

（注）子Ａは特別障害者、子Ｂは一般障害者に該当する。

＜解　答＞

〔障害者控除額〕

子　Ａ：200,000円×（85歳－39歳）＝9,200,000円

子　Ｂ：100,000円×（85歳－22歳）＝6,300,000円

＜生年月日が与えられている場合＞[*02]

子Ａ	子Ｂ
S ~~100~~ 99. 4. 20	H37. 4. 20
S　60. 8. 15	H15. 1. 10
39 歳	22 歳

*02) 年齢計算ではひっ算をして確認するとよいです。なお、適用対象者の生年月日が平成や昭和の場合には、換算が必要となります。

令和➡平成

「30」を加算します。

例：R7＋30＝H37

令和➡昭和

「93」を加算します。

例：R7＋93＝S100

配偶者の税額軽減額の計算書

被相続人	国税 太郎

第5表（平成21年4月分以降用）

私は、相続税法第19条の2第1項の規定による配偶者の税額軽減の適用を受けます。

1 一般の場合（この表は、①被相続人から相続、遺贈や相続時精算課税に係る贈与によって財産を取得した人のうちに農業相続人がいない場合又は②配偶者が農業相続人である場合に記入します。）

課税価格の合計額のうち配偶者の法定相続分相当額	（第1表のⒶの金額）〔配偶者の法定相続分〕 498,600,000円 × 1/2 ＝ 249,300,000円 上記の金額が16,000万円に満たない場合には、16,000万円	㋑※ 249,300,000円

配偶者の税額軽減額を計算する場合の課税価格	① 分割財産の価額（第11表の配偶者の①の金額）	分割財産の価額から控除する債務及び葬式費用の金額 ② 債務及び葬式費用の金額（第1表の配偶者の③の金額）	③ 未分割財産の価額（第11表の配偶者の②の金額）	④ （②－③）の金額（③の金額が②の金額より大きいときは0）	⑤ 純資産価額に加算される暦年課税分の贈与財産価額（第1表の配偶者の⑤の金額）	⑥ （①－④＋⑤）の金額（⑤の金額より小さいときは⑤の金額）（1,000円未満切捨て）
	256,646,350円	3,359,600円	円	3,359,600円	1,000,000円	※ 254,286,000円

⑦ 相続税の総額（第1表の⑦の金額）	⑧ ㋑の金額と⑥の金額のうちいずれか少ない方の金額	⑨ 課税価格の合計額（第1表のⒶの金額）	⑩ 配偶者の税額軽減の基となる金額（⑦×⑧÷⑨）
130,505,000円	249,300,000円	498,600,000円	65,252,500円

配偶者の税額軽減の限度額	（第1表の配偶者の⑨又は⑩の金額）（第1表の配偶者の⑫の金額） （66,557,550円 － 0円）	㋺ 66,557,550円
配偶者の税額軽減額	（⑩の金額と㋺の金額のうちいずれか少ない方の金額）	㋩ 65,252,500円

（注）㋩の金額を第1表の配偶者の「配偶者の税額軽減額⑬」欄に転記します。

円単位まで計算した金額を記入します。

配偶者が農業相続人である場合には、第1表の⑩欄の金額を記入します。

2 配偶者以外の人が農業相続人である場合（この表は、被相続人から相続、遺贈や相続時精算課税に係る贈与によって財産を取得した人のうちに農業相続人がいる場合で、かつ、その農業相続人が配偶者以外の場合に記入します。）

課税価格の合計額のうち配偶者の法定相続分相当額	（第3表のⒶの金額）〔配偶者の法定相続分〕 ,000円 × ― ＝ 円 上記の金額が16,000万円に満たない場合には、16,000万円	㊁※ 円

配偶者の税額軽減額を計算する場合の課税価格	⑪ 分割財産の価額（第11表の配偶者の①の金額）	分割財産の価額から控除する債務及び葬式費用の金額 ⑫ 債務及び葬式費用の金額（第1表の配偶者の③の金額）	⑬ 未分割財産の価額（第11表の配偶者の②の金額）	⑭ （⑫－⑬）の金額（⑬の金額が⑫の金額より大きいときは0）	⑮ 純資産価額に加算される暦年課税分の贈与財産価額（第1表の配偶者の⑤の金額）	⑯ （⑪－⑭＋⑮）の金額（⑮の金額より小さいときは⑮の金額）（1,000円未満切捨て）
	円	円	円	円	円	※ ,000円

⑰ 相続税の総額（第3表の⑦の金額）	⑱ ㊁の金額と⑯の金額のうちいずれか少ない方の金額	⑲ 課税価格の合計額（第3表のⒶの金額）	⑳ 配偶者の税額軽減の基となる金額（⑰×⑱÷⑲）
00円	円	,000円	円

配偶者の税額軽減の限度額	（第1表の配偶者の⑩の金額）（第1表の配偶者の⑫の金額） （ 円 － 円）	㋭ 円
配偶者の税額軽減額	（⑳の金額と㋭の金額のうちいずれか少ない方の金額）	㋬ 円

（注）㋬の金額を第1表の配偶者の「配偶者の税額軽減額⑬」欄に転記します。

※ 相続税法第19条の2第5項（隠蔽又は仮装があった場合の配偶者の相続税額の軽減の不適用）の規定の適用があるときには、「課税価格の合計額のうち配偶者の法定相続分相当額」の（第1表のⒶの金額）、⑥、⑦、⑨、「課税価格の合計額のうち配偶者の法定相続分相当額」の（第3表のⒶの金額）、⑯、⑰及び⑲の各欄は、第5表の付表で計算した金額を転記します。

第5表（令5.7）　（資4－20－6－1－A4統一）

Chapter 7

贈与税の納税義務者

Section 1 贈与税の納税義務者の区分

贈与により財産を取得した者は、贈与税の納税義務を負います。

このSectionでは、贈与税の納税義務者を中心に学習します。

1 贈与税の納税義務者の区分[*01]

1. 概　要

贈与税の納税義務者は、原則として贈与（死因贈与を除きます。）により財産を取得した個人です。

また、その個人及び贈与者の住所・国籍の違いによって、以下の4つの納税義務者の種類に区分されます。

*01) 贈与税の納税義務者の区分についても、基本は相続税の納税義務者の区分と同じ考え方です。

＜納税義務者の判定フローチャート＞

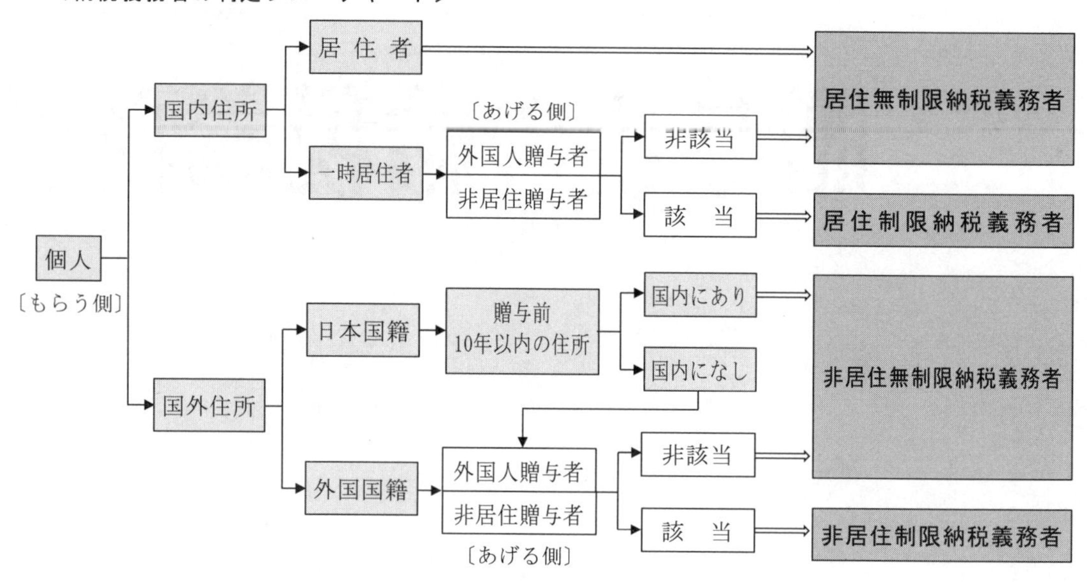

2. 国外勤務者等の住所の判定（基通1の3・1の4共−6）

次に掲げる者の住所は、その者の住所が明らかに国外にあると認められる場合を除き、国内にあるものとして取り扱います。[*02]

*02) 居住無制限納税義務者に該当するということです。

＜住所の判定＞

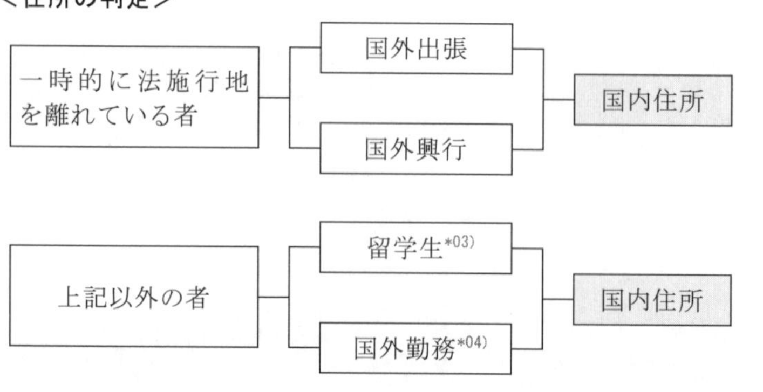

*03) 国内にいる者の扶養親族である留学生の場合です。

*04) 国外勤務の期間がおおむね1年以内の者です。

2 贈与税の納税義務者の意義（法1の4）

納税義務者の区分	意　　義
居住無制限納税義務者	贈与により財産を取得した次に掲げる者であってその財産を取得した時において法施行地に住所を有するもの ⑴　一時居住者*01)でない個人 ⑵　一時居住者である個人(贈与者が外国人贈与者*02)又は非居住贈与者*03)である場合を除く。)
非居住無制限納税義務者	贈与により財産を取得した次に掲げる者であってその財産を取得した時において法施行地に住所を有しないもの ⑴ 日本国籍を有する個人であって次に掲げるもの ①　贈与前10年以内のいずれかの時において法施行地に住所を有していたことがあるもの ②　贈与前10年以内のいずれの時においても法施行地に住所を有していたことがないもの（贈与者が外国人贈与者又は非居住贈与者である場合を除く。) ⑵ 日本国籍を有しない個人（贈与者が外国人贈与者又は非居住贈与者である場合を除く。)
居住制限納税義務者	贈与により法施行地にある財産を取得した個人でその財産を取得した時において法施行地に住所を有するもの（居住無制限納税義務者を除く。)
非居住制限納税義務者	贈与により法施行地にある財産を取得した個人でその財産を取得した時において法施行地に住所を有しないもの（非居住無制限納税義務者を除く。)

*01) 一時居住者とは贈与の時において在留資格を有する者（外国国籍を有する者。以下同じ。）でその贈与前15年以内において、法施行地に住所を有していた期間の合計が10年以下であるものをいいます。

*02) 外国人贈与者とは贈与の時において在留資格を有し、かつ、法施行地に住所を有していた贈与者をいいます。

*03) 非居住贈与者とは贈与の時において法施行地に住所を有していなかった贈与者で、次のものをいいます。
①その贈与前10年以内のいずれかの時において法施行地に住所を有していたことがあるもののうちそのいずれの時においても日本国籍を有していなかったもの
②その贈与前10年以内のいずれの時においても法施行地に住所を有していたことがないもの

Section 2

贈与税の課税財産の範囲

各納税義務者の区分により国内外の財産についてその課税範囲が異なります。

このSectionでは、納税義務者の区分ごとの課税財産の範囲について学習します。

1　贈与税の課税財産の範囲（法2の2）

1．納税義務者の区分と課税財産の範囲[*01]

	納税義務者の区分		課税財産の範囲
個人	居住無制限納税義務者	無制限納税義務者	取得した**すべての財産**
	非居住無制限納税義務者		
	居住制限納税義務者	制限納税義務者	取得した**国内財産**
	非居住制限納税義務者		

*01）**贈与税の課税財産の範囲についても、相続税の課税財産の範囲と同じ考え方です。**

【参 考】贈与税の課税財産の範囲

受贈者／贈与者			国内住所		国外住所		
					日本国籍あり		日本国籍なし
			居住者	一時居住者	10年以内国内住所あり	10年以内国内住所なし	
国内住所							
	外国人贈与者			国内財産に課税		国内財産に課税	国内財産に課税
国外住所	日本国籍あり	10年以内国内住所あり					
		10年以内国内住所なし（非居住贈与者）		国内財産に課税		国内財産に課税	国内財産に課税
	日本国籍なし（外国人贈与者）			国内財産に課税		国内財産に課税	国内財産に課税

（網掛け）：すべての財産に課税（無制限納税義務者）

（白抜き）：国内財産に課税（制限納税義務者）

2. 納税義務者の区分と課税範囲のフローチャート

- 受贈者の住所地
  - 国　内（法施行地）
    - 居住者 → 居　住　無制限納税義務者
    - 一時居住者（外国国籍）
      - 外国人贈与者（外国国籍）／非居住贈与者
        - 非該当 → 居　住　無制限納税義務者
        - 該　当 → 居　住　制限納税義務者
  - 国　外（法施行地外）
    - 日本国籍
      - 贈与前10年以内の住所地
        - 国　内 → 非　居　住　無制限納税義務者
        - 国　外 → 外国人贈与者（外国国籍）／非居住贈与者
          - 非該当 → 非　居　住　無制限納税義務者
          - 該　当 → 非　居　住　制限納税義務者
    - 外国国籍 → 外国人贈与者（外国国籍）／非居住贈与者
      - 非該当 → 非　居　住　無制限納税義務者
      - 該　当 → 非　居　住　制限納税義務者

- 居　住　無制限納税義務者 → 取得したすべての財産に課税
- 非　居　住　無制限納税義務者 → 取得したすべての財産に課税
- 居　住　制限納税義務者 → 取得した国内財産のみに課税
- 非　居　住　制限納税義務者 → 取得した国内財産のみに課税

……… 武富士事件 ………

1950年（昭和25年）、連合国軍による占領下において日本の課税方式が遺産課税方式から遺産取得者課税方式へと切り替わったことで納税義務者の規定が創設されました。それ以降、現在に至るまで「財産の取得者」を納税義務者とする課税方式を基本としています。

納税義務者の規定が創設された当初、国内に住所を有する者を「無制限納税義務者」として取得した全ての財産に課税する一方、国内に住所を有しない者を「制限納税義務者」として取得した国内財産のみに課税するというルールを採用し、50年近くに亘りルール変更のないまま課税が行われてきました。しかし、世界はこの50年の間に人や物が自由に世界を行き交うグローバルな社会へと大きく変貌し、海外に移住する日本人や海外資産を保有する日本人も増えました。

そういう時代にあって、相続税や贈与税の負担を合法的に回避するスキームが資産家の間で流行り、専門家を通じて海外を利用した租税回避が目立つようになっていた最中『武富士事件』と言われる、贈与税の租税回避を巡る裁判が始まりました。

この事件は、当時消費者金融武富士の元会長が海外居住の長男に海外資産を贈与したのが事の発端で、約1,160億円もの贈与税について当時の法律では課税できないということになっていたわけですが、税務署は長男の住所は海外ではなく、事実上は日本国内だと主張して課税処分を行い、納税者と国が最高裁まで争ったというものです。

この裁判の結末は、納税者（武富士側）の勝訴となりました。裁判長は、租税回避の意図があったとしても当時の法律では贈与税を課すことに限界がある、としたわけです。

その後、この事件をきっかけに海外を利用した租税回避を防止するべく、納税義務者の規定は改正を繰り返して現在の条文となりました。とても複雑に思える納税義務者の条文ですが、この武富士事件を教訓として課税強化を進めてきた結果とも言えるのです。

税法は毎年のように改正がありますが、そこには必ず理由があり、改正に至るまでの経緯を知ることで真の理解を得ることができるのです。そして、そこにこそ法律を学ぶ面白さがあるのだと思います。

Chapter 8

贈与税の課税価格

Section 1

贈与税の課税価格

贈与税の課税価格とは、財産を取得した受贈者に対する課税金額です。
このSectionでは、贈与税の課税価格の各計算項目について学習します。

1 概　要

贈与税の課税価格を計算するには、贈与により取得した財産のほかに、満期保険金などのみなし贈与財産*01)も加えていきます。それらの財産のうち、非課税とされる財産を除いた金額が贈与税の課税価格(千円未満切捨)となります。

*01) 他に低額譲受益や債務免除益などもあります。詳細はSection2で学習します。

＜課税価格までの計算の流れ＞*02)

贈与財産 ＋ みなし贈与財産 － 非課税財産 ＝ 課税価格

*02) 相続の場合には債務を承継する可能性があるため債務控除をした後の金額を課税価格としていますが、贈与の場合には債務を承継することはありませんので債務控除の計算もありません。

【納税義務者の区分と課税価格】*03)

	納税義務者の区分		課税価格
(1)	居住無制限納税義務者	無制限納税義務者	全財産の合計額
	非居住無制限納税義務者		
(2)	居住制限納税義務者	制限納税義務者	国内財産の合計額
	非居住制限納税義務者		
(3)	上記(1)と(2)の複数区分に該当する場合		(1)と(2)を合わせた財産

*03) 贈与税の場合には暦年単位課税であるため、贈与により財産を取得した時ごとに納税義務者の区分を分類して課税価格を計算します。したがって、受贈者が1暦年中に複数の納税義務者の区分に該当するケースもあります。

＜(3)の図解＞

〔1暦年中に複数の納税義務者の区分に該当する場合〕

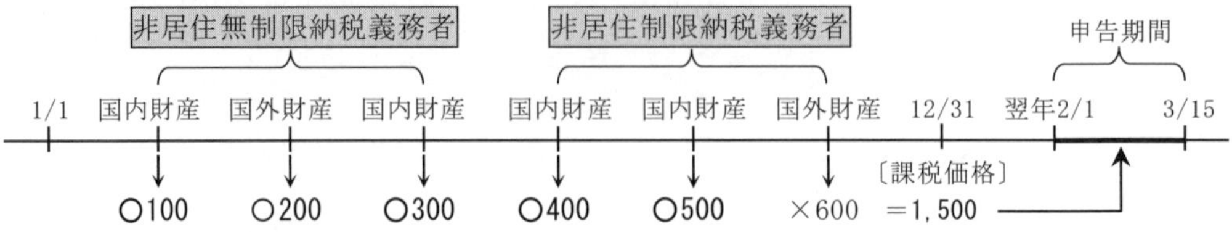

非居住無制限納税義務者　　非居住制限納税義務者　　申告期間

1/1　国内財産　国外財産　国内財産　国内財産　国内財産　国外財産　12/31　翌年2/1　3/15

○100　○200　○300　○400　○500　×600　〔課税価格〕＝1,500

2 贈与財産（法22）

贈与により取得した財産についても、相続又は遺贈により取得した財産と同じく、その財産を評価した金額の「価額」に基づいて課税価格を計算します。

また、この価額は、贈与時における時価によることとされていますが、具体的には相続税法財産評価基本通達に定められた方法によって計算した金額、つまり「相続税評価額*01)」を用いることとなります。

*01) 贈与財産の価額についても、相続税評価額という表現を用います。

3 死因贈与により取得した財産

死因贈与*01)は遺贈と同様に取扱うこととされているため、相続税の課税価格に含まれます。

したがって、死因贈与により取得した財産については贈与税の課税価格には含めません。

*01) 死因贈与についてはChapter2のSection1で学習しています。
☞2-9ページ

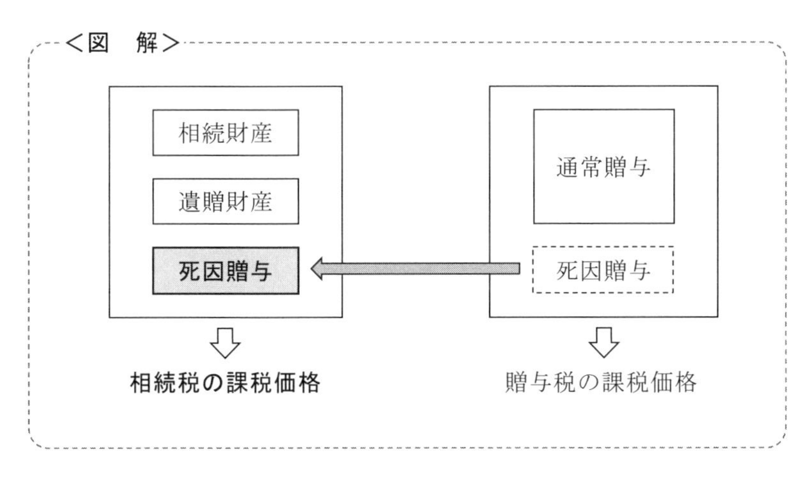

＜例　題＞

被相続人甲は、生前「自分が死亡した場合には、配偶者乙に土地（贈与時の価額2,500万円）を贈与する。」という贈与契約を締結していた。なお、土地の相続開始時の価額は2,000万円である。

（解　答）

配偶者乙　土　地　2,000万円

➜ 遺贈財産として相続税の課税価格を構成します。

Section 2
みなし贈与財産

贈与税にも相続税と同じようにみなし取得財産が規定されています。

このSectionでは、みなし贈与財産について学習します。

1 生命保険金等の課税関係（法5①④）

1．概　要

項　目	内　容
課税要件	(1) 生命保険契約又は損害保険契約の保険事故*01)（偶然な事故に基因する保険事故で死亡を伴うものに限る。）が発生した場合 (2) 契約に係る保険料の全部又は一部が保険金受取人以外の者によって負担されているとき
課税時期	保険事故が発生した時*02)
課税対象者	保険金受取人
課税財産	取得保険金×保険金受取人以外の者が負担した保険料／これらの保険事故が発生した時までに払い込まれた保険料の全額
贈与者	保険料を負担した者*02)
取得原因	贈与により取得したものとみなす

*01) 相続税の生命保険金では、「偶然な事故に基因する死亡に伴い支払われるものに限る。」となっていますが、これは保険金のカッコ書きか保険事故のカッコ書きかの違いというだけです。

*02) 相続は「いつ」「誰から」を明記しなくても「相続開始時」「被相続人から」というのは明らかです。贈与はいつでも誰からでも行うことができることから課税時期と贈与者を明らかにする必要があります。

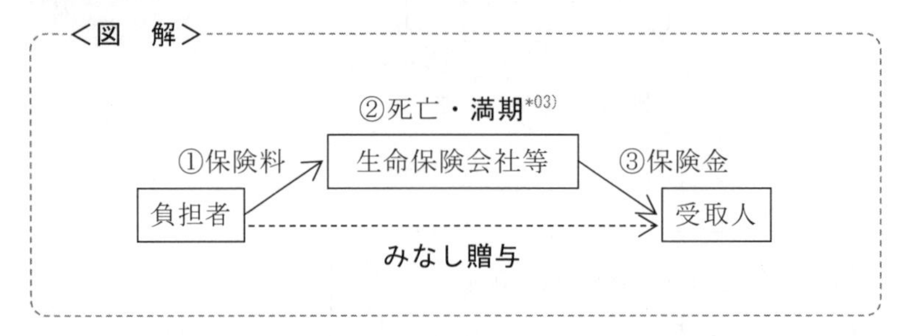

*03) 保険事故には満期（一定期間内に保険事故が発生しなかった場合の支払い事由）もあるため、満期保険金には贈与税が課税されます。なお、傷害や病気を保険事故とする保険金には課税されません。

(1) 死亡保険金の場合

① 被相続人＝保険料負担者≠保険金受取人の場合 ➜ 相続税

② 被相続人≠保険料負担者≠保険金受取人の場合 ➜ **贈与税**

③ 被相続人≠保険料負担者＝保険金受取人の場合 ➜ 所得税

(2) 満期保険金の場合

① 保険料負担者＝保険金受取人の場合 ➜ 所得税

② 保険料負担者≠保険金受取人の場合 ➜ **贈与税**

2．適用除外

保険金受取人以外の者が被相続人の場合には、保険金受取人が受け取った生命保険金等について相続税が課税されるため、相続税が課税される金額については法５①の適用はありません。*04)

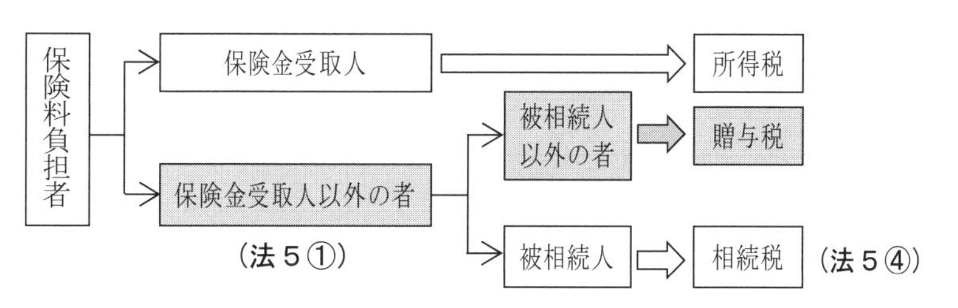

*04) 法５①の課税要件において保険料負担者を「保険金受取人以外の者」と規定しているため、保険金受取人以外の者が被相続人の場合には、相続税と贈与税が重複して課税されてしまうことから、法５④により重複を避ける措置がとられています。

3．返還金等（法5②、基通３－39）

生命保険契約又は損害保険契約について返還金等*05)の取得があった場合には、上記１の贈与税の課税される生命保険金等の規定を準用します。

*05) 契約の定めるところにより生命保険契約の解除または失効によって支払を受ける金額又は払戻金をいいます。

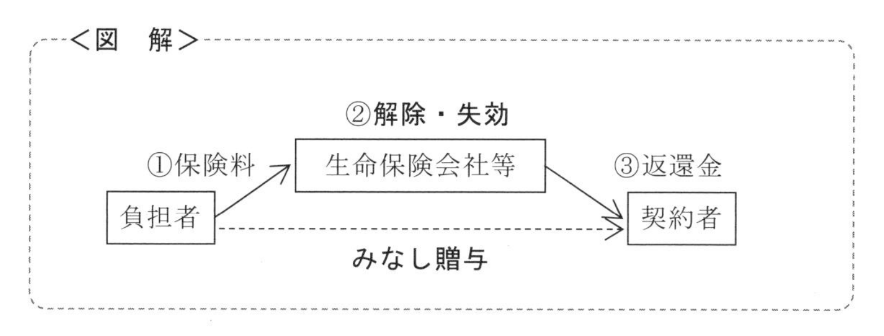

＜例　題＞

子Ａは満期を迎えた保険金8,000千円を取得したが、これに係る保険料は甲と子Ａが1/2ずつ負担していた。また、甲が保険料の全額を負担していた生命保険契約を解約し、契約者である子Ａに解約返戻金2,000千円が支払われた。この他に、子Ａは交通事故による傷害保険金500千円も取得しているが、これに係る保険料は甲が全額負担している。この場合、子Ａの贈与税の課税価格を答えなさい。

（解　答）

満期保険金　8,000千円$\times\frac{1}{2}$＝4,000千円

解約返戻金　2,000千円

傷害保険金　課税対象外

2 低額譲受益（法７）

1．概　要

贈与契約による財産の無償移転がなかったとしても、低額譲渡があった場合には、その財産の価額と対価の差額について実質的な贈与があったとみなし*01)、課税の公平を図ることとしています。

*01) 低額譲渡が遺言によりなされた場合には、遺贈があったものとみなして相続税の課税が生じます。

2．課税される場合

	内　　　容
課税要件	著しく低い価額の対価で財産の譲渡を受けた場合*02)
課税時期	その財産の譲渡の時
課税対象者	その財産の譲渡を受けた者
課税金額	譲渡時の時価　－　対価
贈与者（遺贈者）	その財産を譲渡した者
取得原因	贈与又は遺贈により取得したものとみなす

*02) 相続税法においては著しく低い価額について他の税法（時価の2分の1に満たない金額）のように明文化されていないため、相続税評価額に満たない対価で財産の譲渡があった場合には、低額譲受益の規定の適用があることとなります。

3．課税されない場合

	内　　　容
要件	譲渡を受ける者が資力を喪失して債務を弁済することが困難である場合*03)で、その者の扶養義務者からその債務の弁済に充てるためになされた譲渡であるとき
課税されない金額	次の①と②のうちいずれか少ない金額*04) ①　贈与又は遺贈により取得したものとみなされた金額 ②　その債務を弁済することが困難である部分の金額

*03) 社会通念上債務の支払いが不能と認められる場合とされ、自己破産の程度に至らない場合も含まれます。

*04) 債務の弁済のために親から子に行われた低額譲渡であるときは、債務の弁済額を限度として課税対象外となります。

<課税対象となる金額>

【基本算式】

譲渡財産の時価（相続税評価額）－対価＝低額譲受益(注)

（注）　課税されない金額*05)

債務超過額＞（＜）低額譲受益　∴　少ない金額

*05) 親から子に50,000千円の財産が20,000千円で譲渡された場合、30,000千円が贈与税の課税対象となるわけですが、子が25,000千円の債務超過の状態にあったときには、25,000千円は課税されません。

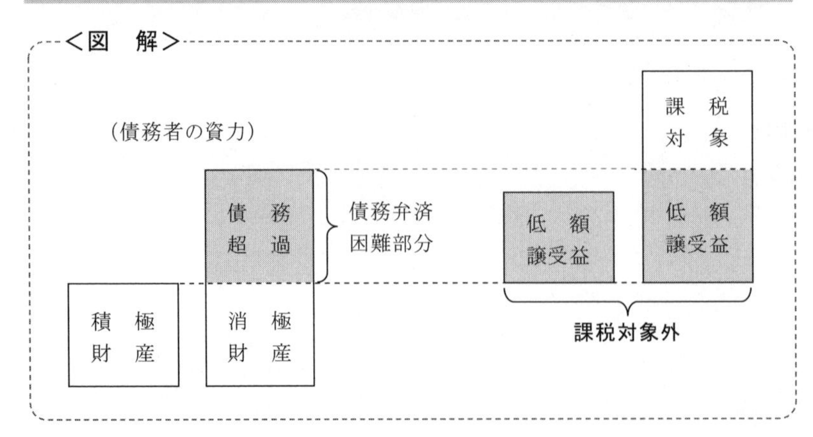

3 債務免除益等（法8）

1．概　要

債権者による債権の放棄又は第三者による債務の引き受け若しくは弁済は、債務者にとってみれば債務の金額に相当する経済的利益を債権者又は第三者から受けたことに等しいため、これらの行為があった場合には、その債務の金額について実質的な贈与があったものとみなし*01)、課税の公平を図ることとしています。

*01) これらの行為が遺言によりなされた場合には、遺贈があったものとみなして相続税の課税が生じます。

2．課税される場合

	内　容
課税要件	対価を支払わないで又は著しく低い価額の対価で債務の免除・引受・弁済による利益を受けた場合*02)
課税時期	その債務の免除・引受・弁済があった時
課税対象者	その債務の免除・引受・弁済により利益を受けた者
課税金額	債務金額 － 支払対価
贈与者(遺贈者)	その債務の免除・引受・弁済をした者
課税原因	贈与又は遺贈により取得したものとみなす

*02) これまで学習してきた経済的な利益は、積極財産が増加した場合です。しかし、経済的利益は積極財産の増加のみではなく消極財産が減少している場合にも受けていると考えます。この債務免除益等は、消極財産の減少に着目して課税を行うというものです。

3．課税されない場合

	内　容
要件	債務者が資力を喪失して債務を弁済することが困難である場合 ①　その債務の全部又は一部の免除を受けたとき*03) ②　その債務者の扶養義務者によって、その債務の全部又は一部の引受・弁済がなされたとき*04)
課税されない金額	次の①と②のうちいずれか少ない金額 ①　贈与又は遺贈により取得したものとみなされた金額 ②　その債務を弁済することが困難である部分の金額

*03) 債務免除益は、当事者間の行為であるため、扶養義務者からの免除に限定される必要はありません。

*04) 債務引受・弁済益は、低額譲受益同様、債務者が債務超過の状態に陥っている場合に、その行為が扶養義務者から行われた場合には、債務超過分までは課税を受けることはありません。

<図　解>

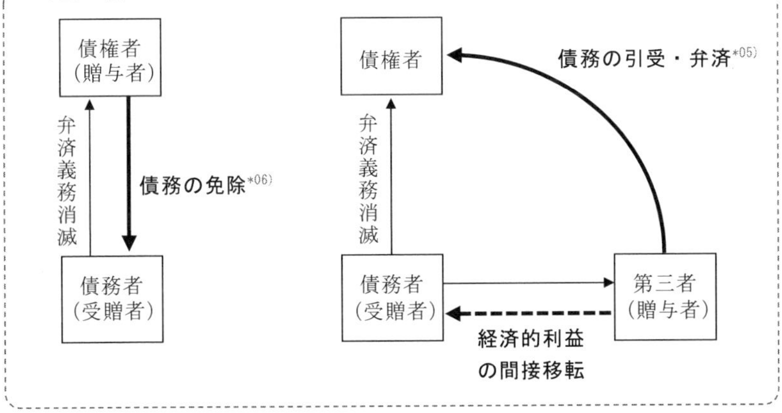

*05) 債務の引受は債務者に代わり債務を引受ける意思表示をなす行為であり、債務の弁済は債務者に代わり債務を弁済する行為です。

*06) 債務の免除は債権者が債務を免除する意思表示をすることによって債務を消滅させる行為（債権放棄）です。

4 その他の利益の享受益（法9）

1．概　要[*01]

相続税法第8条までに規定されているみなし贈与に該当しない行為によって利益を受けた場合には、その利益金額について贈与があったものとみなし[*02]、課税の公平を図ることとしています。

*01) 租税法律主義、課税要件法定主義の見地から、相続税法第9条は曖昧すぎる、として争った案件もありますが、この第9条は課税の最後の砦としてのもので、何らかの経済的な利益を受けた場合には、課税を行うとする規定です。

*02) その行為が遺言によりなされた場合には、遺贈があったものとみなして相続税の課税が生じます。

2．課税される場合

	内　　容
課税要件	対価を支払わないで又は著しく低い価額の対価で利益を受けた場合
課税時期	その利益を受けた時
課税対象者	その利益を受けた者
課税金額	利益の金額 － 支払対価
受贈者(受遺者)	その利益を受けさせた者
課税原因	贈与又は遺贈により取得したものとみなす

3．課税されない場合

	内　　容
要件	利益を受ける者が資力を喪失して債務を弁済することが困難である場合で、その者の扶養義務者からその債務の弁済に充てるためになされた行為であるとき
課税されない金額	次の①と②のうちいずれか少ない金額 ① 贈与又は遺贈により取得したものとみなされた金額 ② その債務を弁済することが困難である部分の金額

<図　解>

【設例】甲は子Aの借入金5,000千円を乙が銀行に返済することを条件として、乙に対し現金10,000千円を贈与した

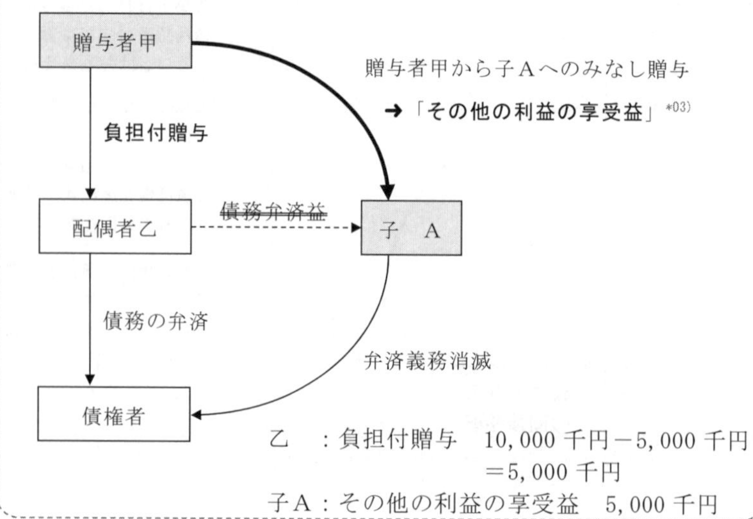

*03) 乙とAだけの関係をみるとAが乙から債務弁済益を受けたことになりますが、この借入金の弁済は甲の負担付贈与により返済義務が消滅したといえます。したがって、Aに対する課税は「その他の利益の享受益」となります。

＜例　題＞

次の問において、贈与税の課税対象となる金額を求めなさい。

問１

甲は子Ａに対し時価20,000千円の財産を8,000千円で譲渡した。なお、子Ａには銀行からの借入金が15,000千円あり、預金5,000千円があるのみで債務を弁済することが困難な状況にあった。

問２

甲は友人丙に対する貸付金15,000千円の債権を放棄した。なお、友人丙の債務超過額は10,000千円である。

問３

甲は子Ｂの銀行借入金30,000千円を肩代わり弁済した。なお、子Ｂの債務超過額は25,000千円であり、子Ｂに対する求償権を行使できる見込みはない。

問４

甲は子Ｄの銀行借入金10,000千円を子Ｃが銀行に返済することを条件として、子Ｃに絵画30,000千円を贈与した。

（解　答）　　　　（単位：千円）

問１

子　Ａ（低額譲受益）

20,000－8,000＝12,000

12,000－※10,000＝2,000

※　15,000－5,000＝10,000[*04)]＜12,000　∴　10,000

問２

友人丙（債務免除益[*05)]）

15,000－※10,000＝5,000

※　15,000＞10,000　∴　10,000

問３

子　Ｂ（債務弁済益）

30,000－※25,000＝5,000

※　30,000＞25,000　∴　25,000

問４

子　Ｃ（負担付贈与）

30,000－10,000＝20,000

子　Ｄ（その他の利益の享受益[*06)]）

10,000

*04) 子Ａの債務超過額10,000千円までは課税されません。

*05) 債権の放棄をしたとは、裏を返せば、債務の免除をしたことと同じですので、債務免除益となります。

*06) 子Ｃは甲から負担付贈与を受けていますが、子Ｄは甲から10,000千円の間接的利益を受けているため「その他の利益の享受益」となります。

Section 3

贈与税の非課税財産

贈与税の課税価格の計算上、一定の理由から非課税とされる財産があります。
このSectionでは、贈与税の非課税財産について学習します。

1 贈与税の非課税財産（法21の3、法21の4、基通21の3－9）

贈与税の課税対象となる財産の中には、その財産の性質や社会政策的な見地、国民感情などから見て、課税対象とすることが適当でない財産があります。

したがって、このような財産を贈与税の課税価格に算入しない旨の規定を設けています。

1．法人からの贈与により取得した財産

理　由

法人には相続の開始が起こり得ないため、法人からの贈与については相続税の課税は発生しないことから、相続税の補完税である贈与税の課税も発生しないこととなります。*01)

*01) 贈与税の代わりに所得税が課税されます。

2．扶養義務者相互間における生活費又は教育費の贈与*02)

*02) 扶養する者の資力及び扶養される者の生活状況その他の事情を勘案して社会通念上、通常必要と認められる範囲のみの贈与が非課税の対象です。

理　由

生活費又は教育費は、日常生活上最低限の費用であり、その負担者との関係からみてそれを課税対象とすることは国民感情の面から適当でないため設けられています。

⑴　生活費の意義

生活費とは、その者の通常の日常生活を営むのに必要な費用をいい、治療費、養育費その他これらに準ずるもの

⑵　教育費の意義

教育費とは、被扶養者の教育上、通常必要と認められる学資、教材費、文具費等をいい、義務教育費に限りません。

⑶　生活費及び教育費の取扱い

必要な都度の贈与*03)については非課税です。通常必要と認められる金額の範囲内でも一括贈与の場合には課税対象となりえます。また、生活費又は教育費の名義で取得した財産を預貯金とした場合又は株式の買入代金若しくは家屋の買入代金に充当した場合には、贈与税が課税されます。

*03) 例えば、大学に通う子が親から家賃の仕送りを受ける場合に、毎月贈与を受けるときは非課税ですが、1年分を一括贈与されると課税される可能性があります。

3．公益事業用財産[*04)]

理　由

公共性の高い民間公益事業の特殊性を考慮してその保護育成の見地から設けられています。

(注)　課税価格に算入される場合

その財産を取得した者がその財産を取得した日から２年を経過した日において、なおその財産をその公益を目的とする事業の用に供していない場合には、取得時の価額で贈与税の課税価格に算入し、課税計算のやり直しを行います。

*04) 相続税の非課税財産にも同規定がありますが、取得原因が相続や遺贈の場合には相続税の非課税、取得原因が贈与の場合には贈与税の非課税です。

4．特定公益信託から交付される金品[*05)]

理　由

公益の増進に寄与する者について便益を与え、助成するために設けられています。

*05) 学術の研究に対する助成金又は学生等に対する奨学金の支給を行うことを目的とする特定公益信託から交付される金品です。

5．心身障害者共済制度に基づく給付金の受給権

理　由

条例の規定によりその範囲が限定されていること及び受給権の性格が心身障害者を扶養するためのものであることを考慮して設けられています。

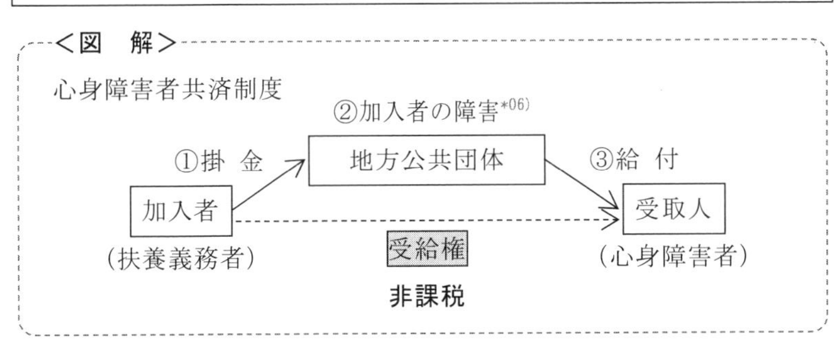

*06) 相続税の非課税財産にも同規定がありますが、加入者の死亡の場合には相続税の非課税、加入者の障害(死亡以外)の場合には贈与税の非課税です。

6．公職選挙法に基づき報告された金銭等[*07)]

理　由

選挙の公共性を考慮して設けられています。

*07) 公職選挙法の適用を受ける選挙における公職の候補者が選挙運動に関して贈与により取得した金銭、物品その他の財産上の利益で報告がなされたものです。

7．特定障害者扶養信託契約[*08)]に基づく信託受益権

理　由

心身障害者をかかえる親などが生活能力に乏しい心身障害者の生活安定のため、生前に確実な財産を与えておきたいと考えることを考慮して設けられています。

*08) この契約では「障害者非課税信託申告書」を納税地の所轄税務署長に提出します。なお、障害者控除の規定と同じで障害者が居住無制限納税義務者の場合にのみ適用があります。

<図　解>

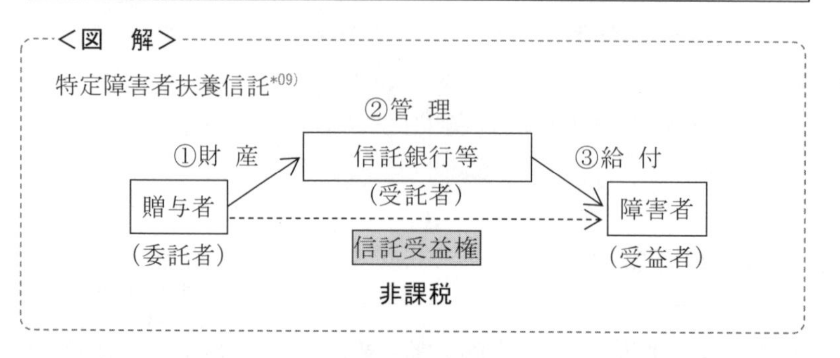

*09) この信託の場合には、受益者である障害者が信託受益権を贈与により取得したものとみなして贈与税を課税しますが、それを非課税としています。

<障害者の区分[*10)]に応じた非課税金額>

特定障害者
3,000万円まで非課税

特別障害者
6,000万円まで非課税

*10) 特定障害者は中軽度の知的障害者とされた者及び精神障害者保健福祉手帳の障害等級が２級又は３級の者で障害者控除適用上の分類は一般障害者と同じです。
特別障害者は障害者控除適用上の分類と同じです。

【基本算式】

（信託受益権の価額－※3,000万円＋その他の財産の価額－110万円）×税率＝贈与税額

※　信託受益権の価額＞（≦）3,000万円（特別障害者の場合6,000万円。以下同じ。）

∴　いずれか少ない金額

※　過去に非課税の適用を受けている場合

信託受益権の価額＞（≦）3,000万円－既控除額＝残額　∴　いずれか少ない金額

8．香典、花輪代、年末年始の贈答、祝物又は見舞いなどのための金品で社交上必要と認められるもの[*11)]

理　由

社交上必要と考えられるためです。

*11) 個人間における社交上必要と認められる贈与については、非課税とされています。

設例３－１　　**贈与税の非課税財産**

以下の資料により、子Ａの各年分の贈与税の課税価格を計算しなさい。

子Ａ（日本国籍）は、以下の表のとおり財産（すべて国内財産である。）の贈与を受けている。

なお、子Ａは日本国外に住所を有していたことはない。

贈与年月日	贈与者	贈与財産	贈与時の時価	(注)
令和４年７月１日	父	信託受益権	15,000,000円	1
令和５年１月５日	母	現　金	2,400,000円	2
令和６年５月11日	父	信託受益権	20,000,000円	3

(注) 1　父は子Ａ(特別障害者以外の特定障害者に該当)を受益者として特定障害者扶養信託契約を締結しており、子Ａは納税地の所轄税務署長に対し障害者非課税信託申告書を提出している。

なお、子Ａはこれ以前に障害者非課税信託申告書を提出したことはない。

2　母は大学に通う子Ａへの生活費の仕送りとして年間2,400,000円の現金を贈与している。

なお、この現金の贈与は毎月５日に200,000円の仕送りをしていた合計額であり、贈与年月日はその贈与開始の日付である。また、子Ａはこの現金を他の目的で使用したことはない。

3　上記(注)１の契約の追加信託であり、子Ａは障害者非課税信託申告書を提出している。

解答　　（単位：円）

令和４年分

15,000,000－※15,000,000＝0

※　15,000,000≦30,000,000　∴　15,000,000

令和５年分

扶養義務者相互間における生活費の贈与は非課税

令和６年分

20,000,000－※15,000,000＝5,000,000

※　20,000,000＞30,000,000－15,000,000＝15,000,000　∴　15,000,000

解説

①　特定障害者扶養信託契約に係る非課税は、居住無制限納税義務者のみが適用対象者であること、非課税限度額が3,000万円（3,000万円に達するまでは追加信託により重複適用が可能）であることを確認しておきましょう。

②　母から子Ａに対する現金の贈与は、扶養義務者相互間における生活費の都度贈与に該当するため、贈与税は非課税となります。

③　追加信託における非課税限度額は、過去に適用した非課税金額を控除した残額となります。

【贈与税の非課税財産のまとめ】

項目	留意点
法人から贈与により取得した財産	・相続開始ということがないため、相続税を補完する贈与税についても非課税という理由です。
扶養義務者相互間における生活費又は教育費に充てるための贈与財産	・都度贈与の場合には非課税、一括贈与の場合には全額課税対象となりえます。 ・生活費又は教育費の名義で取得した財産を預貯金とした場合などは、課税されます。
公益事業者が取得した公益事業用財産（**相続税も非課税財産**）	・２年経過日において、公益事業用財産として使用されていない場合には、非課税が取り消されます。
特定公益信託から交付される金品	・助成金や奨学金の額について非課税となります。
心身障害者共済制度に基づく給付金の受給権（**相続税も非課税財産**）	・給付金の受給権（全額）について非課税となります。
公職選挙法に基づき報告された金銭等	・公職選挙法の適用を受ける候補者の選挙運動に関し贈与により取得した金銭、物品その他の財産上の利益で報告がなされたものは非課税となります。
特定障害者に対する信託受益権のうち一般障害者は3,000万円（特別障害者は6,000万円）までの金額	・適用対象者は居住無制限納税義務者のみです。 ・追加信託の場合は、非課税金額から既控除額を控除した残額について非課税の適用が可能です。
社交上必要と認められる個人から受ける香典、花輪代、年末年始の贈答品等	・地域、風習などによって異なるケースにおいても、原則的に非課税として取り扱うことができます。

Chapter 9

算出贈与税額

Section 1

贈与税額の計算(暦年課税)

贈与税額は、贈与税の課税価格に基づいて受贈者単位で計算します。

このSectionでは、贈与税額の計算方法について学習します。

1 贈与税額の計算方法

≻≻問題集 問題1

1．一般贈与財産のみの場合*01)

*01) 受贈者が直系尊属以外の者から取得した財産又は18歳未満の者が直系尊属から取得した財産の場合です。

その年分の課税価格(一般贈与財産のみ) － **基礎控除額(110万円)** ＝ 差引課税価格

差引課税価格 × **一般税率** ＝ **贈与税額(百円未満切捨)**

○ 贈与税の速算表(**一般税率**)

基礎控除後の課税価格	税率	控除額	基礎控除後の課税価格	税率	控除額
2,000千円以下	10%	――	10,000千円以下	40%	1,250千円
3,000千円以下	15	100千円	15,000千円以下	45	1,750千円
4,000千円以下	20	250千円	30,000千円以下	50	2,500千円
6,000千円以下	30	650千円	30,000千円超	55	4,000千円

2．特例贈与財産(注)のみの場合

その年分の課税価格(特例贈与財産のみ) － **基礎控除額(110万円)** ＝ 差引課税価格

差引課税価格 × **特例税率** ＝ **贈与税額(百円未満切捨)**

(注)　特例贈与財産

平成27年1月1日以後に直系尊属*02)からその年1月1日において18歳以上の者が贈与により取得した財産をいいます。

*02) 直系尊属とは受贈者の父・母又は祖父・祖母のことで、受贈者の配偶者の父・母等は該当しません。

	受贈者の年齢		贈与者
要　件	贈与年1月1日	**18歳以上***03)	受贈者の**直系尊属**

*03) 民法改正に伴い、令和4年4月1日以後の贈与から18歳以上の者となりました。

○ 贈与税の速算表(**特例税率**)

基礎控除後の課税価格	税率	控除額	基礎控除後の課税価格	税率	控除額
2,000千円以下	10%	――	15,000千円以下	40%	1,900千円
4,000千円以下	15	100千円	30,000千円以下	45	2,650千円
6,000千円以下	20	300千円	45,000千円以下	50	4,150千円
10,000千円以下	30	900千円	45,000千円超	55	6,400千円

3．一般贈与財産と特例贈与財産がある場合[*04)]

*04) 18歳以上の受贈者が直系尊属から贈与により取得した財産と直系尊属以外の者から贈与により取得した財産がある場合です。

（ その年分の課税価格 一般贈与財産（A） ＋ その年分の課税価格 特例贈与財産（B） ） － 基礎控除額（110万円） ＝ 合計差引課税価格

① 一般贈与財産に係る贈与税額

合計差引課税価格 × **一般税率** × $\frac{(A)}{(A)+(B)}$ ＝ **贈与税額**

② 特例贈与財産に係る贈与税額

合計差引課税価格 × **特例税率** × $\frac{(B)}{(A)+(B)}$ ＝ **贈与税額**

③ 納付すべき贈与税額

①＋②＝最終的な贈与税額（百円未満切捨）

＜例　題＞

次の問により令和７年分の納付すべき贈与税額を求めなさい。

問１

子Ａ（25歳）は令和７年中に各者から次の贈与を受けている。

⑴	父	Ｂ	２月１日	有価証券	5,000千円
⑵	母	Ｃ	３月30日	現　金	3,000千円

問２

妻乙（32歳）は令和７年中に各者から次の贈与を受けている。

⑴	夫	甲	１月15日	土　地	10,000千円
⑵	父	丙	２月20日	有価証券	30,000千円

（解　答）　　　　（単位：千円）

問１　子　Ａ[*05)]

（5,000＋3,000－1,100）×30％－900＝1,170

*05) 贈与年１月１日で18歳以上、かつ、直系尊属である父と母からの贈与であるため、全て特例贈与財産に該当します。

問２　妻　乙[*06)]

①　（10,000＋30,000－1,100）×55％－4,000＝17,395

$17,395 \times \frac{10,000}{10,000+30,000} = 4,348,750$円

②　（10,000＋30,000－1,100）×50％－4,150＝15,300

$15,300 \times \frac{30,000}{10,000+30,000} = 11,475$

③　①＋②＝15,823,700円（百円未満切捨）

*06) 配偶者間の贈与については、一般贈与財産に該当します。したがって、夫甲からの贈与については一般贈与財産、父丙からの贈与については特例贈与財産として贈与税額を計算します。

Section 2

贈与税の配偶者控除

配偶者がマイホームの贈与を受けた場合、税負担の軽減措置を受けられます。

このSectionでは、贈与税の配偶者控除について学習します。

1 概　要

≻≻問題集 問題2

夫婦間における財産の贈与については、概して贈与という認識が薄いこと、夫婦財産の形成は夫婦の協力によって得られたものであるあるという考え方が強いこと、夫婦間の財産の贈与は生存配偶者の老後の生活保障を意図して行われることが少なくないことを考慮し、婚姻期間が20年以上である配偶者から居住用不動産又はその取得資金の贈与を受けた場合には、2,000万円を限度として贈与税の課税価格から控除することができます。

<図　解>[*01]

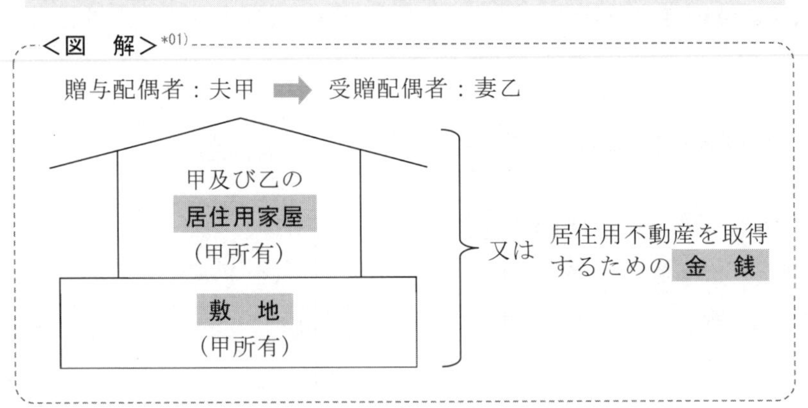

*01) 居住用不動産は受贈配偶者が居住するための家屋又はその敷地（借地権も含む）で、持分贈与を受けた場合や家屋のみ・敷地のみの贈与を受けた場合でも適用可能です。ただし、敷地のみの贈与の場合①夫又は妻が居住用家屋を所有している②妻と同居する親族が居住用家屋を所有していることが条件です。

2 適用要件及び控除額（法21の6①）

	内	容
適用要件	適用対象者	婚姻期間が20年以上である配偶者 (同一配偶者間では1回のみ[*01])
	居住用不動産	専ら居住の用に供する土地・土地の上に存する権利又は家屋で法施行地にあるもの[*02]
	金　　銭	居住用不動産を取得するための金銭
	使途・期限	贈与税の申告期限[*03]までに取得・居住し、かつ、その後も継続して居住の見込みがあること
控除額	課税価格から次の①と②のうちいずれか少ない金額を控除する ①　20,000千円 ②　居住用不動産の価額と居住用不動産の取得のための金銭の額との合計額	

*01) 配偶者が異なる場合には、複数回の適用が可能です。

*02) 国内の居住用不動産に限定されます。

*03) 贈与の日の属する年の翌年3月15日です。

1．婚姻期間の計算

⑴　婚姻期間は、婚姻の届出のあった日から財産の贈与があった日までの期間(配偶者でなかった期間*04)を除きます。)です。

⑵　計算した婚姻期間に1年未満の端数がある場合であっても、その端数切上げは行いません。*05)

*04) 離婚後、同一配偶者と再婚した場合の離婚期間です。

*05) 例えば婚姻期間が19年10月であった場合には、適用を受けることはできません。

2．居住用不動産の取得

⑴「取得」には、家屋の増築*06)が含まれます。

⑵　配偶者から贈与により取得した金銭とそれ以外の資金をもって、居住用不動産とそれ以外の財産を取得した場合

➜　配偶者からの金銭をまず居住用不動産の取得に充当したものとして取扱います。

*06) 増築とは既存の建物を建て増しすることをいいます。改築（リフォーム）の場合には、配偶者控除の適用はありません。

3．居住用不動産等の使途と期限

⑴　居住用不動産

その贈与の日の属する年の翌年3月15日までにその者の居住の用に供し、かつ、その後引き続き居住の用に供する見込みであること。

⑵　居住用不動産取得のための金銭

その贈与の日の属する年の翌年3月15日までにその金銭をもって居住用不動産を取得し、これをその者の居住の用に供し、かつ、その後引き続き居住の用に供する見込みであること。

3　申告要件（法21の6②③）

この規定の適用を受ける場合には、贈与税の申告書に控除額等を記載し、かつ、婚姻期間が20年以上である旨を証する書類等の提出が必要です。*01)

なお、申告書の提出がなかった場合等でも、税務署長がやむを得ない事情があると認めた場合には適用を受けることができます。

*01) 贈与税の配偶者控除の適用を受けることによって納付すべき贈与税額がない場合でも、贈与税の申告書を提出する必要があります。

【基本算式】

(その年分の贈与税の課税価格－<u>※20,000千円</u>－1,100千円)×税率＝贈与税額

基礎控除の前で控除します

※　贈与税の配偶者控除

①　20,000千円

②　居住用不動産の価額と居住用不動産の取得のための金銭の額との合計額

③　①と②のいずれか少ない金額

設例２－１　贈与税の配偶者控除

次の問ごとに贈与税の配偶者控除の適用の有無を答えなさい。

問１　妻は夫(婚姻期間は20年以上)から住宅購入資金の贈与を受けて、その12月にマンションを購入し、翌年４月から居住の用に供し、その後も引き続き居住の用に供している。

問２　夫(婚姻期間は20年以上)は居住している家屋とその敷地のうち２分の１を妻へ贈与した。

問３　夫は居住用住宅を妻に贈与することとしたが、その妻とは一度離婚しており、その後再婚して現在に至っている。なお、婚姻期間は通算で25年になるが、再婚後はまだ５年しか経過していない。

解答

問１　贈与があった日の翌年３月15日までに居住の用に供していないため、適用なしとなります。

問２　居住用不動産の一括贈与が適用要件ではないため、適用ありとなります。

問３　再婚後の婚姻期間の通算が20年以上となるため、適用ありとなります。

設例２－２　贈与税の配偶者控除

次の資料により妻乙の令和７年分の納付すべき贈与税額を計算しなさい。

⑴　令和７年１月20日　夫甲より居住用宅地　15,000千円

⑵　令和７年２月10日　兄丙より現金　7,000千円

⑶　令和７年３月31日　夫甲より現金　8,000千円

妻乙は、上記の夫甲と兄丙から取得した現金15,000千円をもって、居住用家屋10,000千円と家庭用動産5,000千円を取得している。なお、夫甲と妻乙との婚姻期間は20年以上である。

解答

（単位：千円）

(15,000＋7,000＋8,000－※20,000－1,100)×40％－1,250＝2,310

※①　20,000

②　15,000＋8,000＝23,000

③　①≦②　∴　20,000

解説

夫甲からの現金8,000千円を優先して居住用家屋の取得に充てたものとして取り扱います。

Chapter 10

生前贈与加算

Section 1

生前贈与加算

相続開始前７年以内の贈与財産は相続税の課税価格に加算されます。
このSectionでは、生前贈与加算について学習します。

1 概　要

≫問題集 問題1

贈与税は相続税の補完税という役割を果たしていますが、相続開始が近い被相続人からの贈与は、超過累進税率を利用した遺産の分離による相続税の負担軽減[*01]にもつながりかねません。そこで、生前の贈与をできるだけ相続財産に取り込み、累積課税を行うことにより相続税の負担軽減を回避することが可能となります。

具体的には、被相続人からの相続開始前７年以内の贈与財産に限り、相続税の課税価格に加算することとしています。

*01) 例えば、課税遺産額12,000千円の場合には12,000千円×15%－500千円＝1,300千円ですが、2,000千円の生前贈与があった場合、10,000千円×10%＝1,000千円の相続税と（2,000千円－1,100千円）×10%＝90千円の贈与税との合計額1,090千円で済むため、210千円の負担軽減が可能となります。

＜みなし課税価格[*02]までの計算の流れ＞

相続・遺贈財産 － 非課税財産 － 債務控除 ＝ 本来の課税価格 ＋ 生前贈与加算 ＝ みなし課税価格

←純資産価額→（相続・遺贈財産から本来の課税価格まで）

*02) 相続税の課税価格は、本来相続・遺贈財産（みなし相続財産を含む）から非課税財産や債務控除額を差し引いた後の金額となりますが、生前贈与加算がある場合には、その加算額を加えた金額を最終的な相続税の課税価格とみなし「みなし課税価格」ともいいます。また、本来の課税価格までの金額のことを「純資産価額」といいます。

【課税価格までの答案用紙】

相続税の課税価格の計算　（単位：円）

区分 ＼ 相続人等		配偶者乙	子　A	子　B	孫　C	孫　D
遺贈による取得財産						
相続による取得財産						
みなし財産	生命保険金等					
	退職手当金等					
債務控除	債務					
	葬式費用					
生前贈与加算		××××	××××	××××	××××	××××
課税価格（みなし課税価格）						

（遺贈による取得財産から葬式費用までの行：純資産価額）

2 生前贈与加算の対象者等（法19）

1．対象者

相続又は遺贈により財産を取得した者[*01)]

➜ 相続税の課税価格計算の対象者でなければ、その課税価格に贈与財産を加算することはできませんので、相続又は遺贈（みなし相続財産を含みます。）により財産を取得した者のみが対象となります。

*01) 相続税の課税価格表に記載される者が対象ということです。したがって、相続人以外の受遺者も対象者となります。

相続税の課税価格の計算　（単位：円）

区分 ＼ 相続人等		配偶者乙	子　A	子　B	孫　C	孫　D
遺贈による取得財産		××××	××××		××××	
相続による取得財産		××××	××××	××××		
みなし財産	生命保険金等	××××	××××			××××
	退職手当金等	××××				
債務控除	債務	△×××	△×××	△×××		
	葬式費用	△×××				
生前贈与加算		**××××**	**××××**	**××××**	**××××**	**××××**
課税価格（1,000円未満切捨）		××××	××××	××××	××××	××××

2．対象財産

相続開始前７年以内のその相続に係る被相続人からの贈与財産[*02)] [*03)]

➜ 相続開始日から遡って７年目の応当日からその相続の開始の日までの期間にその相続に係る被相続人から受けた贈与財産です。

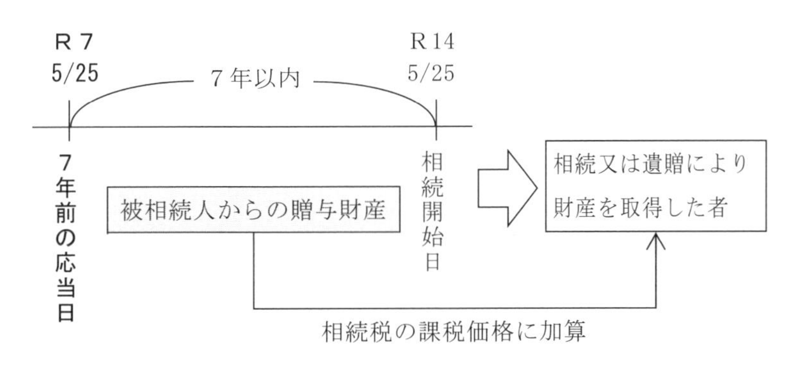

*02) 相続開始前７年を超えてその相続に係る被相続人から受けた贈与財産については贈与税の課税で完結します。

*03) 令和６年１月１日以降の贈与財産から適用され、令和５年12月31日までに贈与された財産は旧規定の相続開始前３年以内の贈与のみが生前贈与加算の対象となります。

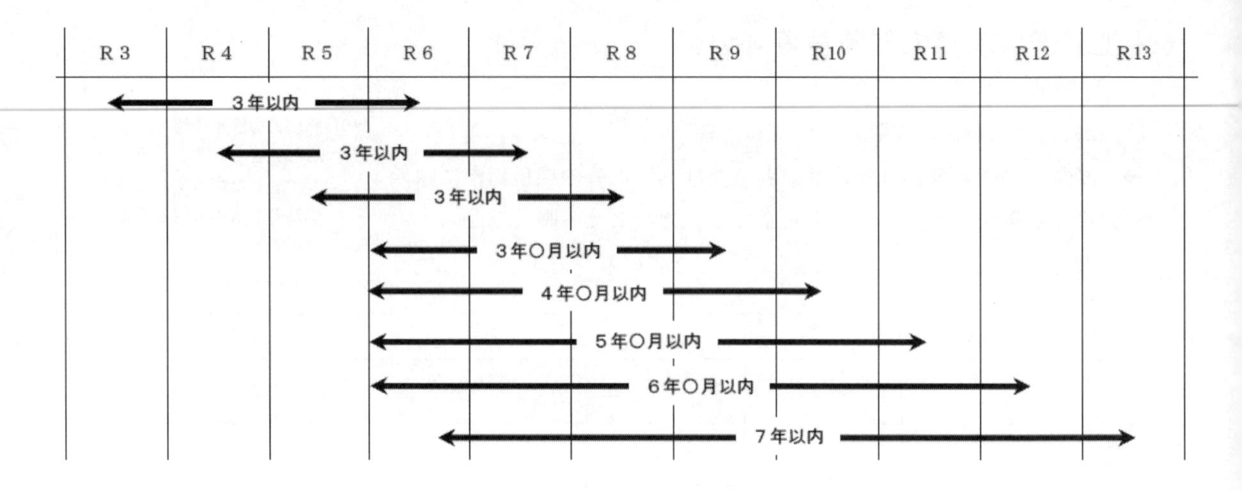

３．加算額

⑴　相続開始前３年以内に取得した財産

　　その財産の贈与時の価額

⑵　相続開始前３年以内に取得した財産以外の財産

　　その財産の贈与時の価額の合計額－100 万円

＜例　題＞

次の問により生前贈与加算額を求めなさい。

問１

被相続人甲は令和７年４月 20 日に死亡した。

なお、子Ａは被相続人甲から下記の財産の贈与を受けている。

贈与年月日	贈与財産	贈与時の価額	相続開始時の価額
令和４年１月 15 日	現　金	100 万円	100 万円
令和４年５月 20 日	動　産	50 万円	40 万円
令和６年８月 27 日	株　式	200 万円	210 万円

問２

被相続人乙は令和 11 年５月 15 日に死亡した。

なお、子Ｂは被相続人甲から下記の財産の贈与を受けている。

贈与年月日	贈与財産	贈与時の価額	相続開始時の価額
令和５年７月 23 日	動　産	300 万円	250 万円
令和６年８月 13 日	現　金	550 万円	550 万円
令和７年２月 14 日	現　金	300 万円	300 万円
令和 10 年６月 10 日	株　式	800 万円	750 万円

（解　答）

問１　50 万円＋200 万円＝250 万円

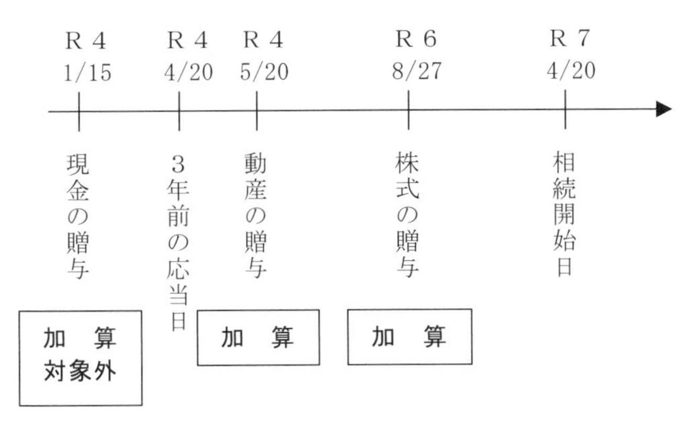

問２　（550 万円＋300 万円－100 万円）＋800 万円＝1,550 万円

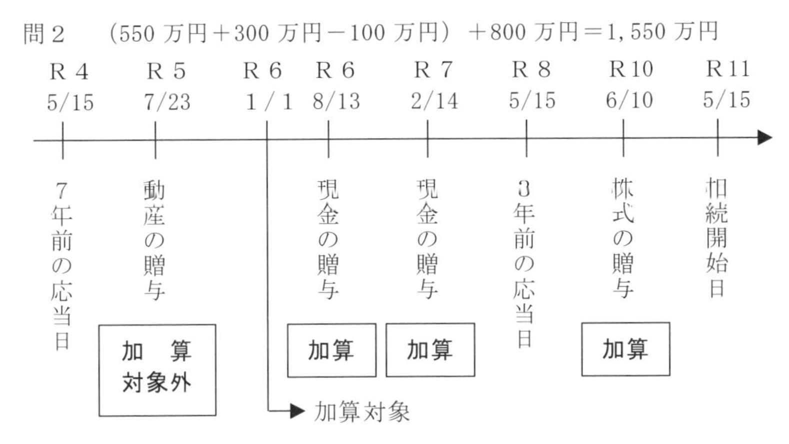

＜生前贈与のメリット＞

将来値上がりする財産を贈与した場合は、贈与時の価額のまま相続税の課税価格に加算されるため、値上がりした差額については、相続税が課税されないこととなります。つまり、生前贈与を上手く利用することで、相続税を節税することができます。[*04)]

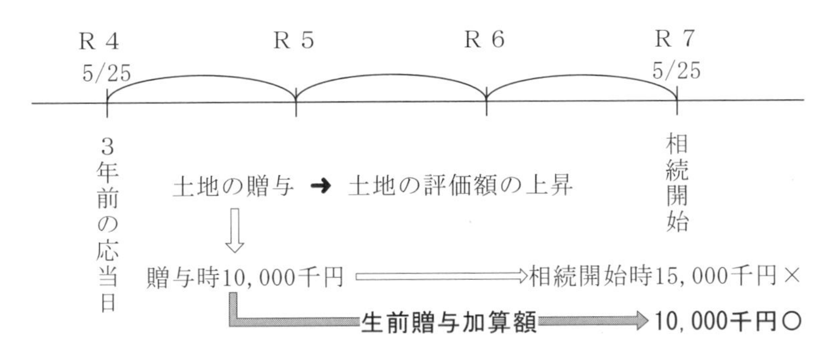

*04) 逆に贈与財産の価額が値下がりした場合でも贈与時の価額で生前贈与加算されるため、税負担が重くなってしまうというデメリットもあります。

相続税の課税価格の計算						(単位：円)
区分 ＼ 相続人等		配偶者乙	子　A	子　B	孫　C	孫　D
遺贈による取得財産		××××	××××		××××	
相続による取得財産		××××	××××	××××		
みなし財産	生命保険金等	××××	××××			××××
	退職手当金等	××××				
債務控除	債務	△×××	△×××	△×××		
	葬式費用	△×××				
生前贈与加算		**××××**	**××××**	**××××**	**××××**	**××××**
課税価格 (1,000円未満切捨)		××××	××××	××××	××××	××××

【コメント】

- ○○は相続又は遺贈により財産を取得していないため加算なし
- 相続開始前３年超の贈与財産は加算なし

設例１－１

次の＜資料＞により、生前贈与加算される財産の価額を求めなさい。

＜資　料＞

被相続人甲は、令和７年５月25日神奈川県の自宅で死亡した。被相続人甲から相続又は遺贈により財産を取得した者は、被相続人甲の配偶者乙、長男A、長女B、二男C、友人丁である。

なお、被相続人甲の相続人等は、相続開始前に甲から次の財産の贈与を受けている。

贈与年月日	受贈者	贈与財産	贈与時の価額	相続開始時の価額
令和４年５月15日	配偶者乙	宅地	30,000千円	25,000千円
令和４年８月10日	配偶者乙	有価証券	15,000	18,000
令和５年７月７日	長男A	現金	3,000	3,000
令和５年11月25日	長女B	有価証券	20,000	22,000
令和６年２月14日	二男C	動産	5,000	3,000
令和６年９月18日	孫D	現金	1,000	1,000
令和６年12月24日	友人丁	有価証券	10,000	8,000

解答

相続税の課税価格に加算する贈与財産価額（単位：千円）

贈与年分	受贈者	計算過程	加算される贈与財産価額
令和４年	配偶者乙	相続開始前３年超の贈与財産は加算なし	15,000
令和５年	長男A		3,000
令和５年	長女B		20,000
令和６年	二男C		5,000
令和６年	孫D	相続又は遺贈により財産を取得していないため加算なし	—
令和６年	友人丁		10,000

解説

① 生前贈与加算は相続開始前７年以内の贈与に適用されますが、本問の贈与のうち令和５年12月31日以前の贈与については、旧規定の相続開始前３年以内の贈与のみが加算対象となります。したがって、贈与のうち、令和５年11月25日以前に行われた贈与については相続開始前３年以内の贈与財産のみが加算対象となります。

この結果本問では、令和４年５月25日から令和７年５月25日までの間に行われた贈与財産を加算することとなります。このようなことから令和４年５月15日の贈与は相続開始前３年超となるため、生前贈与加算の適用はありません。一方、令和４年８月10日の贈与は生前贈与加算の対象となります。

② 生前贈与加算の適用のない者又は適用のない財産がある場合には、コメントを付しましょう。

③ 生前贈与加算の価額は贈与時の価額で加算します。相続開始時の価額は使わない資料となるため見間違えないよう×等のマークを付けましょう。

3 特定贈与財産の取扱い

1．贈与税の配偶者控除と生前贈与加算

相続開始前７年以内に被相続人からその配偶者が贈与により取得した居住用不動産又は金銭で、特定贈与財産に該当するものについては、その価額は生前贈与加算の対象となりません。*01)

特定贈与財産とは、贈与税の配偶者控除に規定する居住用不動産又は金銭のうち次に掲げる部分をいいます。

*01) 生前贈与加算の規定では、相続開始前７年以内の贈与財産からは特定贈与財産を除くとされています。

(1) 相続開始の年の前年以前の贈与の場合

➜ 贈与税の配偶者控除の規定により控除された金額に相当する部分

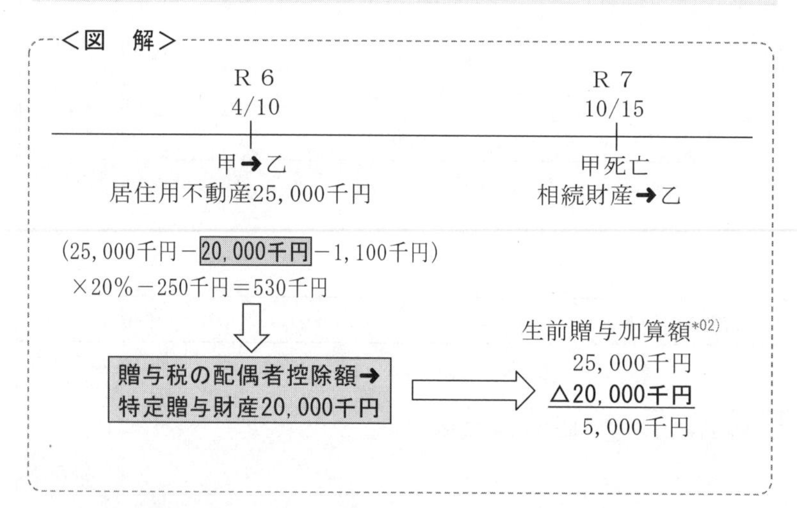

*02) 令和６年４月10日に居住用不動産25,000千円の贈与を受けた配偶者乙の生前贈与加算額は、特定贈与財産の20,000千円を控除した後の5,000千円となります。

(2) 相続開始の年の贈与の場合*03)

相続税の申告書に、特定贈与財産の価額を贈与税の課税価格に算入する旨を記載する場合

➜ 贈与税の配偶者控除の規定の適用があるものとした場合に控除されることとなる金額に相当する部分

*03) 相続開始年分の被相続人からの贈与は贈与税が非課税ですので課税価格から控除される配偶者控除の規定は適用できません。そのため平成６年度の改正前までは相続開始の年に居住用不動産の贈与を受けた配偶者は2,000万円控除前で全額加算されていました。しかし、そのような課税のアンバランスを解消するため、相続開始年分の贈与であっても2,000万円控除後で加算できる改正がありました。

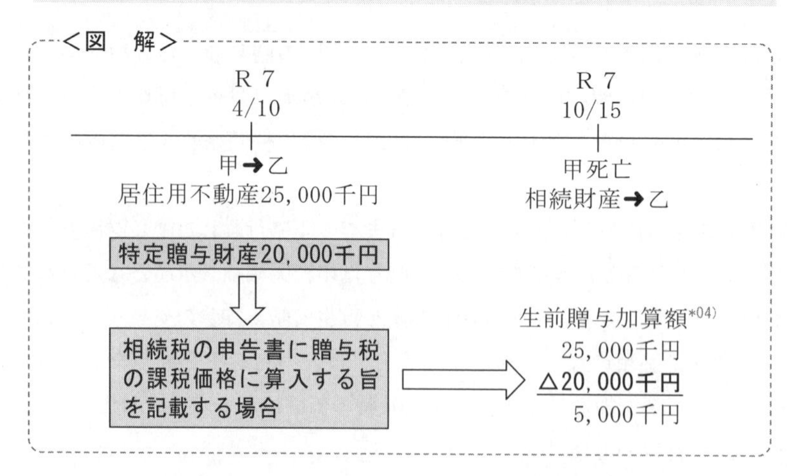

*04) 相続開始の年であっても、特定贈与財産20,000千円を控除して生前贈与加算することが可能です。そのためには相続税の申告書において一定事項を記載します。

居住用不動産
25,000千円

特定贈与財産 20,000千円	→ 贈与税の申告 → 贈与税の配偶者控除を適用
残　　額 5,000千円	→ **生前贈与加算の対象**

4 相続開始年分の贈与財産（法21の2④）

相続開始の年において被相続人から贈与により取得した財産で生前贈与加算により相続税の課税価格に加算されるもの*01)は、贈与税の課税価格に算入しません。

*01) 生前贈与加算されないものは相続開始年分の贈与財産であっても贈与税が課税されます。

理　由

相続開始年分の贈与で生前贈与加算の規定により相続税が課税される贈与財産については、相続税と贈与税の二重課税を排除するために相続税の補完税である贈与税を非課税としています。

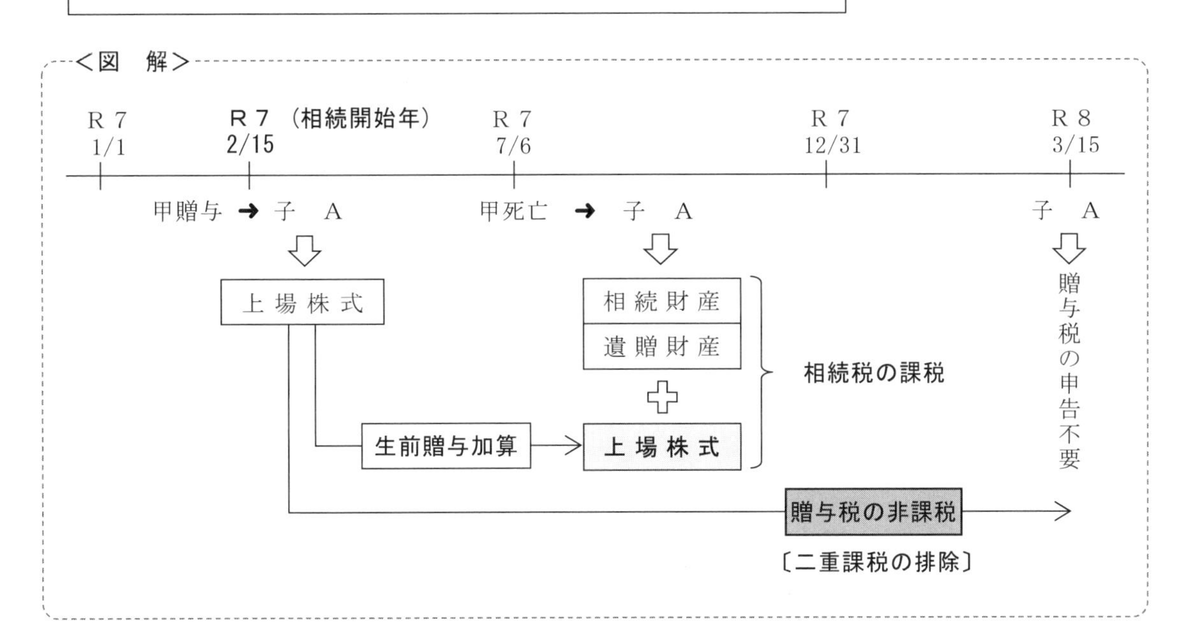

【生前贈与加算額の整理】

整　理　項　目	加算の有無
贈与税の非課税財産	加算しない
相続開始年分の贈与財産*02)	**加算する**
特定贈与財産（贈与税の配偶者控除相当額）	加算しない
基礎控除額以下の贈与財産*03)	**加算する**
千円未満の端数*04)	**加算する**

*02) 相続税の補完税である贈与税は非課税となります。

*03) 基礎控除額以下の贈与でも生前贈与加算されます。

*04) 生前贈与加算は千円未満の端数切捨てはありません。

Section 2 贈与税額控除(暦年課税分)

生前贈与加算による贈与税と相続税の二重課税を排除するための控除です。

このSectionでは、贈与税額控除(暦年課税分)について学習します。

1 概　要

≻≻問題集 問題2

被相続人から相続又は遺贈により財産を取得した者が相続開始前7年以内にその被相続人から贈与により財産を取得している場合には、生前贈与加算の規定によりその贈与財産には相続税が課され、同一財産に対する相続税と贈与税の二重課税が生じます。

そこで、この二重課税を排除するために相続税額の計算上、贈与税額控除の規定が設けられています。

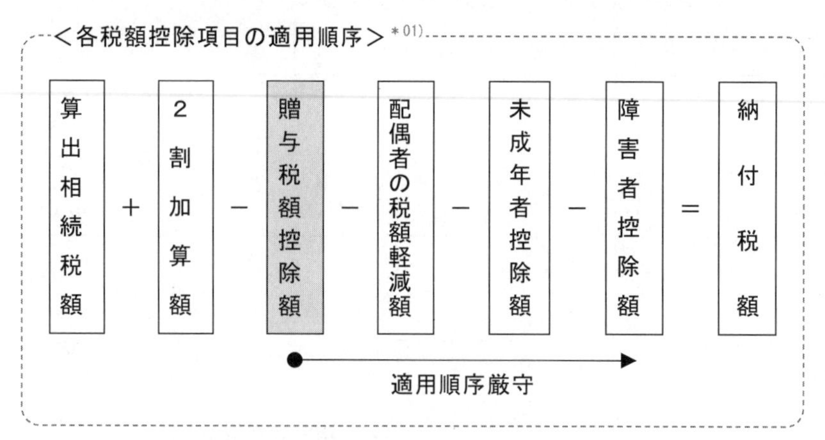

*01) 各税額控除は左記の順序により行い、各控除額は円未満端数を切捨て、その直前における差引税額を控除の限度額とします。つまり、税額控除額の方が多かった場合には、納付税額は零となり、控除しきれなかった金額についての還付はありません。

2 適用要件及び控除額(法19)

	内　　容
適用要件	(1) 生前贈与加算された贈与財産があること (2) 課せられた贈与税があること*01)
控除額	その年分の贈与税額×$\frac{\text{生前贈与加算された贈与財産の価額}}{\text{その年分の贈与税の課税価格}}$

(注)　控除額の計算における注意点

1　その年分の贈与税額には、附帯税を含めません。

2　分母及び分子からは、特定贈与財産を除きます。

3　円未満の端数については、切り捨てます。

*01)「課せられた贈与税」には、課されるべき贈与税額も含まれます。例えば、贈与税の申告を失念していた場合、実際には贈与税の申告納付を行っていないため二重課税は生じていないのですが、贈与税額控除の適用を受けることはできます。ただし、速やかに贈与税の申告納付を行わなければなりません。

生前贈与加算と贈与税額控除の答案用紙　（Chapter6／Section1の6-6・6-7ページ参照）

【資　料】

被相続人甲は相続開始前３年以内において配偶者乙に10,000千円、子Ａに5,000千円の贈与をしている。

１　各人の課税価格の計算　（単位：千円）

	配偶者乙	子　　Ａ	孫　　Ｃ	孫　　Ｄ	孫　　Ｅ	計
相続・遺贈財産	389,567	110,620	105,820	54,810	46,960	
みなし取得財産	60,000	20,000	10,000			
債務控除	△ 25,000	△ 10,000				
生前贈与加算	**10,000**	**5,000**				
課税価格	434,567	125,620	115,820	54,810	46,960	777,777

２　相続税の総額の計算（省略）

234,604,800円

３　各相続人等の納付すべき相続税額の計算　（単位：円）

	配偶者乙	子　　Ａ	孫　　Ｃ	孫　　Ｄ	孫　　Ｅ	計
あん分割合	0.56	0.16	0.15	0.07	0.06	1.00
算出税額	131,378,688	37,536,768	35,190,720	16,422,336	14,076,288	234,604,800
２割加算額			7,038,144			
贈与税額控除額	**Δ2,310,000**	**Δ485,000**				
配偶者の税額軽減額	Δ117,302,400					
納付すべき相続税額	11,766,200	37,051,700	42,228,800	16,422,300	14,076,200	

４　算出税額の２割加算額及び控除額の計算　（単位：円）

控除等の項目	対象者	計算過程	金額
２割加算	孫　　Ｃ	$35,190,720\times\frac{20}{100}=7,038,144$	7,038,144
贈与税額控除	**配偶者乙** **子　　Ａ**	**(10,000,000－1,100,000)×40%－1,250,000＝2,310,000** **(5,000,000－1,100,000)×15%－100,000＝485,000**	**Δ2,310,000** **Δ485,000**
配偶者の税額軽減	配偶者乙	(1)　131,378,688－(注)**2,310,000**＝129,068,688 (2)①　$777,777,000\times\frac{1}{2}=388,888,500\geqq160,000,000$ ∴　388,888,500 ②　434,567,000 ③　①＜②　∴　388,888,500 ④　$\frac{234,604,800\times388,888,500}{777,777,000}=117,302,400$ (3)　(1)＞(2)④　∴　117,302,400	Δ117,302,400

（注）税額控除の適用順序に従い、配偶者の税額軽減額(1)の計算では贈与税額控除後の金額とします。

設例２－１　贈与税額控除（暦年課税分）

令和７年６月10日に死亡した被相続人甲の相続における子Ａ（38歳）の生前贈与加算額及び贈与税額控除額を求めなさい。なお、子Ａは甲の死亡により相続財産を取得している。

贈与年月日	贈与者	受贈者	贈与財産	贈与時の価額	各年分の贈与税額
令和４年５月10日	被相続人甲	子　Ａ	株　式	2,000,000円	令和４年分 190,000円
令和４年10月25日	被相続人甲	子　Ａ	現　金	1,000,000円	
令和５年７月７日	被相続人甲	子　Ａ	株　式	3,000,000円	令和５年分 580,000円
令和５年12月24日	配偶者乙	子　Ａ	現　金	2,500,000円	
令和７年１月５日	被相続人甲	子　Ａ	株　式	5,000,000円	令和７年分 90,000円
令和７年３月３日	配偶者乙	子　Ａ	現　金	2,000,000円	

解答

（単位：円）

⑴　生前贈与加算額

①　令和４年分　1,000,000
②　令和５年分　3,000,000
③　令和７年分　5,000,000
（①～③）計 9,000,000

⑵　贈与税額控除額

①　令和４年分　$190,000 \times \frac{1,000,000}{2,000,000 + 1,000,000} = 63,333$（円未満切捨）
②　令和５年分　$580,000 \times \frac{3,000,000}{3,000,000 + 2,500,000} = 316,363$（円未満切捨）
（①＋②）計 379,696
③　令和７年分　相続開始年分の被相続人からの贈与は非課税

解説

次の①と②については、贈与税額控除のあん分計算が必要となる２つのパターンです。

①　令和４年分

②　令和５年分

③　令和７年分

相続開始年分の被相続人甲からの贈与は非課税とされるため、贈与税額控除の適用はありません。なお、贈与税額90,000円は配偶者乙からの贈与に係るものです。

設例２－２　　贈与税額控除（暦年課税分）

令和７年４月20日に死亡した被相続人甲の相続における配偶者乙の生前贈与加算額及び贈与税額控除額を求めなさい。なお、配偶者乙は甲の相続に際し財産を取得している。

贈与年月日	贈与者	受贈者	贈与財産	贈与時の価額	備考
令和５年５月23日	被相続人甲	配偶者乙	宅地	26,000,000円	(注)
令和５年10月24日	乙の父丙	配偶者乙	現金	5,000,000円	
令和６年６月６日	被相続人甲	配偶者乙	預金	3,500,500円	
令和７年３月20日	被相続人甲	配偶者乙	株式	1,000,000円	

（注）　贈与税の配偶者控除の適用を受けている。

解答

（単位：円）

⑴　生前贈与加算額

①　令和５年分　26,000,000－※20,000,000＝6,000,000

※　26,000,000≧20,000,000　∴　20,000,000

②　令和６年分　3,500,500

③　令和７年分　1,000,000

④　①＋②＋③＝10,500,500

⑵　贈与税額控除額

①　令和５年分　(6,000,000＋5,000,000－1,100,000)×40％－1,250,000＝2,710,000

$$2,710,000\times\frac{6,000,000}{6,000,000+5,000,000}=1,478,181$$（円未満切捨）

②　令和６年分　3,500,500－1,100,000＝2,400,000（千円未満切捨）

2,400,000×15％－100,000＝260,000

③　令和７年分　相続開始年分の被相続人からの贈与は非課税

④　①＋②＋③＝1,738,181

解説

①　生前贈与加算

イ　贈与税の配偶者控除に係る特定贈与財産は、加算されません。

ロ　被相続人以外からの贈与財産は、加算されません。

ハ　贈与財産に千円未満の端数がある場合には、その端数も加算されます。

ニ　基礎控除額以下（110万円以下）の贈与財産も加算されます。

②　贈与税額控除額

イ　分母及び分子からは特定贈与財産を除きます。

ロ　一般贈与財産と特例贈与財産が混在する場合には、該当税率により計算した一年分の贈与税額を按分した金額をもって贈与税額控除額とします。

ハ　贈与税額控除額に円未満の端数がある場合には、切り捨てます。

ニ　「相続開始年分の（被相続人からの）贈与は非課税」というコメントを付しましょう。

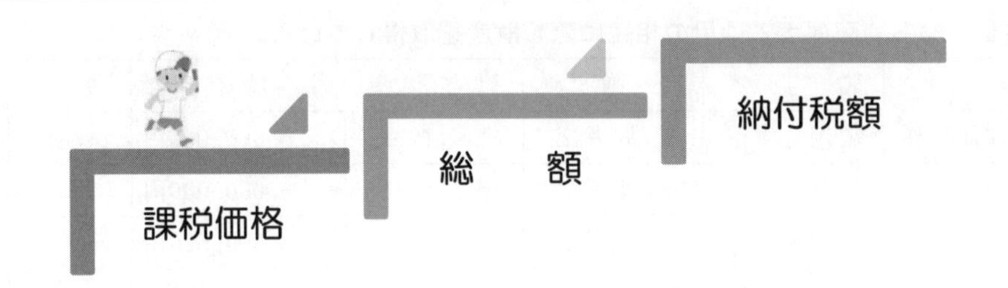
課税価格
総　額
納付税額

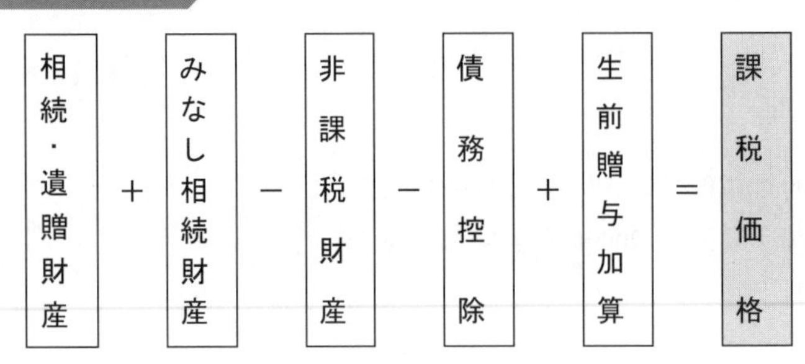
ステップ1
各人の相続税の課税価格の計算
相続・遺贈財産 ＋ みなし相続財産 － 非課税財産 － 債務控除 ＋ 生前贈与加算 ＝ 課税価格

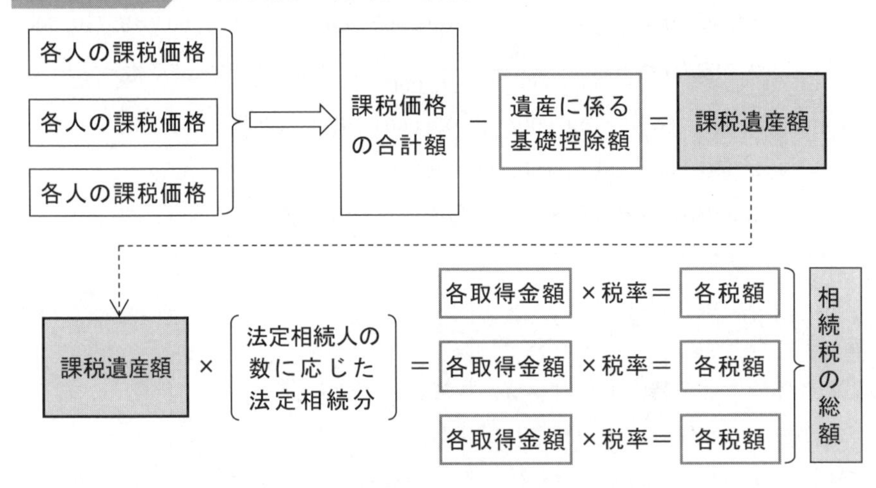
ステップ2
相続税の総額の計算
各人の課税価格
各人の課税価格
各人の課税価格
課税価格の合計額 － 遺産に係る基礎控除額 ＝ 課税遺産額
課税遺産額 × 法定相続人の数に応じた法定相続分 ＝
各取得金額 ×税率＝ 各税額
各取得金額 ×税率＝ 各税額
各取得金額 ×税率＝ 各税額
相続税の総額

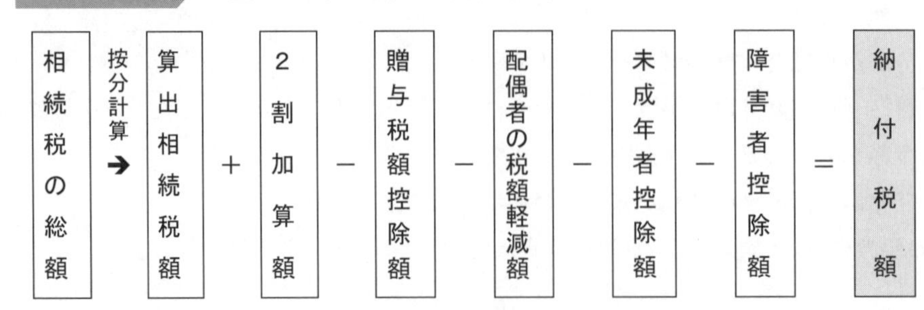
ステップ3
各人の相続税の納付税額
相続税の総額 按分計算 ➔ 算出相続税額 ＋ 2割加算額 － 贈与税額控除額 － 配偶者の税額軽減額 － 未成年者控除額 － 障害者控除額 ＝ 納付税額

問題集編

Chapter 2

民法の基礎知識

No	内　容	標準時間	重要度	難易度
問題１	相続人の判定①	10分	A	基本
問題２	相続人の判定②	12分	A	基本
問題３	相続分	15分	A	基本
問題４	指定相続分	５分	A	基本

→ 解答・解説　2−11

問題1　相続人の判定①

重要　基本　10分

次の各設問の親族図表における相続人を挙げなさい。

（設問1）

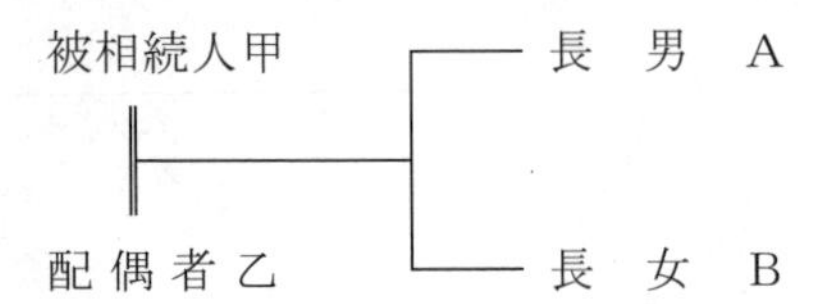

（設問2）

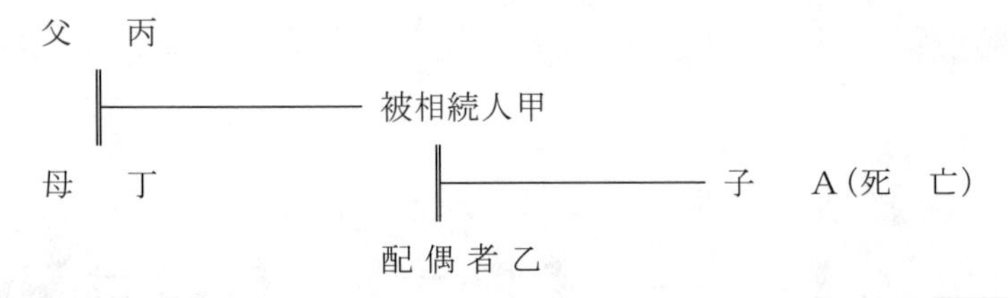

（設問3）

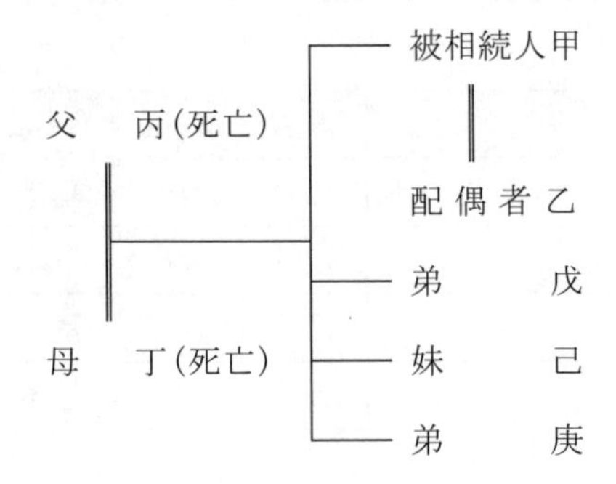

（設問4）

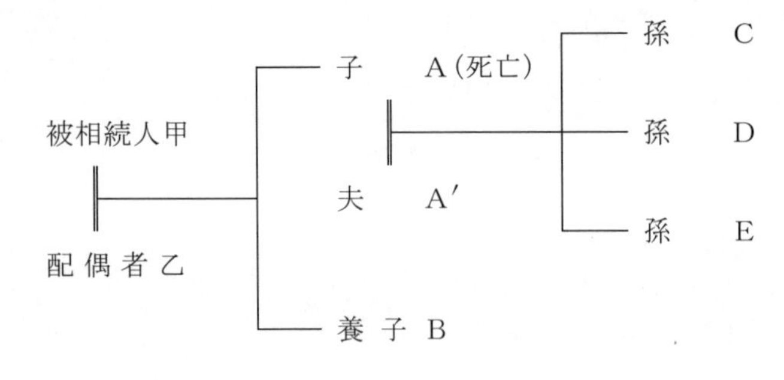

（設問５）

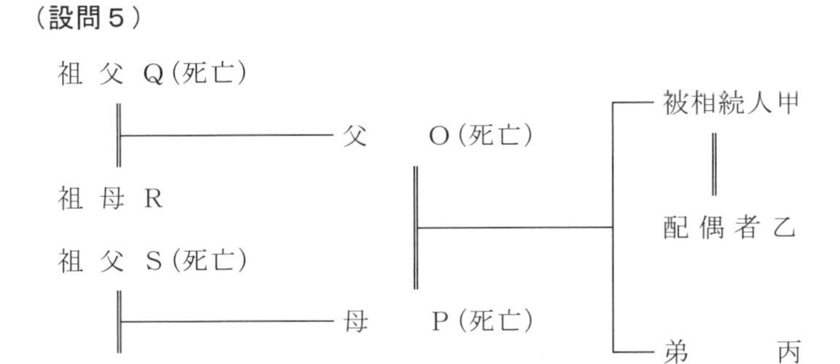

（設問６）

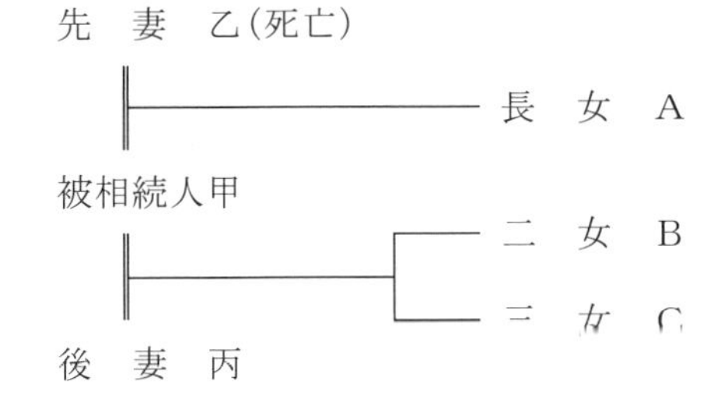

（設問７）

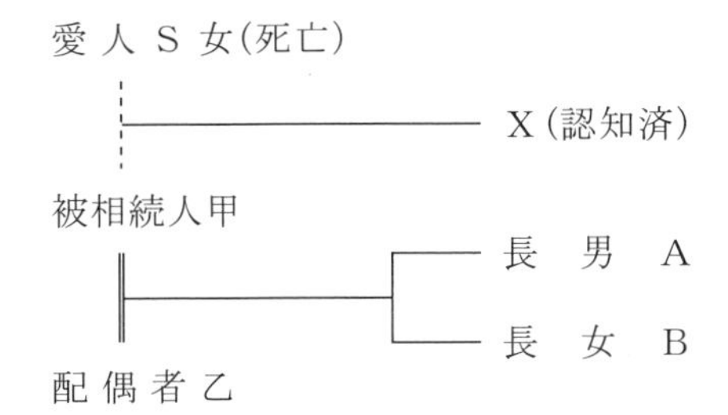

（設問８）

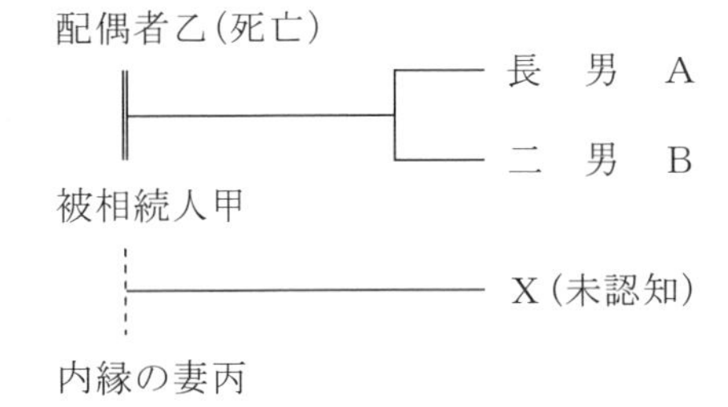

問題２　相続人の判定②

重要　基本　12分

次の各設問の親族図表における相続人を挙げなさい。

（設問１）

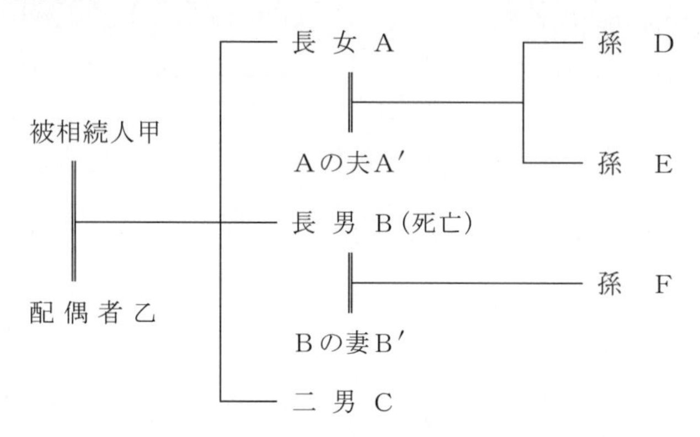

（設問２）

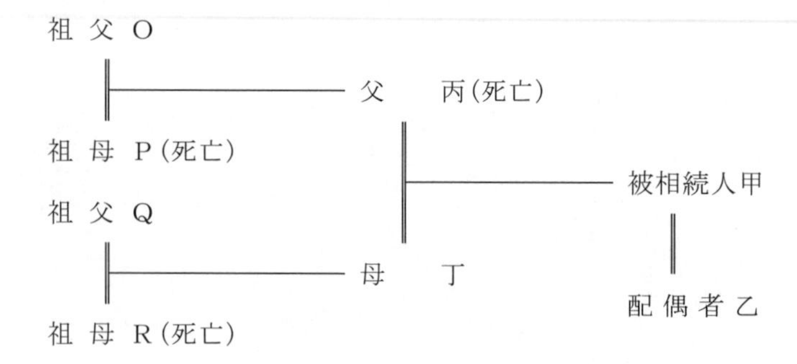

（設問３）

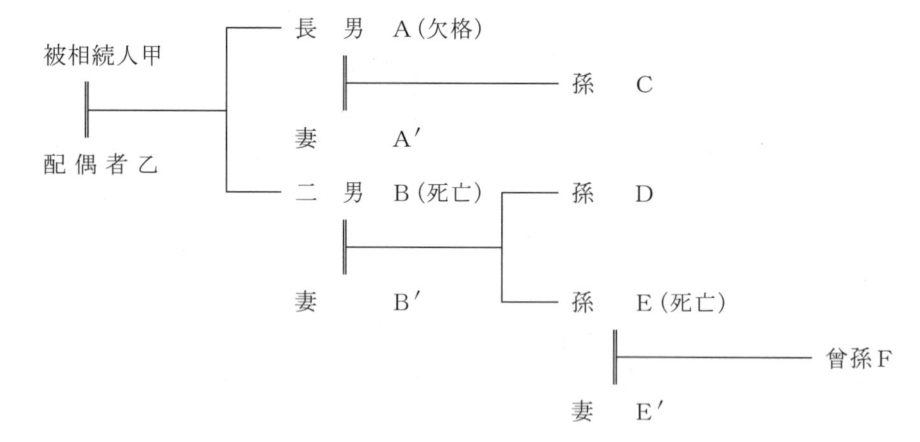

（設問４）

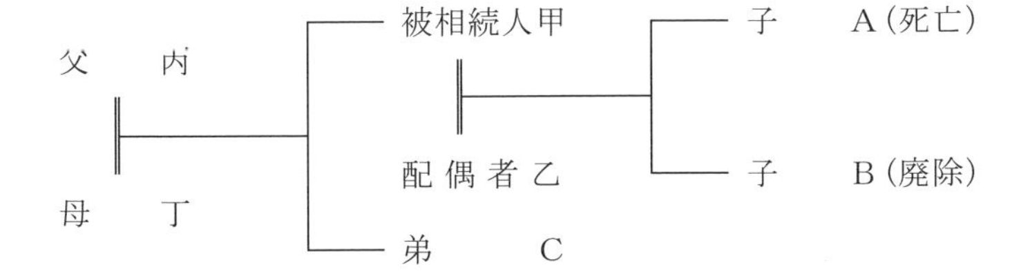

（設問５）

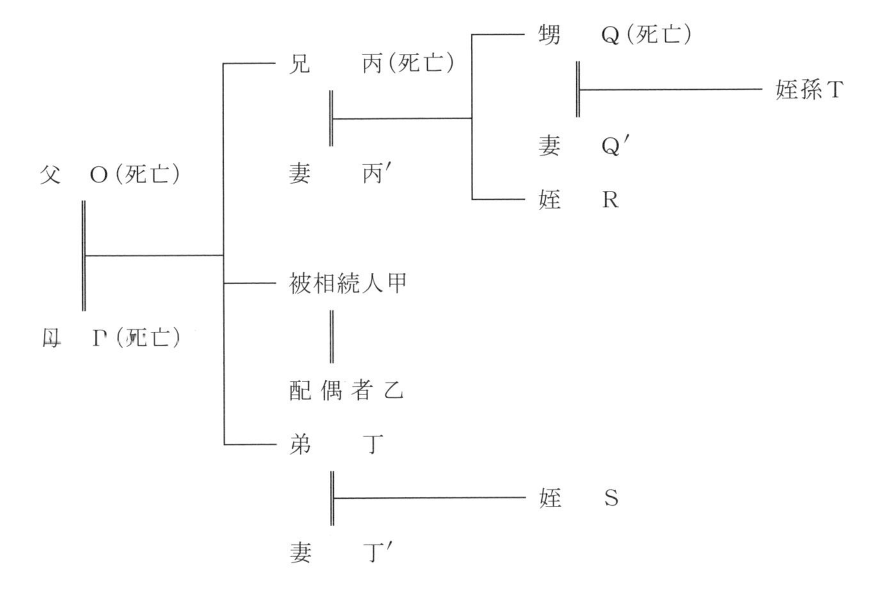

（設問６）

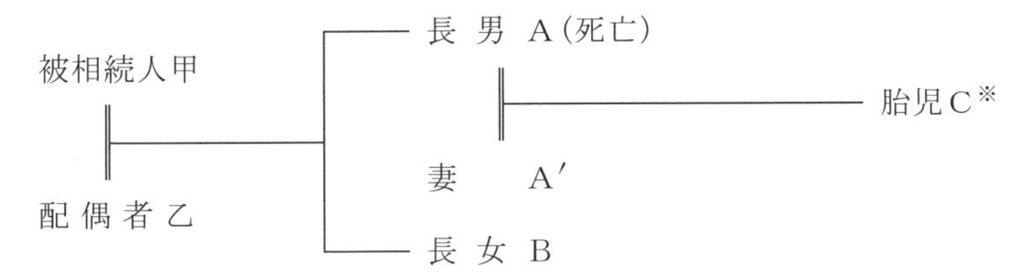

※　胎児Cは、相続税の申告書の提出期限までに出生している。

（設問７）

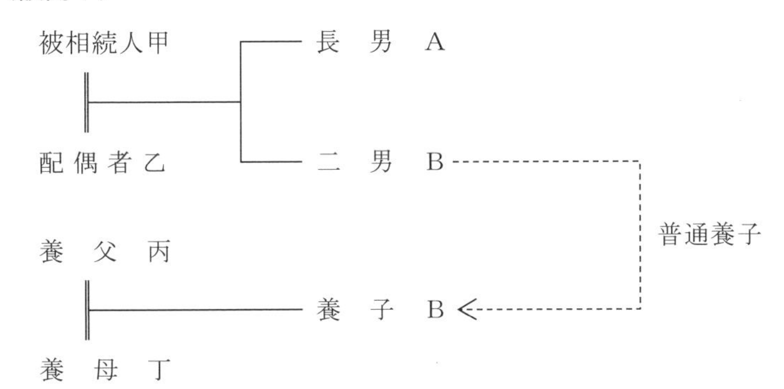

（設問８）

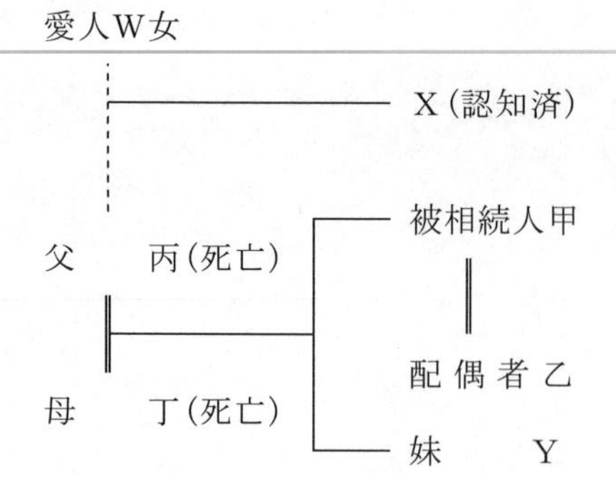
愛人W女
X（認知済）
父　丙（死亡）
被相続人甲
配偶者乙
母　丁（死亡）
妹　Y

（設問９）

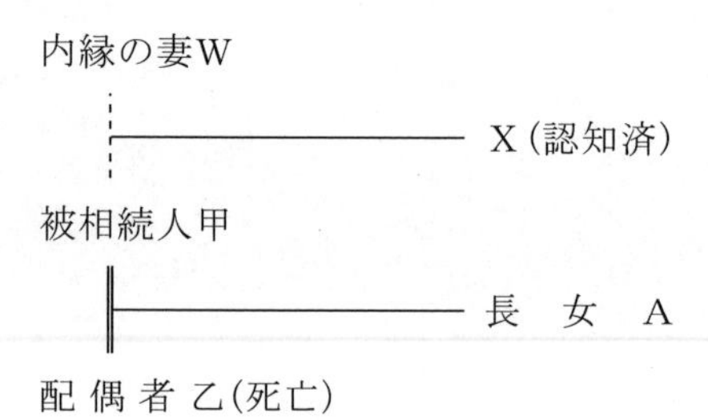
内縁の妻W
X（認知済）
被相続人甲
長女A
配偶者乙（死亡）

（設問10）

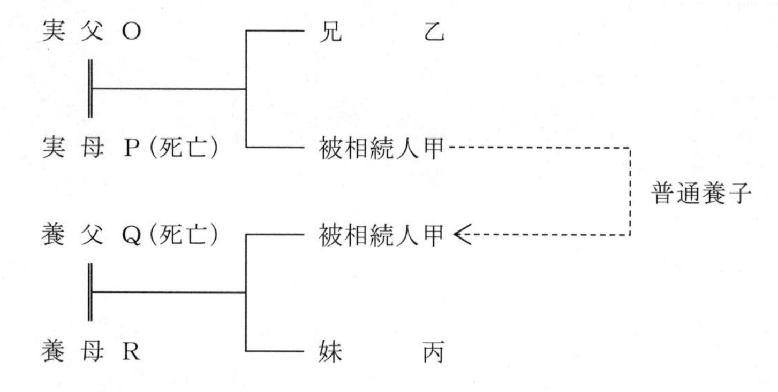
実父O
兄　乙
実母P（死亡）
被相続人甲
普通養子
養父Q（死亡）
被相続人甲
養母R
妹　丙

➜ 解答・解説 2−13

問題3 相続分

基本 | 15分

次の各設問における親族図表により、相続人及び相続分を求めなさい。

（設問１）

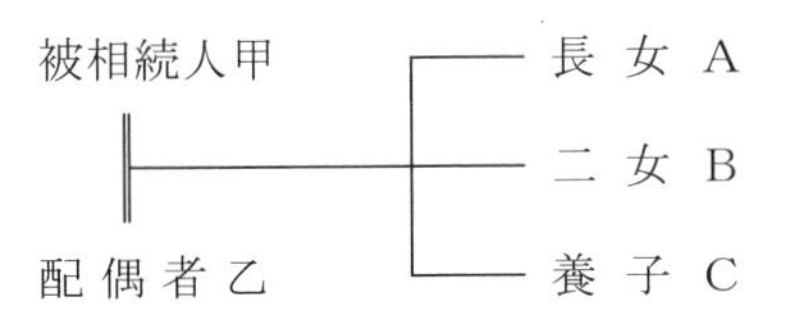

（設問２）

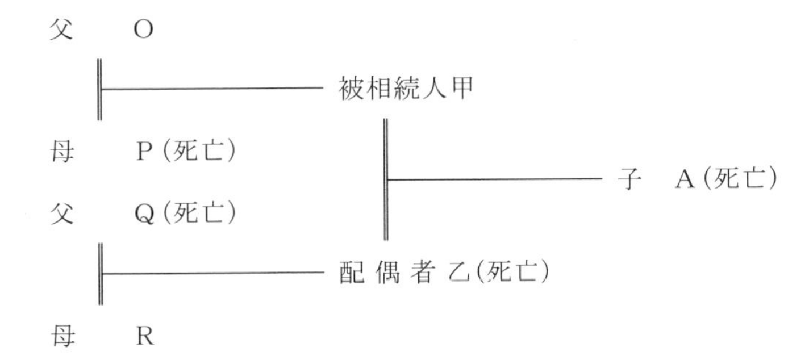

（設問３）

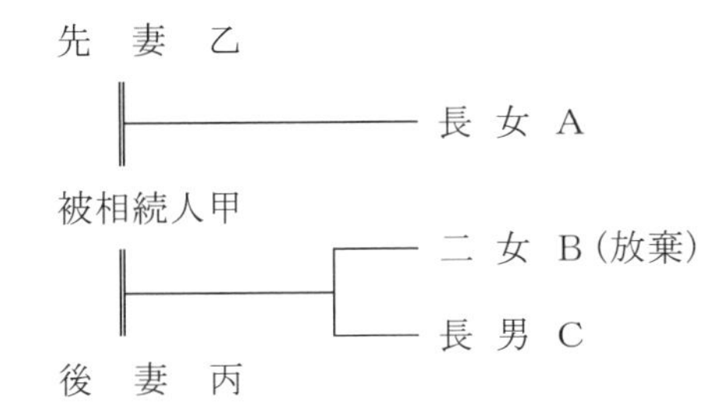

（設問４）

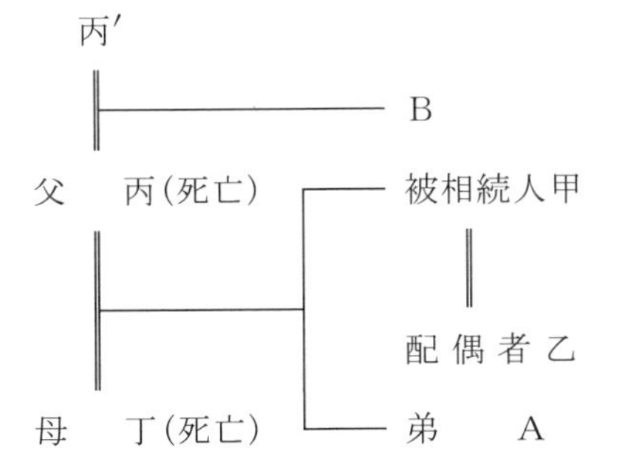

（設問５）

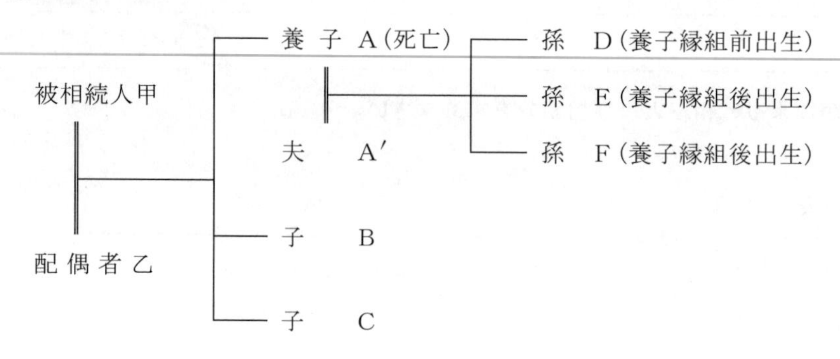
被相続人甲
配偶者乙
養子 A（死亡）
夫 A′
子 B
子 C
孫 D（養子縁組前出生）
孫 E（養子縁組後出生）
孫 F（養子縁組後出生）

（設問６）

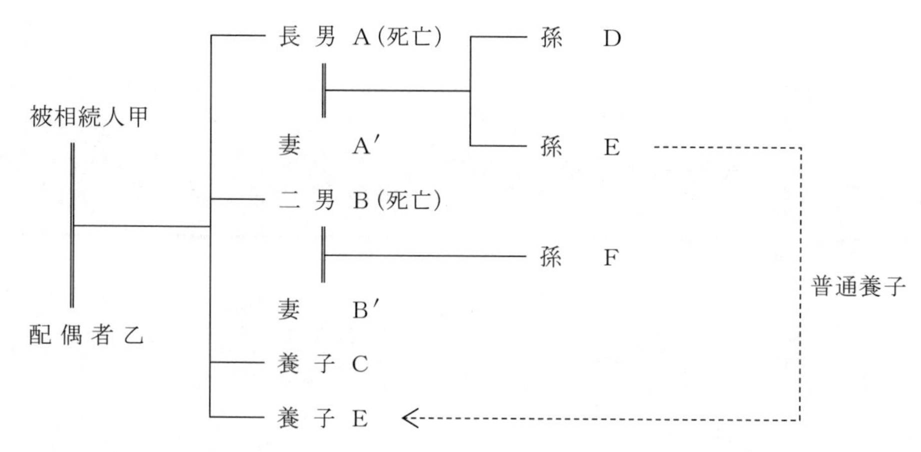
被相続人甲
配偶者乙
長男 A（死亡）
妻 A′
二男 B（死亡）
妻 B′
養子 C
養子 E
孫 D
孫 E
孫 F
普通養子

（設問７）

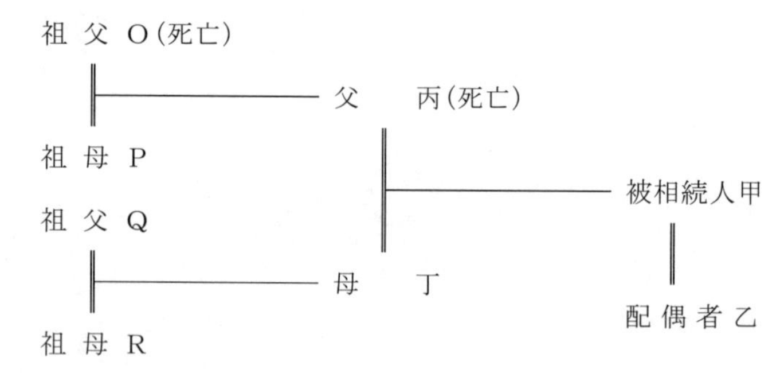
祖父 O（死亡）
祖母 P
祖父 Q
祖母 R
父 丙（死亡）
母 丁
被相続人甲
配偶者乙

（設問８）

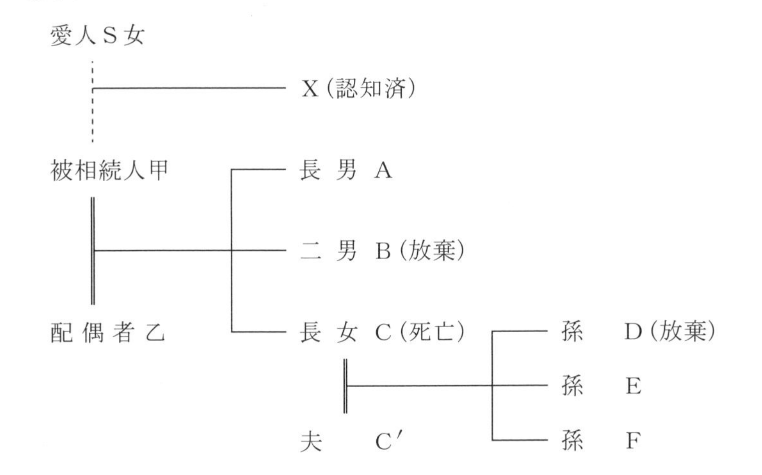
愛人Ｓ女
X（認知済）
被相続人甲
長 男 A
二 男 B（放棄）
配 偶 者 乙
長 女 C（死亡）
孫 D（放棄）
孫 E
夫 C′
孫 F

（設問９）

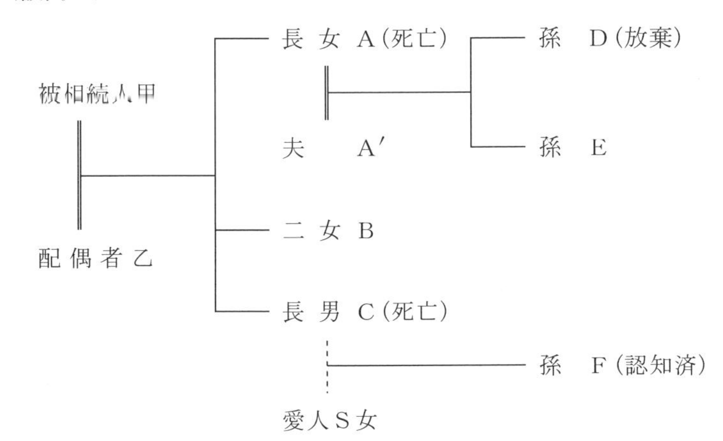
長 女 A（死亡）
孫 D（放棄）
被相続人甲
夫 A′
孫 E
二 女 B
配 偶 者 乙
長 男 C（死亡）
孫 F（認知済）
愛人Ｓ女

（設問 10）

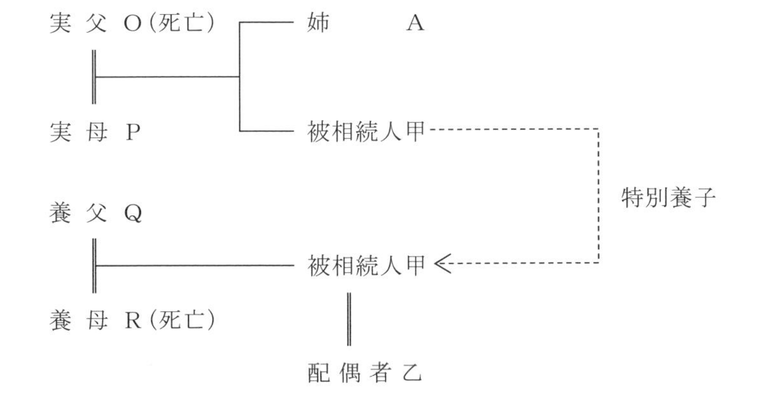
実 父 O（死亡）
姉 A
実 母 P
被相続人甲
特別養子
養 父 Q
被相続人甲
養 母 R（死亡）
配 偶 者 乙

→ 解答・解説　2－16

問題4　指定相続分

重要　基本　5分

次の各設問における親族図表により、相続人及び相続分を求めなさい。

（設問１）

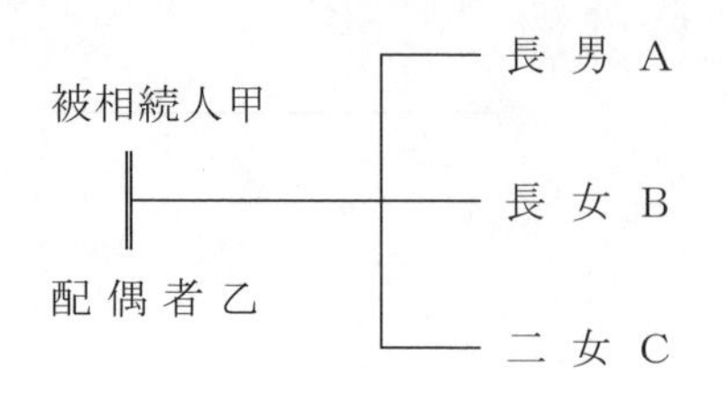

（注）　被相続人甲は遺言により、長男Ａの相続分を$\frac{1}{2}$と定めている。

（設問２）

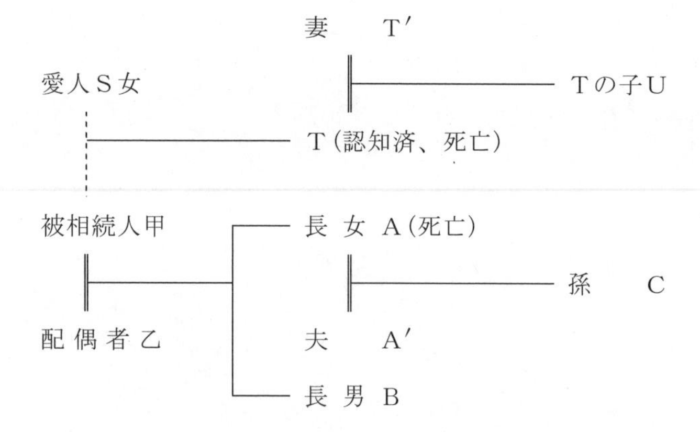

（注）　被相続人甲は遺言により、孫Ｃの相続分を$\frac{1}{3}$と定めている。

（設問３）

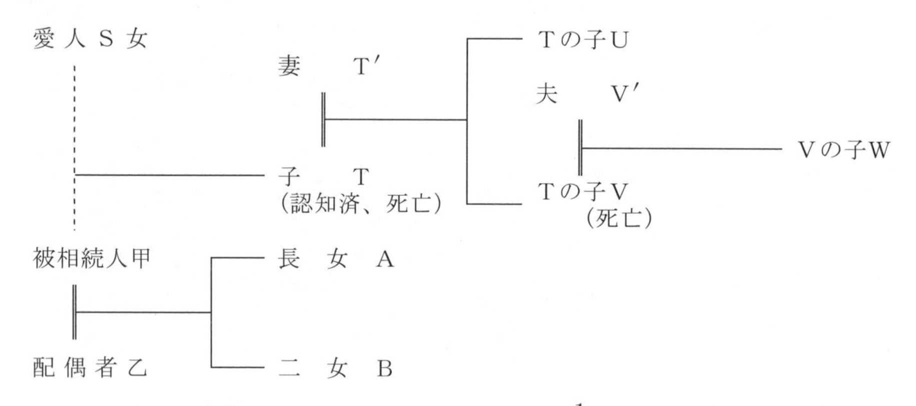

（注）　被相続人甲は遺言により、Ｔの子Ｕの相続分を$\frac{1}{4}$と定めている。

解答 問題１　相続人の判定①

（設問１）

配偶者乙、長男Ａ、長女Ｂ

（設問２）

配偶者乙、父丙、母丁

（設問３）

配偶者乙、弟戊、妹己、弟庚

（設問４）

配偶者乙、養子Ｂ、孫Ｃ、孫Ｄ、孫Ｅ

（設問５）

配偶者乙、祖母Ｒ

（設問６）

後妻丙、長女Ａ、二女Ｂ、三女Ｃ

（設問７）

配偶者乙、長男Ａ、長女Ｂ、Ｘ

（設問８）

長男Ａ、二男Ｂ

解説

（設問５）　一親等の親族である父母が死亡しているため二親等の親族である祖父母が相続人となります。（祖父母が相続人となるのは代襲相続ではありませんので注意して下さい。）

（設問６）　第一順位の子どもには、先妻との間に生まれた子と後妻との間に生まれた子の間に相続分の差は生じません。どちらも被相続人の嫡出子となります。

（設問７）　Ｘは被相続人甲から認知されているため、相続人となります。

（設問８）　Ｘは被相続人甲から認知されていないため、相続人とはなりません。

解答　問題２　相続人の判定②

（設問１）

配偶者乙、長女Ａ、二男Ｃ、孫Ｆ

（設問２）

配偶者乙、母丁

（設問３）

配偶者乙、孫Ｃ、孫Ｄ、曾孫Ｆ

（設問４）

配偶者乙、父丙、母丁

（設問５）

配偶者乙、弟丁、姪Ｒ

（設問６）

配偶者乙、長女Ｂ、胎児Ｃ

（設問７）

配偶者乙、長男Ａ、二男Ｂ

（設問８）

配偶者乙、妹Ｙ、Ｘ

（設問９）

長女Ａ、Ｘ

（設問10）

実父Ｏ、養母Ｒ

解説

（設問２）　親等の異なる者の間では、その近い者を優先して相続人とします。直系尊属はグループの表現であり、「子」「兄弟姉妹」との相異に注意して下さい。

（設問３）　欠格による相続権の喪失は代襲相続要件に該当するため、孫Ｃは代襲相続人となります。

（設問５）　兄弟姉妹について再代襲はないため、姪孫Ｔが相続人となることはできません。

（設問６）　胎児は、相続税の申告書の提出期限までに出生していれば相続人となります。

（設問７）（設問10）　普通養子縁組の場合は、実親及びその血族との親族関係は消滅しません。

解答　問題3　相続分

（設問１）

相　続　人	相　続　分
配偶者乙	$\frac{1}{2}$
長 女 A	$\frac{1}{2}\times\frac{1}{3}$
二 女 B	$\frac{1}{2}\times\frac{1}{3}$
養 子 C	$\frac{1}{2}\times\frac{1}{3}$

（設問２）

相　続　人	相　続　分
父　O	1

（設問３）

相　続　人	相　続　分
後 妻 丙	$\frac{1}{2}$
長 女 A	$\frac{1}{2}\times\frac{1}{2}$
長 男 C	$\frac{1}{2}\times\frac{1}{2}$

（設問４）

相　続　人	相　続　分
配偶者乙	$\frac{3}{4}$
弟　A	$\frac{1}{4}\times\frac{2}{3}$
B	$\frac{1}{4}\times\frac{1}{3}$

（設問５）

相　続　人	相　続　分
配偶者乙	$\frac{1}{2}$
子　B	$\frac{1}{2}\times\frac{1}{3}$
子　C	$\frac{1}{2}\times\frac{1}{3}$
孫　E	$\frac{1}{2}\times\frac{1}{3}\times\frac{1}{2}$
孫　F	$\frac{1}{2}\times\frac{1}{3}\times\frac{1}{2}$

（設問6）

相　続　人	相　続　分
配偶者乙	$\frac{1}{2}$
養子C	$\frac{1}{2}\times\frac{1}{4}$
孫　D	$\frac{1}{2}\times\frac{1}{4}\times\frac{1}{2}$
養子E	$\frac{1}{2}\times\frac{1}{4}\times\frac{1}{2}+\frac{1}{2}\times\frac{1}{4}$
孫　F	$\frac{1}{2}\times\frac{1}{4}$

（設問7）

相　続　人	相　続　分
配偶者乙	$\frac{2}{3}$
母　丁	$\frac{1}{3}$

（設問8）

相　続　人	相　続　分
配偶者乙	$\frac{1}{2}$
長男A	$\frac{1}{2}\times\frac{1}{3}$
孫　E	$\frac{1}{2}\times\frac{1}{3}\times\frac{1}{2}$
孫　F	$\frac{1}{2}\times\frac{1}{3}\times\frac{1}{2}$
X	$\frac{1}{2}\times\frac{1}{3}$

（設問9）

相　続　人	相　続　分
配偶者乙	$\frac{1}{2}$
二女B	$\frac{1}{2}\times\frac{1}{3}$
孫　E	$\frac{1}{2}\times\frac{1}{3}$
孫　F	$\frac{1}{2}\times\frac{1}{3}$

（設問10）

相　続　人	相　続　分
配偶者乙	$\frac{2}{3}$
養父Q	$\frac{1}{3}$

解説

（設問２）　配偶者乙の父母は被相続人甲の直系尊属ではありませんので相続人となることはできません。

（設問３）　先妻乙との間に生まれた長女Ａと後妻丙との間に生まれた長男Ｃの間に相続分の差は生じません。どちらも被相続人甲の嫡出子となります。

（設問４）　父母の一方のみを同じくするＢの相続分は、父母の双方を同じくする弟Ａの相続分の$\frac{1}{2}$とします。

（設問５）　孫Ｄは養子縁組前に出生しているため、被相続人甲の直系卑属ではないと考えられ、代襲相続人になることはできません。

（設問６）　被相続人が孫を養子としている場合に、被相続人の子が以前死亡しているようなときには、孫は養子としての身分と代襲相続人としての身分を有する二重身分となります。

（設問７）　一親等の母丁が相続人となるため、二親等の祖父母は相続人になりません。

（設問８）　非嫡出子Ｘの相続分と嫡出子の相続分は均等となります。

（設問10）　特別養子縁組制度は、実親及びその血族との親族関係は消滅するため、実母Ｐは相続人になりません。

解答　問題4　指定相続分

（設問１）

相続人	相続分
配偶者乙	$\frac{1}{2}\times\frac{1}{2}$
長男Ａ	$\frac{1}{2}$
長女Ｂ	$\frac{1}{2}\times\frac{1}{2}\times\frac{1}{2}$
二女Ｃ	$\frac{1}{2}\times\frac{1}{2}\times\frac{1}{2}$

（設問２）

相続人	相続分
配偶者乙	$\frac{2}{3}\times\frac{1}{2}$
長男Ｂ	$\frac{2}{3}\times\frac{1}{2}\times\frac{1}{2}$
孫　Ｃ	$\frac{1}{3}$
Ｔの子Ｕ	$\frac{2}{3}\times\frac{1}{2}\times\frac{1}{2}$

（設問３）

相続人	相続分
配偶者乙	$\frac{3}{4}\times\frac{1}{2}$
長女Ａ	$\frac{3}{4}\times\frac{1}{2}\times\frac{1}{3}$
二女Ｂ	$\frac{3}{4}\times\frac{1}{2}\times\frac{1}{3}$
Ｔの子Ｕ	$\frac{1}{4}$
Ｖの子Ｗ	$\frac{3}{4}\times\frac{1}{2}\times\frac{1}{3}$

解説

指定相続分は、法定相続分及び代襲相続分に優先して適用されるもので、共同相続人の全員（全部指定）または共同相続人中の１人若しくは数人（一部指定）の相続分を定めます。一部指定の場合、指定されなかった者については、残りの相続分について法定相続分(民901)、代襲相続分(民902)によって定めます。

Chapter 3

相続税の納税義務者

No	内　容	標準時間	重要度	難易度
問題１	納税義務者及び課税財産の範囲①	５分	A	基本
問題２	納税義務者及び課税財産の範囲②	５分	A	基本
問題３	納税義務者及び課税財産の範囲③	５分	A	基本
問題４	納税義務者及び課税財産の範囲④	10分	A	基本

→ 解答・解説　3－6

問題1　納税義務者及び課税財産の範囲①

基本　5分

令和7年4月7日に死亡した被相続人甲(住所：東京都品川区、日本国籍)から相続人等が相続又は遺贈により取得した財産は、次のとおりである。これにより各相続人等の相続税の課税される金額を答えなさい。

被相続人甲に係る相続開始時において、各相続人等は日本国籍を有している。なお、長女C及びCの子Dは平成28年12月20日まで日本国内に住所を有していたが、相続開始時においてはフランスに住所を有しており、その他の者は日本国内に住所を有している。

⑴　配偶者乙
　　国内財産　　　80,000千円

⑵　長男A
　①　国内財産　　25,000千円
　②　国外財産　　15,000千円

⑶　二男B
　　国外財産　　　18,000千円

⑷　長女C
　①　国内財産　　20,000千円
　②　国外財産　　10,000千円

⑸　Cの子D
　　国外財産　　　3,000千円

→ 解答・解説　3－6

問題2　納税義務者及び課税財産の範囲②

基本　5分

令和７年４月14日に死亡した被相続人甲（住所：石川県金沢市、日本国籍）から相続人等が相続又は遺贈により取得した財産は次のとおりである。これにより各相続人等の相続税の課税価格に算入される金額を答えなさい。

被相続人甲に係る相続開始時において、二男Ｂはミラノに住所を有し、かつ、イタリア国籍であるが、その他の者は日本国内に住所を有し、かつ、日本国籍を有している。

⑴　配偶者乙
　①　土地及び建物（国内財産）　55,000千円
　②　定期預金（国内財産）　6,000千円

⑵　長男Ａ
　別荘及びその敷地（国外財産）　51,000千円

⑶　二男Ｂ
　①　普通預金（国外財産）　15,000千円
　②　有価証券（国外財産）　7,000千円

→ 解答・解説　3－6

問題3　納税義務者及び課税財産の範囲③

基本　5分

令和７年４月19日に死亡した被相続人甲（平成24年５月以降カリフォルニア州に居住、日本国籍）から相続人等が相続又は遺贈により取得した財産は次のとおりである。これにより各相続人等の相続税の課税価格に算入される金額を答えなさい。

被相続人甲に係る相続開始時において、配偶者乙及び長男Ａは日本国籍を有し、二男Ｂはアメリカ国籍を有している。

⑴　配偶者乙（出生から相続開始時まで日本国内に居住）
　①　土地及び家屋（国内財産）　75,000千円
　②　家具（国内財産）　13,000千円

⑵　長男Ａ（平成21年10月以降フロリダ州に居住）
　①　定期預金（国内財産）　23,000千円
　②　有価証券（国外財産）　17,000千円

⑶　二男Ｂ（令和２年４月以降ハワイ州に居住）
　別荘及びその敷地（国外財産）　15,000千円

→ 解答・解説　3−7

問題4　納税義務者及び課税財産の範囲④

基本　10分

以下の資料により、被相続人甲の各相続人等の課税価格を求めなさい。

1　被相続人甲は、令和７年１月15日に大阪府吹田市の自宅で死亡し、相続人等は全員同日中にその事実を知った。

2　被相続人甲の相続人等の状況は、次の親族図表のとおりである。

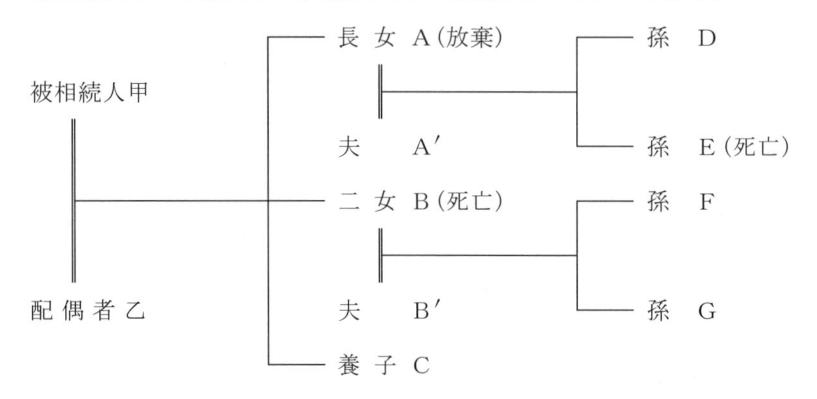

(注) 1　二女Ｂ及び孫Ｅは、被相続人甲の死亡に係る相続開始以前に死亡している。

2　長女Ａは、被相続人甲に係る相続について、家庭裁判所に申述して、適法に相続の放棄をしている。

3　被相続人甲及び上記親族図表に記載された相続人等は、被相続人甲に係る相続開始時において、全員日本国籍を有し、かつ、日本国内に住所を有している。

4　下記３の遺贈により財産を取得した友人丙は、在留資格を有し、平成28年以降日本国内に住所を有している（一時居住者に該当する。）。

3　各相続人等は、被相続人甲が適法な手続により作成した公正証書による遺言書に基づき、それぞれ以下のとおり財産を取得している。なお、受遺者はいずれも遺贈の放棄をしていない。

⑴　配偶者乙が取得した財産	普通預金	（国内財産）	15,000千円
⑵　長女Ａが取得した財産	土地及び建物	（国内財産）	54,000千円
	有価証券	（国外財産）	10,000千円
⑶　養子Ｃが取得した財産	別荘及び敷地	（国外財産）	28,000千円
⑷　友人丙が取得した財産	骨董品	（国内財産）	3,000千円
	定期預金	（国外財産）	2,000千円

4　上記３の遺贈財産以外の被相続人甲の遺産（すべて国内財産である。）は、120,000,000円（すべて金融資産である。）である。この遺産については、令和７年４月23日に共同相続人間で分割協議が行なわれており、各相続人は、民法900条（法定相続分）及び同法901条（代襲相続分）の規定による相続分に応じて取得している。

答案用紙

Ⅰ　相続人及び受遺者の相続税の課税価格の計算

1　遺贈財産価額の計算　(単位：千円)

財産の種類	取得者	計算過程	金額

2　相続財産価額の計算　(単位：千円)

3　各人の課税価格の計算　(単位：千円)

項目＼相続人等						
遺贈財産						
相続財産						
課税価格(千円未満切捨)						

Ch 1 Ch 2 Ch 3 Ch 4 Ch 5 Ch 6 Ch 7 Ch 8 Ch 9 Ch 10 総合計算問題

解答　問題1　納税義務者及び課税財産の範囲①

(単位：千円)

配偶者乙	80,000
長男Ａ	25,000＋15,000＝40,000
二男Ｂ	18,000
長女Ｃ	20,000＋10,000＝30,000
Ｃの子Ｄ	3,000

解説

① 配偶者乙、長男Ａ及び二男Ｂは国内住所、日本国籍のため一時居住者ではないことから、居住無制限納税義務者に該当し、すべての財産が相続税の課税対象となります。

② 長女Ｃ及びＣの子Ｄは国外住所、日本国籍ですが、相続開始前10年以内に国内住所を有していたことがあるため、非居住無制限納税義務者に該当し、すべての財産が相続税の課税対象となります。

解答　問題2　納税義務者及び課税財産の範囲②

(単位：千円)

配偶者乙	55,000＋6,000＝61,000
長男Ａ	51,000
二男Ｂ	15,000＋7,000＝22,000

解説

二男Ｂは国外住所、外国国籍ですが、被相続人が国内住所、日本国籍のため非居住被相続人及び外国人被相続人ではないことから、非居住無制限納税義務者に該当し、全ての財産が相続税の課税対象となります。

解答　問題3　納税義務者及び課税財産の範囲③

(単位：千円)

配偶者乙	75,000＋13,000＝88,000
長男Ａ	23,000
二男Ｂ	相続税の納税義務なし

解説

① 日本国籍を有する長男Ａは相続開始前10年を超えて国外に住所を有しており、非居住被相続人(相続開始前10年を超えて国外に住所を有している)に該当する被相続人甲から財産を取得しているため、非居住制限納税義務者として、国内財産のみ課税対象となります。

② 外国国籍を有する二男Ｂは国外に住所を有しており、被相続人甲が非居住被相続人であることから、国外財産については課税対象外となります。したがって、二男Ｂは相続税の納税義務を負いません。

解答　問題4　納税義務者及び課税財産の範囲④

Ⅰ　相続人及び受遺者の相続税の課税価格の計算

1　遺贈財産価額の計算　（単位：千円）

財産の種類	取得者	計算過程	金額
普通預金	配偶者乙		15,000
土地及び建物	長女A		54,000
有価証券	長女A		10,000
別荘及び敷地	養子C		28,000
骨董品	友人丙		3,000
定期預金	友人丙		2,000

2　相続財産価額の計算　（単位：千円）

配偶者乙　$120,000 \times \frac{1}{2} = 60,000$

養子C　$120,000 \times \frac{1}{2} \times \frac{1}{2} = 30,000$

孫F　$120,000 \times \frac{1}{2} \times \frac{1}{2} \times \frac{1}{2} = 15,000$

孫G　$120,000 \times \frac{1}{2} \times \frac{1}{2} \times \frac{1}{2} = 15,000$

3　各人の課税価格の計算　（単位：千円）

項目＼相続人等	配偶者乙	養子C	孫F	孫G	長女A	友人丙
遺贈財産	15,000	28,000			64,000	5,000
相続財産	60,000	30,000	15,000	15,000		
課税価格（千円未満切捨）	75,000	58,000	15,000	15,000	64,000	5,000

解説

①　友人丙は一時居住者ですが、被相続人甲が外国人被相続人及び非居住被相続人ではないため、友人丙は居住無制限納税義務者に該当し、すべての財産が課税対象となります。

②　代襲原因に相続放棄はないため、孫Dは相続人にはなれません。

解答記載例　問題４　納税義務者及び課税財産の範囲④

Ⅰ　相続人及び受遺者の相続税の課税価格の計算

1　遺贈財産価額の計算（単位：千円）

財産の種類	取得者	計算過程	金額
普通預金	乙		15,000
土地及び建物	A		54,000
有価証券	A		10,000
別荘及び敷地	C		28,000
骨董品	丙		3,000
定期預金	丙		2,000

2　相続財産価額の計算（単位：千円）

乙・C・F・G　120,000×
- 乙　$\frac{1}{2}$ ＝60,000
- C　$\frac{1}{2}\times\frac{1}{2}$ ＝30,000
- F　$\frac{1}{2}\times\frac{1}{2}\times\frac{1}{2}$ ＝15,000
- G　$\frac{1}{2}\times\frac{1}{2}\times\frac{1}{2}$ ＝15,000

3　各人の課税価格の計算（単位：千円）

項目＼相続人等	乙	C	F	G	A	丙
遺贈財産	15,000	28,000			64,000	5,000
相続財産	60,000	30,000	15,000	15,000		
課税価格（千円未満切捨）	75,000	58,000	15,000	15,000	64,000	5,000

参考

①　取得者欄や相続人等欄については「配偶者」「長女」などの記載を省略して構いません。

②　財産の種類欄については、原則として資料に記載された財産名を書き写すようにしてください。
なお、最近の試験では、財産名は印字されています。

③　今後の学習において、各財産の評価算式を計算過程欄に記載していきます。

④　相続人等の欄について記載順序のルールはありませんが、模範解答では左から配偶者➜相続人➜相続放棄者➜受遺者の順で記載しています。他にも配偶者➜アルファベット順や配偶者➜受遺者➜相続人の順で記載しても構いません。
なお、最近の試験では、相続人等の欄について取得者が記載された答案用紙となっています。

⑤　金額欄では、上下の桁を揃えて綺麗に書くようにしましょう。

Chapter 4

相続税の課税価格Ⅰ

No	内　容	標準時間	重要度	難易度
問題１	生命保険金等	６分	Ａ	基本
問題２	退職手当金等	６分	Ａ	基本
問題３	生命保険金等及び退職手当金等の非課税金額	８分	Ａ	基本
問題４	債務控除①	７分	Ａ	基本
問題５	債務控除②	６分	Ａ	基本
問題６	相続税の課税価格①	10分	Ａ	基本
問題７	相続税の課税価格②	10分	Ａ	基本

→ 解答・解説　4−12

問題１　生命保険金等

重要　基本　6分

被相続人甲の死亡を保険事故として、以下の各生命保険契約により生命保険金等を受取人が取得している。この場合における各人の相続又は遺贈により取得したものとみなされる生命保険金等の課税金額（非課税控除前の金額）を求めなさい。

区　分	契約者	受取人	保険料負担者及び負担割合	契約保険金額
A生命保険契約	被相続人甲	配偶者乙	被相続人甲　2/3 配偶者　乙　1/3	24,000,000円
B生命保険契約	被相続人甲	長男Ａ	被相続人甲　全額	10,000,000円
C生命保険契約	長男Ａ	配偶者乙	長男　Ａ　全額	17,000,000円
D生命保険契約	被相続人甲	長女Ｂ	被相続人甲　1/2 配偶者　乙　1/2	25,000,000円
E生命保険契約	被相続人甲	孫Ｃ	被相続人甲　1/2 配偶者　乙　1/4 長男　Ａ　1/4	3,600,000円
F生命保険契約	配偶者乙	弟丙	被相続人甲　全額	7,000,000円

→ 解答・解説　4−12

問題２　退職手当金等

基本　6分

次の各設問において、配偶者乙が相続又は遺贈により取得したものとみなされる退職手当金等の課税金額（非課税控除前の金額）を求めなさい。

（設問１）

被相続人甲の死亡により、被相続人甲が勤務していたＷ社から死亡退職金35,000,000円が配偶者乙に支給された。なお、この支給は被相続人甲の死亡から半年後に行われた。

（設問２）

被相続人甲はＸ社を生前退職していたが、被相続人甲の死亡から１月後に退職金の支給額が確定し、その翌日配偶者乙に50,000,000円が支給された。

（設問３）

被相続人甲はＹ社を生前退職し、退職金20,000,000円の支給が確定していたが、被相続人甲の死亡から１年後に配偶者乙に支給された。

（設問４）

被相続人甲の死亡により、被相続人甲が勤務していたＺ社から死亡退職金40,000,000円が配偶者乙に支給された。なお、この支給は被相続人甲の死亡から３年半後に行われた。

→ 解答・解説　4−13

問題3　生命保険金等及び退職手当金等の非課税金額

基本　8分

以下の資料により、生命保険金等及び退職手当金等についての相続税の課税価格を計算しなさい。

1　被相続人甲の相続人等の状況は、次の親族図表のとおりである。

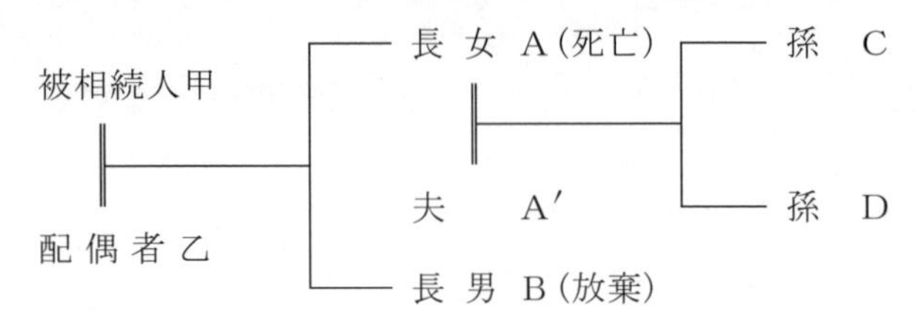

(注) 1　被相続人甲及び相続人等はすべて日本国内に住所を有している。

　　2　長男Bは被相続人甲の死亡に係る相続について適法に相続の放棄をしている。

2　被相続人甲の死亡を保険事故として、被相続人甲が保険料の全部を負担していた生命保険契約により相続人等は次の生命保険金等を取得している。

区　　　分	被保険者	契約者	受取人	契約保険金額
W生命保険契約	被相続人甲	被相続人甲	配偶者乙	55,000,000円
X生命保険契約	被相続人甲	配偶者乙	長男　B	20,000,000円
Y生命保険契約	被相続人甲	被相続人甲	孫　C	25,000,000円
Z生命保険契約	被相続人甲	配偶者乙	孫　D	20,000,000円

3　被相続人甲の死亡により、甲が生前に勤務していた会社から次の退職金及び弔慰金が配偶者乙に対して支給された。なお、被相続人甲の死亡は業務上の死亡には該当しない。また、被相続人甲の死亡前における賞与以外の普通給与の月額は500,000円である。

⑴　退職金　　25,000,000円

⑵　弔慰金　　 4,000,000円

答案用紙

相続又は遺贈によるみなし取得財産価額の計算　　(単位：千円)

財産の種類	取得者	計算過程	金額
生命保険金等			
退職手当金等			

→ 解答・解説 4−15

問題4 債務控除①

重要 基本 7分

以下の資料により、各相続人等の債務控除額を求めなさい。

1　被相続人甲は、令和７年４月20日に死亡した。被相続人甲に係る相続人等の状況は次のとおりである。なお、下記に掲げる者は全員被相続人甲から財産(すべて国内に所在)を取得している。

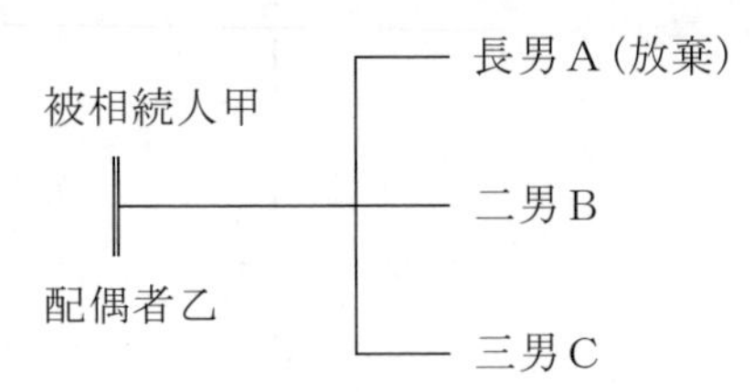

(注)　配偶者乙及び長男Ａは居住無制限納税義務者、二男Ｂは非居住無制限納税義務者、三男Ｃは非居住制限納税義務者に該当する。

2　被相続人甲に係る債務の金額及び負担状況は次のとおりである。

⑴　配偶者乙が負担する債務

①　銀行借入金　20,000,000円

②　遺言作成費用（令和７年４月30日支払）　400,000円

③　遺言執行費用　500,000円

④　相続財産管理費用　1,000,000円

⑤　保証債務　5,000,000円
　主たる債務者の資産状況は良好である。

⑥　未払所得税　2,000,000円
　上記の金額には、被相続人甲の責めによる延滞税50,000円が含まれている。

⑵　二男Ｂが負担する債務

①　土地購入未払金　3,000,000円
　この未払金は、配偶者乙が相続により取得した土地に係るものである。

②　未払固定資産税　1,700,000円
　納税通知書は令和７年４月28日に届いている。

③　未払飲食代　900,000円
　この飲食代については、相続開始後に消滅時効が完成している。

⑶　三男Ｃが負担する債務

①　支払手形　2,000,000円
　この手形は、被相続人甲が国内において営んでいた事業に係るものである。

②　未払医療費　1,000,000円
　この医療費は、被相続人甲の入院費である。

③　土地購入未払金　3,000,000円
　この未払金は、三男Ｃが相続により取得した土地に係るものである。

➜ 解答・解説 4−15

問題5 債務控除②

重要 基本 6分

以下の資料に基づき、各相続人等の課税価格から控除することとなる債務及び葬式費用の金額を計算しなさい。なお、下記に掲げる者は、全員被相続人甲から財産を取得している。

1 被相続人甲の相続人等の状況は、次の親族図表のとおりである。

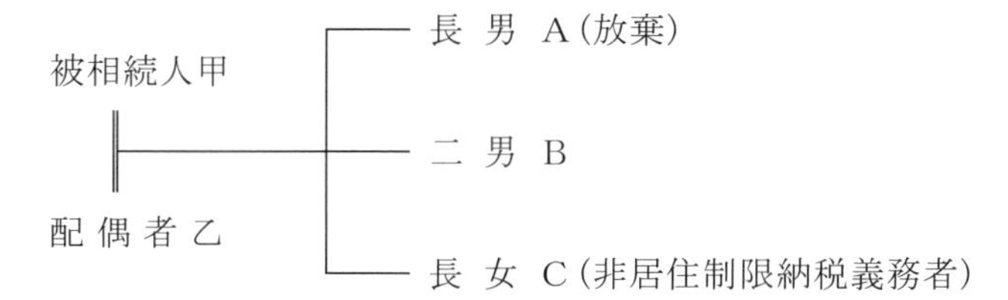

(注) 1 長女C以外の相続人等は全員居住無制限納税義務者に該当する。

2 長男Aは、被相続人甲の死亡に係る相続について、適法に相続の放棄をしている。

2 相続開始時における被相続人甲に係る債務及び負担者は、次のとおりである。

(1)	借入金	22,000千円	(配偶者乙)
(2)	未納公租公課	5,750千円	(配偶者乙)
(3)	墓地購入未払金	1,500千円	(二男B)

3 被相続人甲の葬式に要した費用及び負担者は、それぞれ次のとおりである。

(1)	葬式費用	2,000千円	(配偶者乙)
(2)	通夜等の飲食費	300千円	(配偶者乙)
(3)	納骨費用	100千円	(長男A)
(4)	四十九日法会費用	1,200千円	(長男A)
(5)	香典返し費用	1,000千円	(二男B)
(6)	お布施代	1,000千円	(長女C)

答案用紙

債務控除額の計算 (単位:円)

債務及び葬式費用	負担者	計算過程	金額
債務			
葬式費用			

→ 解答・解説　4－16

問題6　相続税の課税価格①　重要　基本　10分

以下の資料により、各相続人等の相続税の課税価格を計算しなさい。

1　被相続人甲(住所：東京都目黒区、日本国籍)の相続人等の状況は、次の親族図表のとおりである。

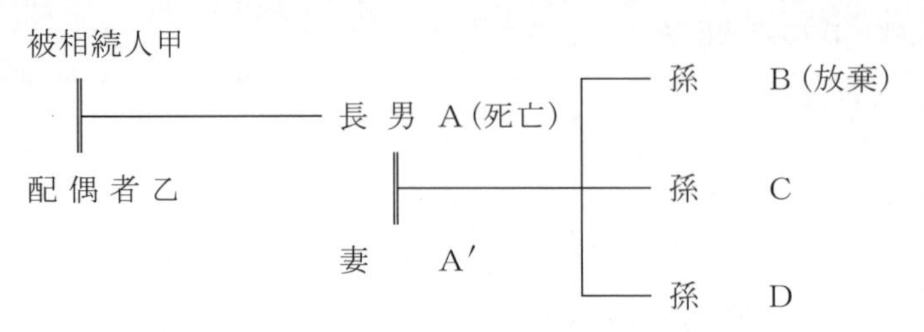

(注) 1　孫Bは被相続人甲の死亡に係る相続について適法に相続の放棄をしている。

2　孫Cは被相続人甲に係る相続開始時においてシドニーに居住し、オーストラリア国籍を有している。なお、他の相続人等は相続開始時において日本国内に住所を有し、日本国籍を有している。

3　被相続人甲の遺言書により各相続人等は以下のとおり財産を取得している。なお、⑶①の土地を除き、すべて国内財産に該当する。

⑴　配偶者乙が取得した財産

①　土地及び家屋　150,000千円

②　家庭用財産　11,000千円

この他に、墓地及び仏壇が3,100千円ある。

⑵　孫Bが取得した財産

①　土　地　80,000千円

②　純金の仏像　10,000千円

この仏像は、M銀行の貸金庫内で保管されている。

⑶　孫Cが取得した財産

①　土　地　60,000千円

この土地は、オーストラリア国内に所在する土地である。

②　定期預金　30,000千円

⑷　孫Dが取得した財産

①　株　式　20,000千円

2　上記の遺贈財産以外の被相続人甲の遺産(すべて国内財産である。)は、総額150,000千円であり、相続人間の協議により各相続人が民法に規定する相続分に応じて取得することとした。

3　相続開始時において被相続人甲に係る債務は8,000千円、葬式費用は3,000千円であり、配偶者乙が全額負担することとした。

4　上記のほか、被相続人甲の死亡により被相続人甲が保険料の全額を負担していた生命保険契約から以下の生命保険金が各受取人に対して支払われている。

⑴　配偶者乙　80,000千円

⑵　孫　B　25,000千円

⑶　孫　D　20,000千円

答案用紙

I　相続人及び受遺者の相続税の課税価格の計算

1　遺贈財産価額の計算　(単位：千円)

財産の種類	取得者	計　算　過　程	金　額

2　相続財産価額の計算　(単位：千円)

3　みなし取得財産価額の計算　(単位：千円)

財産の種類	取得者	計　算　過　程	金　額

4　債務控除額の計算　(単位：千円)

債務及び葬式費用	負担者	計　算　過　程	金　額

5　各人の課税価格の計算　(単位：千円)

項目＼相続人等					計
遺贈財産					
相続財産					
みなし取得財産					
債務控除					
課税価格(千円未満切捨)					

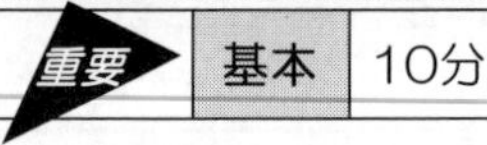

問題7　相続税の課税価格②

重要　基本　10分

以下の資料により、各相続人等の相続税の課税価格を計算しなさい。

1　被相続人甲の相続人等の状況は、次の親族図表のとおりである。

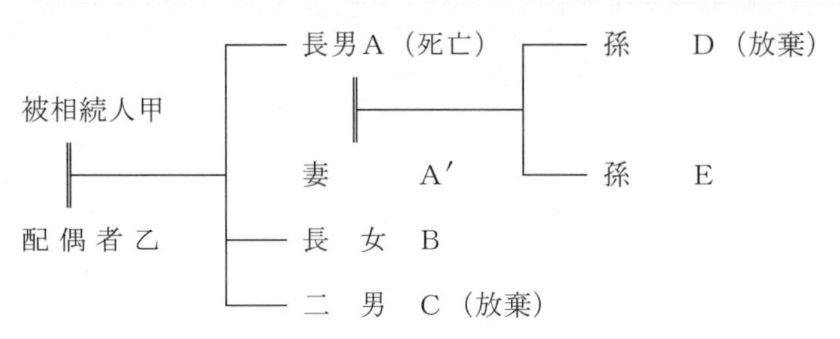

（注）1　二男C及び孫Dは被相続人甲の死亡に係る相続について相続の放棄をしている。

　　2　被相続人甲及び相続人等は相続開始時において全員日本国内に住所を有し、日本国籍を有していた。

2　被相続人甲の遺産は以下のとおりであり、この遺産については共同相続人間の協議により民法の規定による相続分に応じて取得することとなった。

⑴　土地　　80,000千円

⑵　家屋　　50,000千円

⑶　有価証券　　100,000千円

⑷　預貯金　　150,000千円

⑸　家庭用財産　　10,000千円

　このうちには、仏壇・仏具の価額2,000千円が含まれている。

3　被相続人甲に係る債務及び葬式費用は以下のとおりであり、これらの債務については共同相続人間の協議により民法の規定による相続分に応じて負担することとなった。

⑴　銀行借入金　　40,000千円

⑵　未払飲食代　　2,000千円

⑶　墓地購入未払金　　5,000千円

⑷　葬式費用　　6,200千円

⑸　お布施代　　1,000千円

⑹　法会費用　　3,300千円

4　上記のほか、被相続人甲の死亡を保険事故として被相続人甲が保険料の全額を負担していた生命保険契約により、生命保険会社から二男Cに対して保険金50,000千円が支払われた。

Ch 1 Ch 2 Ch 3 Ch 4 Ch 5 Ch 6 Ch 7 Ch 8 Ch 9 Ch 10 総合計算問題

答案用紙

Ⅰ　相続人及び受遺者の相続税の課税価格の計算

1　相続財産価額の計算　（単位：千円）

2　みなし取得財産価額の計算　（単位：千円）

財産の種類	取得者	計算過程	金額

3　債務控除額の計算　（単位：千円）

債務及び葬式費用	負担者	計算過程	金額

4　各人の課税価格の計算　（単位：千円）

項目＼相続人等					計
相続財産					
みなし取得財産					
債務控除					
課税価格（千円未満切捨）					

解 答　問題1　生命保険金等

（単位：円）

（A生命保険契約）配偶者乙　$24,000,000 \times \frac{2}{3} = 16,000,000$

（B生命保険契約）長 男 A　10,000,000

（C生命保険契約）配偶者乙　被相続人甲の負担保険料がないため相続税の課税関係は生じない

（D生命保険契約）長 女 B　$25,000,000 \times \frac{1}{2} = 12,500,000$

（E生命保険契約）孫　　C　$3,600,000 \times \frac{1}{2} = 1,800,000$

（F生命保険契約）弟　　丙　7,000,000

解 説

① 相続税の課税対象金額は、被相続人甲が保険料を負担した割合に応じる金額となります。

② 保険金受取人が保険料を負担した割合に応じる金額には所得税が、保険金受取人及び被相続人以外の者が負担した割合に応じる金額には贈与税が課税されます。

解 答　問題2　退職手当金等

（設問1）

退職手当金等　35,000,000円

（設問2）

退職手当金等　50,000,000円

（設問3）

本来の相続財産　20,000,000円

（設問4）

相続税の課税関係は生じない

解 説

（設問1）（設問2）

被相続人の死亡後3年以内に退職手当金等の支給額が確定しているため、みなし相続財産となります。

（設問3）

生前退職で生前に支給額が確定したため、みなし相続財産には該当せず、本来の相続財産となります。

（設問4）

死亡退職で死亡後3年を超えてから支給額が確定したため、みなし相続財産には該当せず、相続税の課税関係は生じません。なお、所得税の課税対象となります。

解答　問題3　生命保険金等及び退職手当金等の非課税金額

相続又は遺贈によるみなし取得財産価額の計算　　(単位：千円)

財産の種類	取得者	計算過程	金額
生命保険金等	配偶者乙	55,000－(注)11,000＝44,000	44,000
	長男B		20,000
	孫　C	25,000－(注)5,000＝20,000	20,000
	孫　D	20,000－(注)4,000＝16,000	16,000
		(注)　生命保険金等の非課税金額 (1)　5,000×4人＝20,000 (2)　配偶者乙 55,000、孫C 25,000、孫D 20,000 ⇒ 100,000 (3)　(1)＜(2)　∴　20,000 配偶者乙　20,000×$\frac{55,000}{100,000}$＝11,000 孫　C　20,000×$\frac{25,000}{100,000}$＝5,000 孫　D　20,000×$\frac{20,000}{100,000}$＝4,000 長男Bは相続人でないため適用なし	
退職手当金等	配偶者乙	25,000＋4,000－※3,000＝26,000 ※　弔慰金等の判定 4,000＞500×6月＝3,000　∴　3,000 26,000－(注)20,000＝6,000 (注)　退職手当金等の非課税金額 (1)　5,000×4人＝20,000 (2)　26,000 (3)　(1)＜(2)　∴　20,000	6,000

解説

① 生命保険金等の非課税金額は非課税限度額（＝500万円×法定相続人の数）を各相続人が取得した生命保険金等の割合であん分します。

$$\text{生命保険金等の非課税限度額} \times \frac{\text{各相続人の取得した保険金等の合計額}}{\text{すべての相続人が取得した保険金等の合計額}}$$

② 退職手当金等の非課税限度額(500万円×法定相続人の数)についても生命保険金等の非課税限度額と同額となります。

解答記載例　問題3　生命保険金等及び退職手当金等の非課税金額

相続又は遺贈によるみなし取得財産価額の計算　　(単位：千円)

財産の種類	取得者	計算過程	金額
生命保険金等	乙	55,000－*11,000＝44,000	44,000
	B		20,000
	C	25,000－*5,000＝20,000	20,000
	D	20,000－*4,000＝16,000	16,000
		* 非課税 5,000×4人＝20,000＜55,000＋25,000＋20,000 ＝100,000　∴　20,000 乙　20,000×$\frac{55,000}{100,000}$＝11,000 C　20,000×$\frac{25,000}{100,000}$＝5,000 D　20,000×$\frac{20,000}{100,000}$＝4,000 Bは相続人でないため適用なし	
退職手当金等	乙	25,000＋4,000－※3,000＝26,000 ※ 4,000＞500×6月＝3,000　∴　3,000 26,000－*20,000＝6,000 * 非課税 5,000×4人＝20,000＜26,000　∴　20,000	6,000

参考

① 取得者欄については「乙」「B」などのみの記載で構いません。

② 非課税金額の計算は、記載フォームにこだわるのではなく、計算過程が分かりやすい記載を心がけましょう。部分点が与えられそうな計算過程においては、共通したことが言えます。

③ 計算過程欄の単位は「千円」や「円」となっているので、それ以外の「人」数や「月」数等は記述するようにしましょう。

解答　問題4　債務控除①

（単位：円）

配偶者乙　20,000,000＋400,000＋2,000,000＝22,400,000
遺言執行費用、相続財産管理費用及び保証債務は控除できない

二 男 B　3,000,000＋1,700,000＋900,000＝5,600,000

三 男 C　2,000,000＋3,000,000＝5,000,000
非居住制限納税義務者のため、未払医療費は控除できない

解説

① 遺言執行費用や相続財産管理費用など、相続開始後に発生する費用は被相続人の債務には該当しないため、債務控除はできません。

② 保証債務(連帯保証債務も含む)は確実な債務には該当しないため、債務控除はできません。

解答　問題5　債務控除②

債務控除額の計算　（単位：円）

債務及び葬式費用	負担者	計算過程	金額
債務	配偶者乙	22,000,000＋5,750,000＝27,750,000	△ 27,750,000
	二 男 B	墓地購入未払金は控除できない	0
葬式費用	配偶者乙	2,000,000＋300,000＝2,300,000	△ 2,300,000
	長 男 A	四十九日法会費用は控除できない	△ 100,000
	二 男 B	香典返し費用は控除できない	0
	長 女 C	非居住制限納税義務者のため控除できない	0

解説

① 二男Bが負担した債務は、非課税財産に係る債務に該当するため控除することはできません。

② 長男Aは相続を放棄していますが、実際に負担した葬式費用については控除可能です。
ただし、四十九日の法会費用は葬式費用には該当しませんので、控除することはできません。

③ 葬式費用については、控除することができない4つ（香典返戻費用、墓碑及び墓地の買入費並びに墓地の借入料、法要に要する費用、医学上又は裁判上の特別の処置(遺体解剖)に要した費用）を押さえておきましょう。

④ 長女Cは非居住制限納税義務者に該当するため、負担した葬式費用はすべて控除不可となります。

解答　問題6　相続税の課税価格①

I　相続人及び受遺者の相続税の課税価格の計算

1　遺贈財産価額の計算　(単位：千円)

財産の種類	取得者	計算過程	金額
土地及び家屋	配偶者乙		150,000
家庭用財産	配偶者乙	※　墓地及び仏壇は相続税の非課税	11,000
土地	孫　B		80,000
純金の仏像	孫　B		10,000
土地	孫　C		60,000
定期預金	孫　C		30,000
株式	孫　D		20,000

2　相続財産価額の計算　(単位：千円)

配偶者乙、孫　C、孫　D　150,000×

- 配偶者乙：$\frac{1}{2}$ ＝75,000
- 孫　C：$\frac{1}{2}\times\frac{1}{2}$＝37,500
- 孫　D：$\frac{1}{2}\times\frac{1}{2}$＝37,500

3　みなし取得財産価額の計算　(単位：千円)

財産の種類	取得者	計算過程	金額
生命保険金等	配偶者乙	80,000－(注)16,000＝64,000	64,000
	孫　B		25,000
	孫　D	20,000－(注)4,000＝16,000	16,000

(注)　生命保険金等の非課税金額

(1)　5,000×4人＝20,000

(2)　80,000＋20,000＝100,000

(3)　(1)＜(2)　∴　20,000

配偶者乙、孫　D　20,000×

- 配偶者乙：$\frac{80,000}{100,000}$＝16,000
- 孫　D：$\frac{20,000}{100,000}$＝4,000

孫Bは相続人でないため適用なし

4　債務控除額の計算　(単位：千円)

債務及び葬式費用	負担者	計算過程	金額
債務	配偶者乙		△ 8,000
葬式費用	配偶者乙		△ 3,000

5　各人の課税価格の計算　(単位：千円)

項目＼相続人等	配偶者乙	孫　B	孫　C	孫　D	計
遺贈財産	161,000	90,000	90,000	20,000	
相続財産	75,000		37,500	37,500	
みなし取得財産	64,000	25,000		16,000	
債務控除	△ 11,000				
課税価格(千円未満切捨)	289,000	115,000	127,500	73,500	605,000

解答　問題7　相続税の課税価格②

I　相続人及び受遺者の相続税の課税価格の計算

1　相続財産価額の計算　(単位：千円)

80,000＋50,000＋100,000＋150,000＋10,000－※2,000＝388,000　※　仏壇・仏具は相続税の非課税

配偶者乙 ┐ 388,000 × $\frac{1}{2}$ ＝194,000
長女B ┤ 388,000 × $\frac{1}{2}\times\frac{1}{2}$ ＝ 97,000
孫E ┘ 388,000 × $\frac{1}{2}\times\frac{1}{2}$ ＝ 97,000

2　みなし取得財産価額の計算　(単位：千円)

財産の種類	取得者	計算過程	金額
生命保険金等	二男C	相続人でないため非課税の適用なし	50,000

3　債務控除額の計算　(単位；千円)

債務及び葬式費用	負担者	計算過程	金額
債務及び葬式費用		40,000＋2,000＋6,200＋1,000＝49,200 ※　墓地購入未払金、法会費用は控除できない	
	配偶者乙	49,200 × $\frac{1}{2}$ ＝24,600	△ 24,600
	長女B	49,200 × $\frac{1}{2}\times\frac{1}{2}$ ＝12,300	△ 12,300
	孫E	49,200 × $\frac{1}{2}\times\frac{1}{2}$ ＝12,300	△ 12,300

4　各人の課税価格の計算　(単位：千円)

項目＼相続人等	配偶者乙	長女B	二男C	孫E	計
相続財産	194,000	97,000		97,000	
みなし取得財産			50,000		
債務控除	△ 24,600	△ 12,300		△ 12,300	
課税価格(千円未満切捨)	169,400	84,700	50,000	84,700	388,800

解説

非課税等のコメントについては、できる限り記載するよう心掛けて下さい。

Chapter 5

算出相続税額

No	内　容	標準時間	重要度	難易度
問題１	法定相続人及び法定相続分	10分	A	基本
問題２	相続税の総額	５分	A	基本
問題３	算出相続税額の計算	５分	A	基本
問題４	相続税額の加算	３分	A	基本

→ 解答・解説　5－7

問題１　法定相続人及び法定相続分

重要　基本　10分

次の各設問において、相続税法に規定する法定相続人並びに法定相続分及び法定相続人の数を求めなさい。

（設問１）

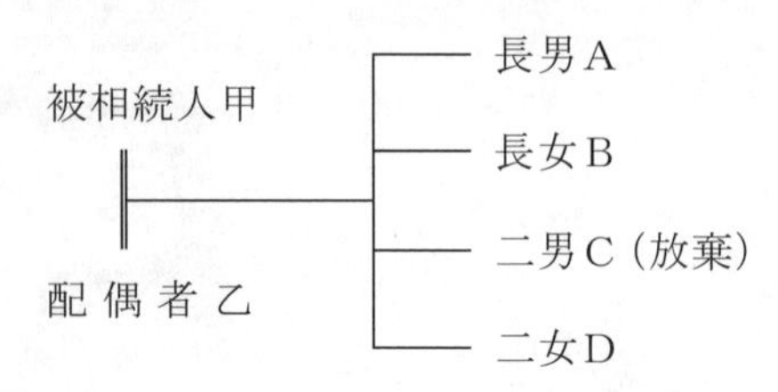

（設問２）

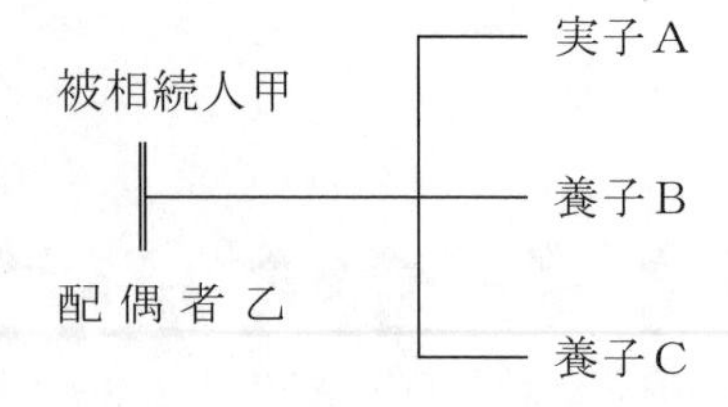

（設問３）

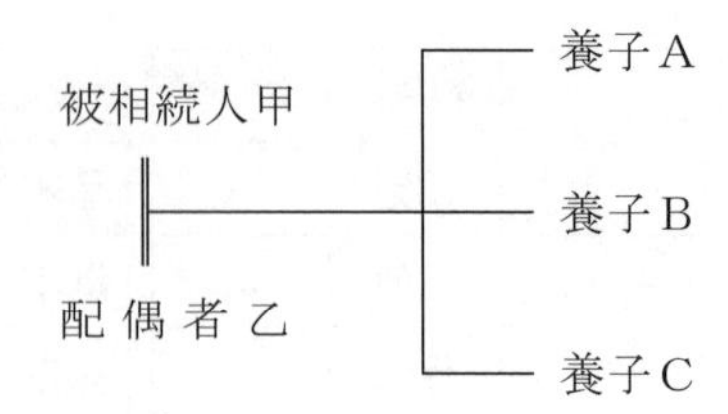

（設問４）

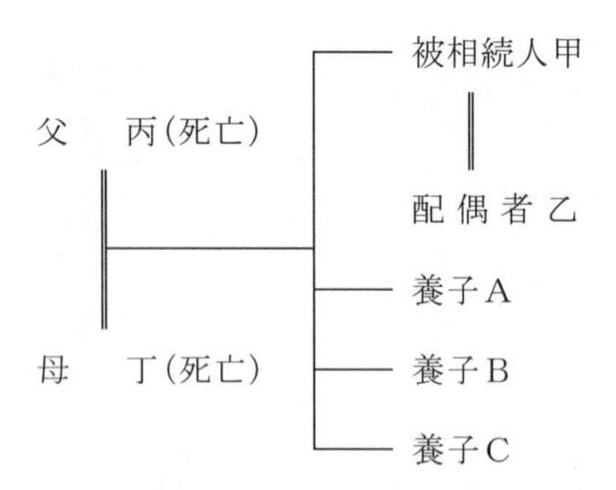

（設問5）

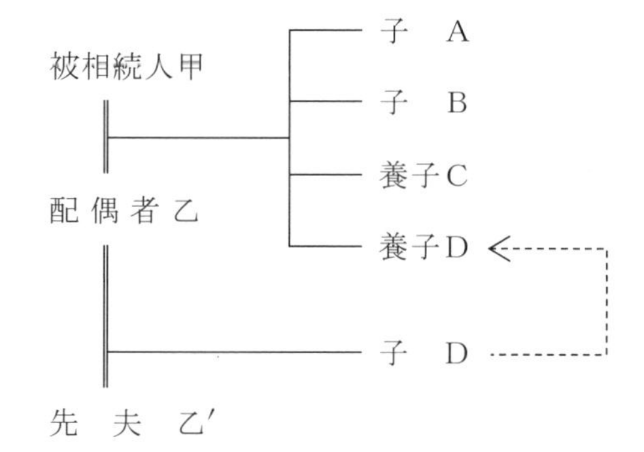

(注) 子Dは、配偶者乙及び先夫乙′との間の子であるが、被相続人甲と配偶者乙との婚姻の際に被相続人甲と養子縁組をしている。

（設問6）

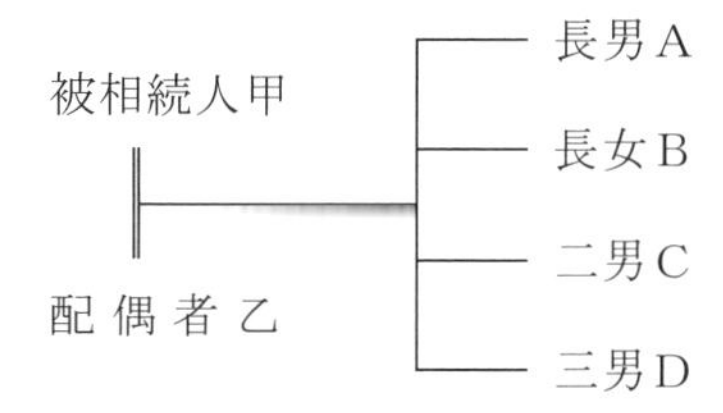

(注) 被相続人甲の遺言により、二男Cの相続分を3分の1と指定している。

（設問7）

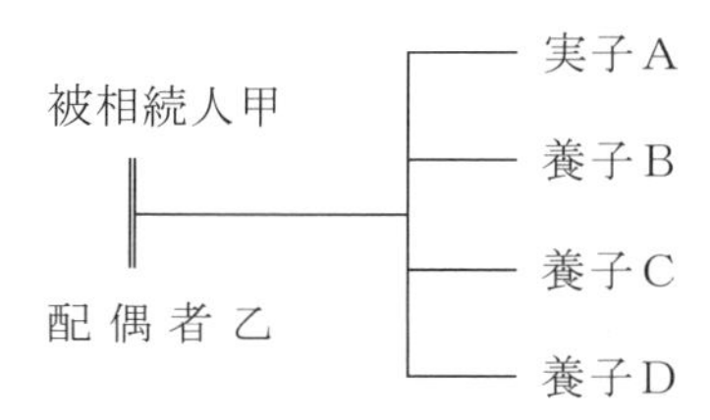

(注) 養子Bは、被相続人甲及び配偶者乙との間で特別養子縁組をしており、養子C及び養子Dは、被相続人甲及び配偶者乙との間で普通養子縁組をしていた。

（設問8）

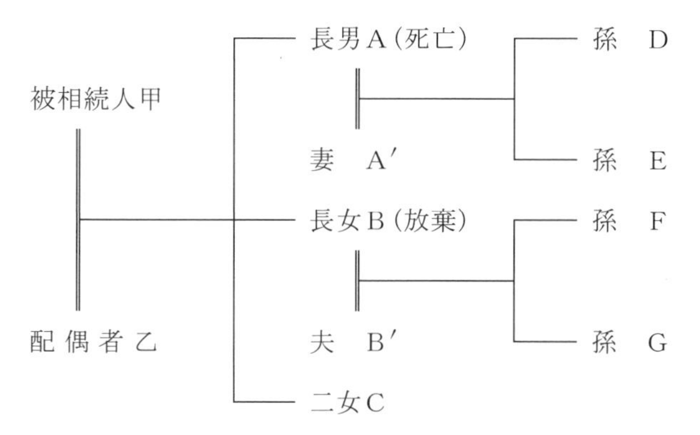

(注) 孫D及び孫Eは、被相続人甲及び配偶者乙との間で養子縁組をしていた。

問題2　相続税の総額

重要　基本　5分

次の資料を基に相続税の総額を求めなさい。

1　被相続人甲の相続人等の状況等は次のとおりである。

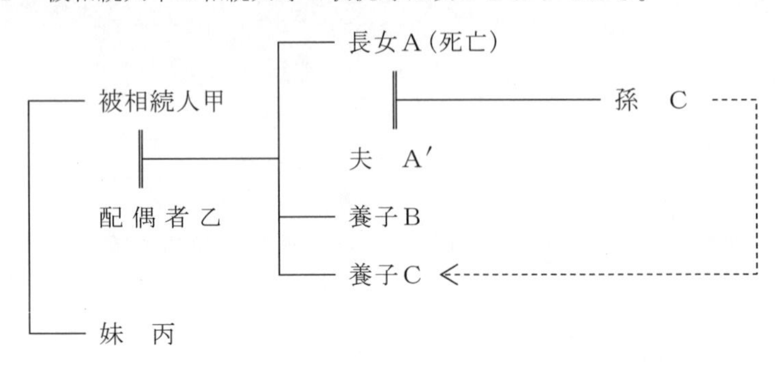

(注) 1　孫Cは、長女Aの死亡後に被相続人甲及び配偶者乙との間で養子縁組をしている。

2　被相続人甲から財産を取得した各人の課税価格は以下のとおりである。

(単位：千円)

項目＼相続人等	配偶者乙	孫　C	妹　丙	夫　A′	計
課税価格(千円未満切捨)	280,000	137,000	98,000	40,000	555,000

答案用紙

課税価格の合計額		遺産に係る基礎控除額	課税遺産額	
千円		千円	千円	
法定相続人	法定相続分	法定相続分に応ずる取得金額	相続税の総額の基となる税額	
		千円	円	
合計　人	1		相続税の総額	円

➜ 解答・解説 5−11

問題3 算出相続税額の計算

基本 5分

次の場合における各相続人等の算出税額(2割加算前)を計算しなさい。なお、あん分割合は小数点以下2位まで求めて合計が1.00となるように調整して計算すること。

1 被相続人甲の相続人等の状況等は次のとおりである。

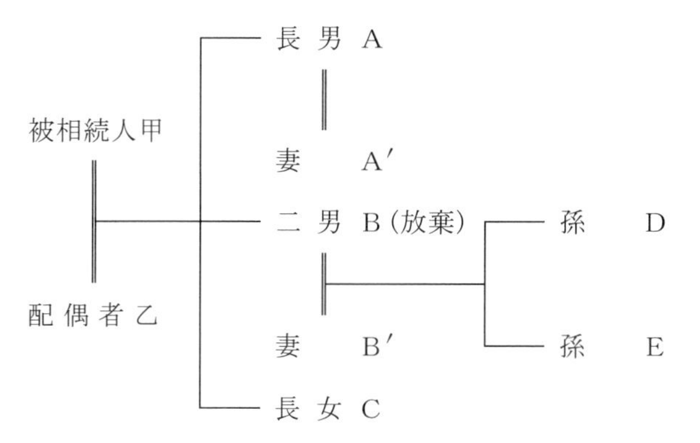

2 被相続人甲に係る相続人等の課税価格は以下のとおりである。

配偶者乙	107,000,000円
長 男 A	44,000,000円
二 男 B	11,000,000円
長 女 C	16,000,000円
妻 A′	5,000,000円
孫 D	3,000,000円
孫 E	4,000,000円
合 計	190,000,000円

3 相続税の総額は、22,099,700円である。

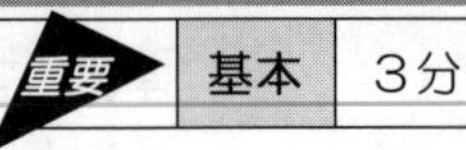

問題4　相続税額の加算

重要　基本　3分

次の資料により相続税額の加算額を計算しなさい。

1　被相続人甲の相続人等の状況等は以下のとおりである。

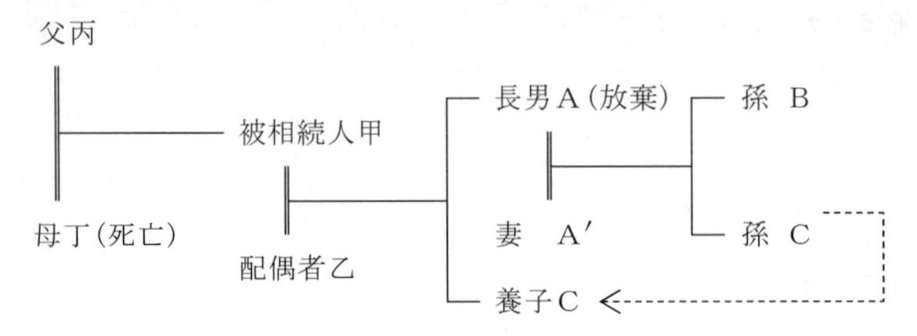

（注）1　孫Cは、被相続人甲及び配偶者乙との間で養子縁組をしていた。

2　母丁は、被相続人甲に係る相続開始前に既に死亡していた。

3　長男Aは、被相続人甲に係る相続について、適法に相続の放棄をしていた。

2　被相続人甲から相続又は遺贈により財産を取得した者の課税価格及び算出税額は次のとおりである。

財産取得者	課税価格	算出税額
配偶者乙	95,000,000円	11,611,111円
長男　A	33,000,000円	4,033,333円
孫　B	17,000,000円	2,077,777円
孫　C	16,000,000円	1,955,555円
妻　A′	4,000,000円	488,888円
父　丙	15,000,000円	1,833,333円

答案用紙

税額控除等の計算　（単位：円）

項目	対象者	計算過程	金額

解答　問題1　法定相続人及び法定相続分

（設問1）

<table>
<tr><th colspan="2">法定相続人</th><th>法　定　相　続　分</th></tr>
<tr><td colspan="2">配偶者乙</td><td>$\frac{1}{2}$</td></tr>
<tr><td colspan="2">長　男　A</td><td>$\frac{1}{2}\times\frac{1}{4}$</td></tr>
<tr><td colspan="2">長　女　B</td><td>$\frac{1}{2}\times\frac{1}{4}$</td></tr>
<tr><td colspan="2">二　男　C</td><td>$\frac{1}{2}\times\frac{1}{4}$</td></tr>
<tr><td colspan="2">二　女　D</td><td>$\frac{1}{2}\times\frac{1}{4}$</td></tr>
<tr><td>合計</td><td>5人</td><td>1</td></tr>
</table>

（設問2）

<table>
<tr><th colspan="2">法定相続人</th><th>法　定　相　続　分</th></tr>
<tr><td colspan="2">配偶者乙</td><td>$\frac{1}{2}$</td></tr>
<tr><td colspan="2">実　子　A</td><td>$\frac{1}{2}\times\frac{1}{2}$</td></tr>
<tr><td colspan="2">養　子　B</td><td rowspan="2">$\frac{1}{2}\times\frac{1}{2}$</td></tr>
<tr><td colspan="2">養　子　C</td></tr>
<tr><td>合計</td><td>3人</td><td>1</td></tr>
</table>

（設問3）

<table>
<tr><th colspan="2">法定相続人</th><th>法　定　相　続　分</th></tr>
<tr><td colspan="2">配偶者乙</td><td>$\frac{1}{2}$</td></tr>
<tr><td colspan="2">養　子　A</td><td rowspan="3">$\frac{1}{2}\times\frac{1}{2}$
$\frac{1}{2}\times\frac{1}{2}$</td></tr>
<tr><td colspan="2">養　子　B</td></tr>
<tr><td colspan="2">養　子　C</td></tr>
<tr><td>合計</td><td>3人</td><td>1</td></tr>
</table>

（設問４）

法定相続人		法　定　相　続　分
配偶者乙		$\frac{3}{4}$
養　子　A		$\frac{1}{4} \times \frac{1}{3}$
養　子　B		$\frac{1}{4} \times \frac{1}{3}$
養　子　C		$\frac{1}{4} \times \frac{1}{3}$
合計	４人	1

（設問５）

法定相続人		法　定　相　続　分
配偶者乙		$\frac{1}{2}$
子　　A		$\frac{1}{2} \times \frac{1}{4}$
子　　B		$\frac{1}{2} \times \frac{1}{4}$
養　子　C		$\frac{1}{2} \times \frac{1}{4}$
養　子　D		$\frac{1}{2} \times \frac{1}{4}$
合計	５人	1

（設問６）

法定相続人		法　定　相　続　分
配偶者乙		$\frac{1}{2}$
長　男　A		$\frac{1}{2} \times \frac{1}{4}$
長　女　B		$\frac{1}{2} \times \frac{1}{4}$
二　男　C		$\frac{1}{2} \times \frac{1}{4}$
三　男　D		$\frac{1}{2} \times \frac{1}{4}$
合計	５人	1

（設問７）

法定相続人		法　定　相　続　分
配偶者乙		$\frac{1}{2}$
実　子　Ａ		$\frac{1}{2}\times\frac{1}{3}$
養　子　Ｂ		$\frac{1}{2}\times\frac{1}{3}$
養　子　Ｃ 養　子　Ｄ		$\frac{1}{2}\times\frac{1}{3}$
合計	４人	1

（設問８）

法定相続人		法　定　相　続　分
配偶者乙		$\frac{1}{2}$
長　女　Ｂ		$\frac{1}{2}\times\frac{1}{5}$
二　女　Ｃ		$\frac{1}{2}\times\frac{1}{5}$
孫　　　Ｄ		$\frac{1}{2}\times\frac{1}{5}+\frac{1}{2}\times\frac{1}{5}\times\frac{1}{2}$
孫　　　Ｅ		$\frac{1}{2}\times\frac{1}{5}+\frac{1}{2}\times\frac{1}{5}\times\frac{1}{2}$
合計	５人	1

解説

（設問２）実子Ａがいるので、養子Ｂ及び養子Ｃを１人としてカウントします。

（設問３）実子がいないので、養子Ａ、養子Ｂ及び養子Ｃのうち２人までを法定相続人の数としてカウントします。

（設問４）養子の数の制限は、被相続人との養子縁組に関する規定であり、被相続人の親と養子縁組を行っている場合には、人数制限の対象外となります。

（設問５）配偶者乙の実子で被相続人甲の養子となった子Ｄはみなし実子となります。したがって、養子はＣ１人だけです。

（設問６）法定相続人に係る相続分を判定する場合には、指定相続分は考慮しません。

（設問７）特別養子縁組をした養子Ｂはみなし実子となります。したがって、普通養子縁組である養子Ｃ及び養子Ｄを１人としてカウントします。

（設問８）代襲相続人であり、かつ、被相続人甲の養子となっている孫Ｄ及び孫Ｅは、実子として法定相続人の数を計算します。

解答　問題2　相続税の総額

課税価格の合計額		遺産に係る基礎控除額	課税遺産額	
千円 555,000		千円 30,000＋6,000×３人＝48,000	千円 507,000	
法定相続人	法定相続分	法定相続分に応ずる取得金額	相続税の総額の基となる税額	
		千円	円	
配偶者乙	$\frac{1}{2}$	253,500	87,075,000	
養子Ｂ	$\frac{1}{2}\times\frac{1}{3}$	84,500	18,350,000	
養子Ｃ	$\frac{1}{2}\times\frac{1}{3}+\frac{1}{2}\times\frac{1}{3}$	169,000	50,600,000	
合計　３人	1		相続税の総額	156,025,000円

解説

① 法定相続人の数は、配偶者乙、養子Ｂ及び養子Ｃの３人となります。養子Ｃは代襲相続人であるため、実子とみなされます。

② 上記表において、法定相続人、法定相続分、法定相続人の数は本試験において絶対に正解を出さなければいけない箇所であり、かつ、答案用紙で一番最初に記入すべき箇所となります。

解答記載例　問題2　相続税の総額

課税価格の合計額		遺産に係る基礎控除額	課税遺産額	
千円 555,000		千円 30,000＋6,000×３人＝48,000	千円 507,000	
法定相続人	法定相続分	法定相続分に応ずる取得金額	相続税の総額の基となる税額	
		千円	円	
乙	$\frac{1}{2}$	253,500	87,075,000	
B	$\frac{1}{2}\times\frac{1}{3}=\frac{1}{6}$	84,500	18,350,000	
C	$\frac{1}{2}\times\frac{1}{3}+\frac{1}{2}\times\frac{1}{3}=\frac{1}{3}$	169,000	50,600,000	
合計　３人	1		相続税の総額	156,025,000円

参考

① 遺産に係る基礎控除額欄は、計算過程（30,000＋6,000×人数）も書いてください。

② 法定相続人欄は、乙、Ｂ、Ｃのみの記載で構いません。

③ 法定相続分欄は、分数計算した結果まで書くとベストです。

解答　問題3　算出相続税額の計算

(1) あん分割合

配偶者乙	0.56
長男A	0.23
二男B	0.06
長女C	0.08
妻A′	0.03
孫D	0.02
孫E	0.02
合計	1.00

(2) 算出税額

配偶者乙	12,375,832円
長男A	5,082,931円
二男B	1,325,982円
長女C	1,767,976円
妻A′	662,991円
孫D	441,994円
孫E	441,994円
合計	22,099,700円

解説

① あん分割合

配偶者乙	107,000千円	÷190,000千円＝	0.5631		0.56
長男A	44,000千円		0.2315		0.23
二男B	11,000千円		0.0578	→	0.06
長女C	16,000千円		0.0842		0.08
妻A′	5,000千円		0.0263	→	0.03
孫D	3,000千円		0.0157	→	0.02
孫E	4,000千円		0.0210		0.02
合計	190,000千円		0.97		1.00

② 算出税額

配偶者乙	22,099,700円×	0.56	＝	12,375,832円
長男A		0.23	＝	5,082,931円
二男B		0.06	＝	1,325,982円
長女C		0.08	＝	1,767,976円
妻A′		0.03	＝	662,991円
孫D		0.02	＝	441,994円
孫E		0.02	＝	441,994円
合計		1.00		22,099,700円

解答　問題4　相続税額の加算

税額控除等の計算			(単位：円)
項　　目	対象者	計　算　過　程	金　額
相続税額の加算	孫　B	$2,077,777 \times \frac{20}{100} = 415,555$	415,555
	孫　C	$1,955,555 \times \frac{20}{100} = 391,111$	391,111
	妻　A′	$488,888 \times \frac{20}{100} = 97,777$	97,777

解説

被相続人の孫が被相続人の養子となっている場合において、代襲相続人としての身分があれば、2割加算対象となりませんが、孫Cは養子としての身分のみであるため、一親等の血族から除かれ、2割加算対象者となります。

解答記載例　問題4　相続税額の加算

税額控除等の計算			(単位：円)
項　　目	対象者	計　算　過　程	金　額
相続税額の加算	B	$2,077,777 \times \frac{20}{100} = 415,555$	415,555
	C	$1,955,555 \times \frac{20}{100} = 391,111$	391,111
	A′	$488,888 \times \frac{20}{100} = 97,777$	97,777

参考

相続税額の加算は、対象者を記載することが第一優先です。対象者の判定に配点があります。

なお、解答時間が足りない場合には、項目には「相続税額の２割加算」と記載し、計算過程には「算出税額×20%」とだけ記載しておきましょう。

Chapter 6

税額控除Ⅰ

No	内　容	標準時間	重要度	難易度
問題１	配偶者に対する相続税額の軽減1	4分	A	基本
問題２	未成年者控除1	5分	A	基本
問題３	障害者控除1	5分	A	基本

問題１　配偶者に対する相続税額の軽減１

重要　基本　4分

次の資料により、配偶者の税額軽減額を求めなさい。

1　被相続人甲に係る相続人等は、次の親族図表のとおりである。

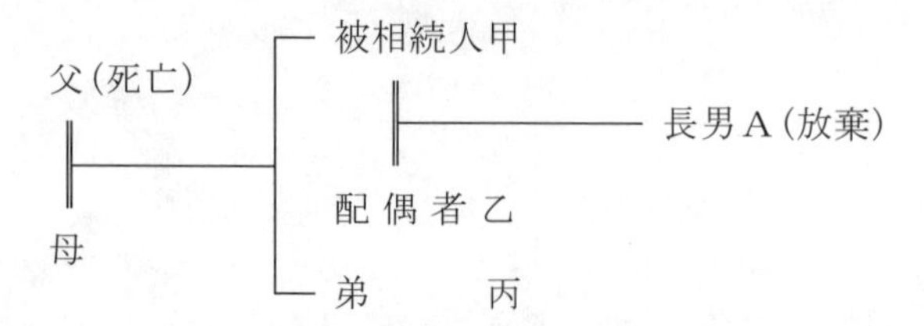

2　被相続人甲より相続又は遺贈により財産を取得した各人の相続税の課税価格は次のとおりである。

(単位：円)

項目＼相続人等	配偶者乙	長男A	母	弟丙	合計
課税価格(千円未満切捨)	245,000,000	84,800,000	35,610,000	84,590,000	450,000,000

3　相続税の総額は、129,600,000円である。

4　配偶者乙の算出税額は70,560,000円である。

答案用紙（問題１・問題２・問題３共通）

税額控除等の計算　(単位：円)

項目	対象者	計算過程	金額

➜ 解答・解説　6－5

問題2　未成年者控除１

重要　基本　5分

次の資料により、各人の未成年者控除額を計算しなさい。

1　被相続人甲は、令和７年２月５日に死亡しており、相続人等は全員同日にその事実を知った。
　被相続人甲及び相続人等は、全員日本国内に住所を有し、日本国籍を有している。

2　被相続人甲に係る相続人等の状況は、以下のとおりである。

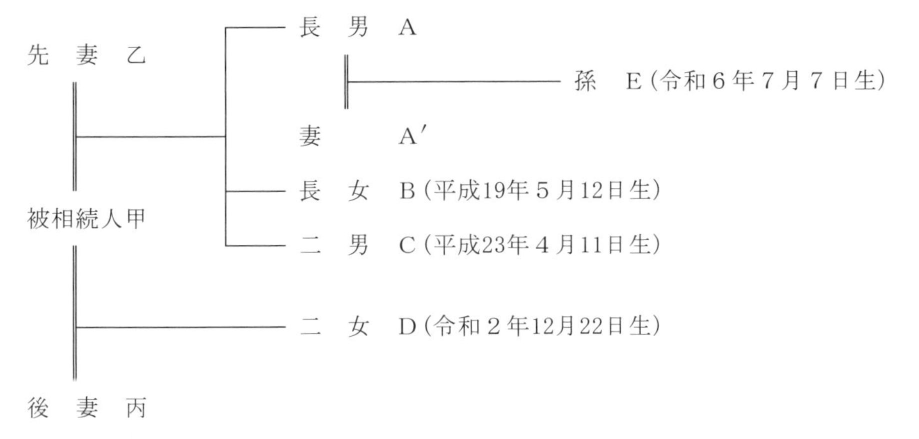

（注）1　生年月日の記載のない者は相続開始時において18歳以上であり、18歳未満の者については算出相続税額が計算されているものとする。

2　二男Cは被相続人甲に係る相続について家庭裁判所に申述し、適法に相続の放棄をしている。

➜ 解答・解説　6－5

問題3　障害者控除１

重要　基本　5分

次の資料により、各人の障害者控除額を計算しなさい。

1　被相続人甲は、令和７年４月30日に死亡しており、相続人等は全員同日にその事実を知った。

2　被相続人甲に係る相続人等の状況は、次のとおりである。

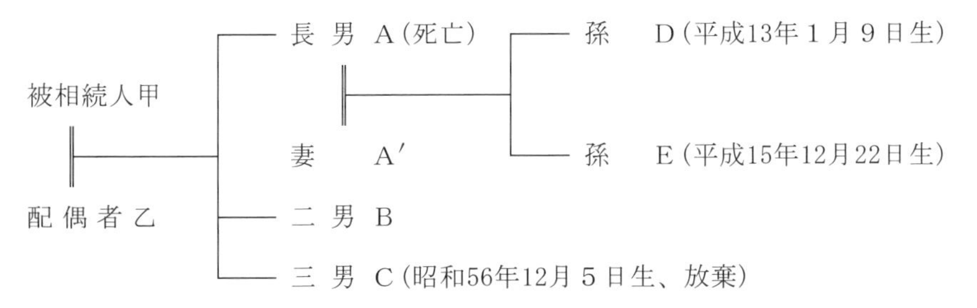

（注）1　三男Cは被相続人甲に係る相続について家庭裁判所に申述し、適法に相続の放棄をしている。

2　孫Dは非居住無制限納税義務者に該当し、その他の相続人等は全員居住無制限納税義務者に該当する。

3　三男C、孫D及び孫Eはそれぞれ身体障害者手帳を交付されており、三男Cは３級、孫Dは４級、孫Eは２級とそれぞれ障害等級が記載されている。

解答　問題1　配偶者に対する相続税額の軽減1

税額控除等の計算　（単位：円）

項目	対象者	計算過程	金額
配偶者の税額軽減	配偶者乙	(1) 算出相続税額 70,560,000 (2) 軽減額 ① 配偶者の法定相続分相当額 $450,000,000 \times \frac{1}{2} = 225,000,000 \geqq 160,000,000$ ∴ 225,000,000 ② 配偶者の課税価格 245,000,000 ③ ①＜② ∴ 225,000,000 ④ $\frac{129,600,000 \times ③}{450,000,000} = 64,800,000$ (3) 控除額 (1)＞(2)④ ∴ 64,800,000	△ 64,800,000

解説

配偶者の税額軽減の算式は、総合計算問題において自身の答案の金額を転記する作業になります。したがって、その転記のパターンをマスターすることが重要です。

解答記載例

税額控除等の計算　（単位：円）

項目	対象者	計算過程	金額
配偶者の税額軽減	乙	(1) 70,560,000 (2)① $450,000,000 \times \frac{1}{2} = 225,000,000 \geqq 160,000,000$ ∴ 225,000,000 ② 245,000,000 ③ ①＜② ∴ 225,000,000 ④ $\frac{129,600,000 \times ③}{450,000,000} = 64,800,000$ (3) (1)＞(2)④ ∴ 64,800,000	△64,800,000

（注）配偶者の税額軽減の算式上、タイトル書きは省略して構いません。網掛け部分をしっかり記載して控除計算の過程をアピールしてください。計算過程に配点が置かれる論点です。

解 答　問題2　未成年者控除 1

税額控除等の計算			(単位：円)
項　　　目	対 象 者	計　算　過　程	金　　額
未成年者控除	長 女 B	100,000×(18歳－17歳)＝100,000	△　100,000
	二 男 C	100,000×(18歳－13歳)＝500,000	△　500,000
	二 女 D	100,000×(18歳－４歳)＝1,400,000	△ 1,400,000
	孫　 E	法定相続人でないため適用なし	

解 説

① 無制限納税義務者に適用される規定ですので、長女Ｂ、二男Ｃ及び二女Ｄは適用を受けられます。

② 法定相続人に適用される規定ですので、二男Ｃは相続の放棄をしていますが適用があります。
　また、孫Ｅは法定相続人でないため、適用はありません。

解 答　問題3　障害者控除 1

税額控除等の計算			(単位：円)
項　　　目	対 象 者	計　算　過　程	金　　額
障 害 者 控 除	三 男 C	100,000×(85歳－43歳)＝4,200,000	△　4,200,000
	孫　 D	非居住無制限納税義務者のため適用なし	
	孫　 E	200,000×(85歳－21歳)＝12,800,000	△ 12,800,000

解 説

① 身体障害者手帳に身体上の障害の程度が１級又は２級と記載されていれば、その者は特別障害者に該当し、３級から６級と記載されていれば、その者は一般障害者に該当します。

② 生年月日が「昭和」である者の相続開始時における年齢は、相続開始年の「令和」を「昭和」年号に換算してからひっ算して求めます。〔相続開始令和７年＋30(平成30年)＋63(昭和63年)⇒昭和100年〕

＜生年月日が昭和の場合＞

三男Ｃ

　R 7.4.30＋93→S 100. 4.30 (100→99)
　　　　　　　　　 56.12. 5
　　　　　　　　　 43歳

Chapter 9

算出贈与税額

No	内　容	標準時間	重要度	難易度
問題１	贈与税額の計算（暦年課税分）	10分	A	基本
問題２	贈与税の配偶者控除	８分	A	基本

➜ 解答・解説　9－4

問題1　贈与税額の計算（暦年課税分）

次の各設問において、各受贈者の令和７年分の納付すべき贈与税額を計算しなさい。

（設問１）　子Ａ(38歳)は令和７年１月に次の贈与を受けている。

⑴　父から現金　4,000千円

⑵　Ｘ株式会社から株式　10,000千円

（設問２）　子Ｂ(17歳)は令和７年２月に次の贈与を受けている。

⑴　父から社債　5,000千円

⑵　祖父から現金　1,500千円（大学の入学金として）

（設問３）　子Ｃ（特別障害者以外の特定障害者、居住無制限納税義務者、25歳）は令和７年３月に次の贈与を受けている。なお、子Ｃは「障害者非課税信託申告書」を提出している。

⑴　父から信託受益権　50,000千円

⑵　祖母から国債　10,000千円

（設問４）　子Ｄ（特別障害者、居住無制限納税義務者、24歳）は令和７年１月に次の贈与を受けている。

⑴　父から信託受益権　50,000千円

子Ｄは令和６年10月にも父から信託受益権20,000千円の贈与を受けており、「障害者非課税信託申告書」を提出している。今回はその追加信託である。

⑵　叔母から有価証券　5,000千円

贈与税の速算表(一般税率)（平成27年１月１日以降適用）

基礎控除後の課税価格	税　率	控　除　額	基礎控除後の課税価格	税　率	控　除　額
2,000千円以下	10%	—	10,000千円以下	40%	1,250千円
3,000千円以下	15	100千円	15,000千円以下	45	1,750千円
4,000千円以下	20	250千円	30,000千円以下	50	2,500千円
6,000千円以下	30	650千円	30,000千円超	55	4,000千円

贈与税の速算表(特例税率)（平成27年１月１日以降適用）

基礎控除後の課税価格	税　率	控　除　額	基礎控除後の課税価格	税　率	控　除　額
2,000千円以下	10%	—	15,000千円以下	40%	1,900千円
4,000千円以下	15	100千円	30,000千円以下	45	2,650千円
6,000千円以下	20	300千円	45,000千円以下	50	4,150千円
10,000千円以下	30	900千円	45,000千円超	55	6,400千円

➜ 解答・解説 9－5

問題2 贈与税の配偶者控除

基本 8分

岐阜県可児市に住所を有する乙(45歳)は、令和７年において以下のとおり財産の贈与を受けている。この場合における乙の令和７年分の納付すべき贈与税額を計算しなさい。

贈与月日	贈与者	贈与財産	贈与時の時価	備考
1月7日	祖母丙	有価証券	3,000,000円	※1
2月14日	配偶者甲	現金	22,000,000円	※2
3月19日	父丁	家庭用財産	6,000,000円	

※１　祖母丙は令和７年４月３日に死亡しており、乙は祖母丙から相続により財産を取得している。

※２　乙はこの現金に自己資金8,000千円を合わせて、居住用家屋25,000千円及び家庭用財産5,000千円を取得している。なお、乙は贈与税の配偶者控除の適用を受けている。

贈与税の速算表(一般税率)(平成27年１月１日以降適用)

基礎控除後の課税価格	税率	控除額	基礎控除後の課税価格	税率	控除額
2,000千円以下	10%	—	10,000千円以下	40%	1,250千円
3,000千円以下	15	100千円	15,000千円以下	45	1,750千円
4,000千円以下	20	250千円	30,000千円以下	50	2,500千円
6,000千円以下	30	650千円	30,000千円超	55	4,000千円

贈与税の速算表(特例税率)(平成27年１月１日以降適用)

基礎控除後の課税価格	税率	控除額	基礎控除後の課税価格	税率	控除額
2,000千円以下	10%	—	15,000千円以下	40%	1,900千円
4,000千円以下	15	100千円	30,000千円以下	45	2,650千円
6,000千円以下	20	300千円	45,000千円以下	50	4,150千円
10,000千円以下	30	900千円	45,000千円超	55	6,400千円

解答　問題1　贈与税額の計算（暦年課税分）

（設問1）　（単位：円）

(4,000,000－1,100,000)×15%－100,000＝335,000

法人からの贈与は非課税

（設問2）

(5,000,000－1,100,000)×20%－250,000＝530,000

扶養義務者相互間における教育費の贈与は非課税

（設問3）

(50,000,000－※30,000,000＋10,000,000－1,100,000)×45%－2,650,000＝10,355,000

※　50,000,000＞30,000,000　∴　30,000,000

（設問4）

①　(50,000,000－※40,000,000＋5,000,000－1,100,000)×40%－1,900,000＝3,660,000

※　50,000,000＞60,000,000－20,000,000＝40,000,000　∴　40,000,000

$$3,660,000\times\frac{10,000,000}{10,000,000+5,000,000}=2,440,000$$

②　(50,000,000－※40,000,000＋5,000,000－1,100,000)×45%－1,750,000＝4,505,000

$$4,505,000\times\frac{5,000,000}{10,000,000+5,000,000}=1,501,666$$

③　①＋②＝3,941,600(百円未満切捨)

解説

（設問1）相続が発生しない法人からの贈与は贈与税が非課税となります。

（設問2）扶養義務者からの教育費・生活費の贈与は非課税となります。また、子Bは贈与年1月1日おいて18歳以上ではないため、一般税率による贈与税の計算となります。

（設問3）特定障害者の信託受益権の非課税に関しては次の2点を押さえておいて下さい。

①　適用対象者：居住無制限納税義務者

②　非課税金額：3,000万円（特別障害者は6,000万円）

追加信託により限度額に達するまで複数回非課税が受けられます。

（設問4）特例贈与財産と一般贈与財産が混在する場合には、あん分計算が必要となります。

解答　問題２　贈与税の配偶者控除

（単位：円）

① 22,000,000＋6,000,000－※20,000,000－1,100,000＝6,900,000

※　22,000,000≧20,000,000　∴　20,000,000

② ①×40%－1,250,000＝1,510,000

$$1,510,000 \times \frac{22,000,000-20,000,000}{22,000,000-20,000,000+6,000,000}=377,500$$

③ ①×30%－900,000＝1,170,000

$$1,170,000 \times \frac{6,000,000}{22,000,000-20,000,000+6,000,000}=877,500$$

④ ②＋③＝1,255,000

解説

① 祖母丙は令和７年に死亡しており、祖母丙から相続により財産を取得しているため、祖母丙からの贈与（有価証券 3,000 千円）は生前贈与加算の適用を受けることから、贈与税は非課税となります。（詳細は Chapter10 で学習します。）

② 配偶者から贈与された金銭と自己資金を合わせて居住用不動産を取得した場合には、先に配偶者から贈与された金銭をその居住用不動産の取得に充当したものとして控除額の計算を行います。

したがって、贈与資金 22,000 千円と自己資金 3,000 千円を居住用家屋 25,000 千円の取得に充てたとして計算します。

③ 贈与資金 22,000 千円から贈与税の配偶者控除額 20,000 千円を控除した残額 2,000 千円は一般贈与財産に該当し、父丁から贈与により取得した家庭用財産 6,000 千円は特例贈与財産に該当します。

Chapter 10

生前贈与加算

No	内　容	標準時間	重要度	難易度
問題１	生前贈与加算	５分	A	基本
問題２	贈与税額控除（暦年課税分）	10分	A	基本

→ 解答・解説 10−5

問題1 生前贈与加算

重要 基本 5分

以下の資料により、各人の相続税の課税価格を計算しなさい。

1 被相続人甲は、令和7年6月15日に死亡しており、相続人等は全員同日にその事実を知った。
なお、長女Aは被相続人甲の死亡に係る相続について、適法に相続の放棄を行っている。

2 相続人等は、被相続人甲からその生前において以下の表のとおり財産の贈与を受けている。
なお、友人C以外は被相続人甲から相続又は遺贈により財産を取得している。

贈与年月	受贈者	受贈財産	贈与時の時価	相続開始時の時価
令和4年5月	配偶者乙	有価証券	2,500,000円	2,200,000円
令和4年10月	妹B	絵画	2,300,000円	2,800,000円
令和4年12月	友人C	外貨預金	1,200,000円	1,250,000円
令和5年5月	長女A	土地	25,000,000円	24,200,000円
令和6年4月	母丙	現金	5,000,000円	5,000,000円
令和7年1月	配偶者乙	家屋	4,000,000円	3,900,000円

答案用紙

1 相続税の課税価格に加算される贈与財産価額の計算 (単位：千円)

贈与年分	受贈者	計算過程	金額

2 各人の課税価格の計算 (単位：千円)

項目 ＼ 相続人等	配偶者乙	長女A	妹B	母丙	計
純資産価額	120,500	30,000	22,700	25,000	
生前贈与加算					
課税価格(千円未満切捨)					

→ 解答・解説　10－6

問題2　贈与税額控除（暦年課税分）

重要　基本　10分

以下の資料により、各人の生前贈与加算額及び贈与税額控除額を求めなさい。

下記に掲げる者の贈与があった年の１月１日における年齢は18歳以上であるものとする。

1　令和７年５月２日に死亡した被相続人甲から各相続人等は相続又は遺贈により財産を取得している。

2　各相続人等が被相続人甲からその生前に贈与により取得した財産(すべて国内に所在するものとする。)は以下のとおりである。なお、贈与税の申告及び納付が必要なものは適正に行っている。

贈与年月	受贈者	贈与財産	贈与時の時価	相続開始時の時価	(注)
令和４年５月１日	長女Ａ	土地	13,000,000円	15,000,000円	
令和４年11月10日	長女Ａ	絵画	2,000,000円	2,200,000円	
令和５年10月15日	配偶者乙	現金	16,000,000円	16,000,000円	1
令和６年５月14日	長女Ａ	土地	15,000,000円	16,500,000円	
令和６年12月22日	二女Ｂ	国債	5,000,000円	5,080,000円	2
令和７年３月８日	配偶者乙	家財	2,600,000円	2,500,000円	

(注) 1　配偶者乙は現金全額を居住用家屋の購入資金に充て、贈与税の配偶者控除の適用を受けている。

2　二女Ｂは、このほか令和６年中に配偶者乙から現金1,100千円の贈与を受けている。

贈与税の速算表(一般税率)（平成27年１月１日以降適用）

基礎控除後の課税価格	税率	控除額	基礎控除後の課税価格	税率	控除額
2,000千円以下	10%	—	10,000千円以下	40%	1,250千円
3,000千円以下	15	100千円	15,000千円以下	45	1,750千円
4,000千円以下	20	250千円	30,000千円以下	50	2,500千円
6,000千円以下	30	650千円	30,000千円超	55	4,000千円

贈与税の速算表(特例税率)（平成27年１月１日以降適用）

基礎控除後の課税価格	税率	控除額	基礎控除後の課税価格	税率	控除額
2,000千円以下	10%	—	15,000千円以下	40%	1,900千円
4,000千円以下	15	100千円	30,000千円以下	45	2,650千円
6,000千円以下	20	300千円	45,000千円以下	50	4,150千円
10,000千円以下	30	900千円	45,000千円超	55	6,400千円

答案用紙

（単位：円）

対象者	計算過程	生前贈与加算額	贈与税額控除額
配偶者乙			
長女A			
二女B			

解答　問題1　生前贈与加算

1　相続税の課税価格に加算される贈与財産価額の計算　(単位：千円)

贈与年分	受贈者	計算過程	金額
令和４年	配偶者乙	相続開始前３年超の贈与財産は加算なし	
令和４年	妹　B		2,300
令和４年	友人　C	相続又は遺贈により財産を取得していないため加算なし	
令和５年	長女　A		25,000
令和６年	母　丙		5,000
令和７年	配偶者乙		4,000

2　各人の課税価格の計算　(単位：千円)

項目＼相続人等	配偶者乙	長女　A	妹　B	母　丙	計
純資産価額	120,500	30,000	22,700	25,000	
生前贈与加算	4,000	25,000	2,300	5,000	
課税価格(千円未満切捨)	124,500	55,000	25,000	30,000	234,500

解説

①　生前贈与加算は相続開始前７年以内ですが、相続開始日が令和７年６月15日のため、相続開始時の３年前の応当日以降の被相続人からの贈与が対象となります。したがって、令和４年５月の贈与は生前贈与加算の対象となりません。

②　生前贈与加算すべき財産の価額は贈与時の時価です。相続開始時の時価は使わない資料となるため、見間違えないよう×等のマークを付けましょう。

解答　問題2　贈与税額控除（暦年課税分）

（単位：円）

対象者	計算過程	生前贈与加算額	贈与税額控除額
配偶者乙	⑴　生前贈与加算額 ①　令和５年分　16,000,000－※16,000,000＝0 ※　16,000,000＜20,000,000　∴　16,000,000 ②　令和７年分　2,600,000 ③　①＋②＝2,600,000 ⑵　贈与税額控除額 相続開始年分の贈与は非課税	2,600,000	0
長女Ａ	⑴　生前贈与加算額 ①　令和４年分　2,000,000 ※　相続開始前３年超の贈与財産は加算なし ②　令和６年分　15,000,000 ③　①＋②＝17,000,000 ⑵　贈与税額控除額 ①　令和４年分 (13,000,000＋2,000,000－1,100,000)×40% －1,900,000＝3,660,000 $3,660,000\times\frac{2,000,000}{13,000,000+2,000,000}=488,000$ ②　令和６年分 (15,000,000－1,100,000)×40%－1,900,000 ＝3,660,000 ③　①＋②＝4,148,000	17,000,000	△ 4,148,000
二女Ｂ	⑴　生前贈与加算額 5,000,000 ⑵　贈与税額控除額 (5,000,000＋1,100,000－1,100,000)×20% －300,000＝700,000 $700,000\times\frac{5,000,000}{5,000,000+1,100,000}=573,770$	5,000,000	△ 573,770

解説

贈与税額の計算は、受贈者ごとに１暦年中の課税贈与財産の合計額を基に行います。したがって、生前贈与加算されない贈与財産も含めて贈与税額を計算した後、贈与税額控除において二重課税部分を按分計算することに注意してください。

総合計算問題

No	内容	標準時間	重要度	難易度
問題1	総合計算問題	70分	A	基本

→ 答案用紙　総合計算－6／解答　総合計算－12

問題1　総合計算問題　重要　基本　70分

下記の〈資料〉に基づいて、被相続人甲に係る各相続人及び受遺者の納付すべき相続税額を、計算過程を示して求めなさい。なお、算出相続税額を求める場合のあん分割合の調整は、小数点以下2位未満の端数の大きいものから順次繰り上げて、その合計が1.00となるように調整すること。

〈資　料〉

1　被相続人甲は、令和7年3月28日自宅で死亡し、相続人等は全員同日その事実を知った。

2　被相続人甲の相続人等の状況は、次の図に示すとおりである。

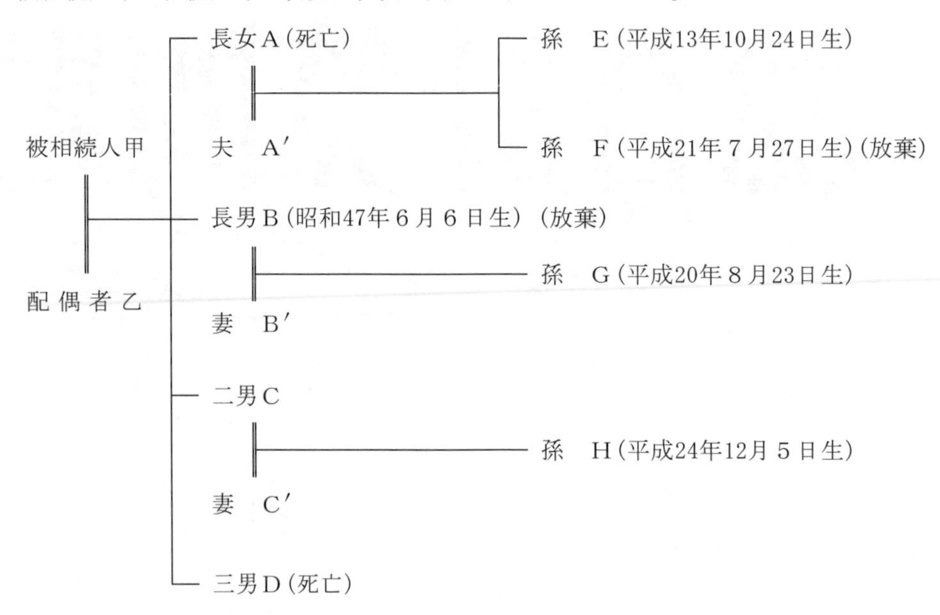

(注) 1　上記に掲げる者全員が、相続開始の時において日本国籍を有し、かつ、日本国内に住所を有している。なお、生年月日の記載のない者は相続開始時において18歳以上である。

2　長女A及び三男Dは既に死亡しているが、それぞれの相続については、相続税の課税関係は生じていない。

3　被相続人甲に係る相続について長男B及び孫Fは家庭裁判所に申述し、適法に相続の放棄をしている。

4　長男Bは平成30年10月より特別障害者に、孫Eは出生時より一般障害者に該当している。

3　被相続人甲の遺言により、次に掲げる者がそれぞれの財産を取得した。

(1)　配偶者乙

①　宅地a　　140,000千円（このうち5,000千円は墓地である。）

②　家屋b　　65,000千円

(2)　長男B

①　宅地c　　52,500千円

②　家屋d　　12,000千円

(3)　二男C

①　宅地e　　30,000千円

②　家屋f　　7,500千円

(4)　孫　E

上場株式　　20,000千円

(5)　孫　G

①　預　金　　12,000千円

②　現　金　　2,000千円

4　上記3を除く被相続人甲の遺産は、総額200,000千円(すべて流動資産であり、下記5以降に被相続人甲の遺産に該当するものがあればそれは含まれていない。)であり、令和7年8月20日に各相続人間の協議に基づいて分割が行われ、各相続人は民法第900条〔法定相続分〕及び第901条〔代襲相続分〕の規定による相続分に応じて取得した。

5　被相続人甲の相続開始時において次のような生命保険契約があった。

被保険者	契約者	受取人	保険金額	払込保険料	保険料負担者
被相続人甲	被相続人甲	配偶者乙	45,000千円	10,000千円	被相続人甲全額
被相続人甲	二男C	二男C	50,000千円	12,000千円	被相続人甲 $\frac{1}{2}$ 二男C $\frac{1}{2}$
被相続人甲	被相続人甲	孫F	30,000千円	8,000千円	被相続人甲全額
被相続人甲	被相続人甲	孫E	50,000千円	9,000千円	被相続人甲 $\frac{3}{5}$ 孫E $\frac{2}{5}$

6　X社から被相続人甲に対する退職功労金50,000千円が支給された。この退職功労金は、被相続人甲が令和7年2月にX社を退職した際に支給されること及び支給額も確定していたが、実際の支給が遅れて同年5月になったものである。なお、X社からの退職功労金のすべてを配偶者乙が取得することについて、相続人間の協議の上決定した。

上記のほか、被相続人甲の死亡退職に伴い、Y社から退職手当金40,000千円及び弔慰金5,000千円が配偶者乙に支給されている。被相続人甲の死亡直前の月額給与は500千円であった。なお、被相続人甲の死亡は、業務上によるものではない。

7　被相続人甲の死亡時における債務は次のとおりであり、それぞれに掲げる者が負担した。

銀行借入金	25,000千円	配偶者乙
未納公租公課	2,000千円	二男C
墓地購入未払金	1,000千円	配偶者乙

8　被相続人甲の葬儀等に要した費用は7,000千円であり、すべて配偶者乙が負担した。このほか、法会に要した費用500千円を支出しているが、これは長男Bが負担している。また、香典収入3,500千円は配偶者乙が取得した。

9　各相続人等は、生前、被相続人甲から次の贈与を受けており、令和5年分までの贈与については、適正に申告及び納付の手続きがされている。

贈与年月	受贈者	贈与財産	贈与時の価額	相続開始時の価額	(注)
令和4年2月	二男C	現金	4,000千円	4,000千円	—
令和4年11月	二男C	上場株式	6,000千円	5,000千円	—
令和5年5月	配偶者乙	居住用家屋	25,000千円	25,000千円	1
令和6年8月	長男B	国債	5,000千円	5,000千円	2
令和7年2月	二男C	土地	10,000千円	10,000千円	—

(注) 1　配偶者乙は、居住用家屋について贈与税の配偶者控除の適用を受けている。

2　長男Bは、同年において配偶者乙からも上場株式3,000千円の贈与を受けている。

(参考)　相続税の速算表（平成27年１月１日以降適用）

各法定相続人の取得金額	税率	控除額	各法定相続人の取得金額	税率	控除額
10,000千円以下	10%	—	200,000千円以下	40%	17,000千円
30,000千円以下	15	500千円	300,000千円以下	45	27,000千円
50,000千円以下	20	2,000千円	600,000千円以下	50	42,000千円
100,000千円以下	30	7,000千円	600,000千円超	55	72,000千円

(参考)　贈与税の速算表(一般税率)（平成27年１月１日以降適用）

基礎控除後の課税価格	税率	控除額	基礎控除後の課税価格	税率	控除額
2,000千円以下	10%	—	10,000千円以下	40%	1,250千円
3,000千円以下	15	100千円	15,000千円以下	45	1,750千円
4,000千円以下	20	250千円	30,000千円以下	50	2,500千円
6,000千円以下	30	650千円	30,000千円超	55	4,000千円

(参考)　贈与税の速算表(特例税率)（平成27年１月１日以降適用）

基礎控除後の課税価格	税率	控除額	基礎控除後の課税価格	税率	控除額
2,000千円以下	10%	—	15,000千円以下	40%	1,900千円
4,000千円以下	15	100千円	30,000千円以下	45	2,650千円
6,000千円以下	20	300千円	45,000千円以下	50	4,150千円
10,000千円以下	30	900千円	45,000千円超	55	6,400千円

答案用紙	総合計算問題

I　相続人及び受遺者の相続税の課税価格の計算

1.　遺贈財産価額の計算　（単位：円）

財産の種類	取得者	課税価格に算入される金額	計算過程
宅地 a	配偶者乙		
家屋 b	配偶者乙		
宅地 c	長男 B		
家屋 d	長男 B		
宅地 e	二男 C		
家屋 f	二男 C		
上場株式	孫 E		
預金	孫 G		
現金	孫 G		

2.　分割財産価額の計算　（単位：円）

取得者	計算過程	課税価格に算入される金額

3.　相続又は遺贈によるみなし取得財産価額の計算　（単位：円）

財産の種類	取得者	課税価格に算入される金額	計算過程
生命保険金等			

3.　相続又は遺贈によるみなし取得財産価額の計算（続き）　（単位：円）

財産の種類	取得者	課税価格に算入される金額	計算過程
生命保険金等の続き			
退職手当金等			

4.　債務控除額の計算　（単位：円）

債務及び葬式費用	負担者	金額	計算過程
債務			
葬式費用			

5.　相続税の課税価格に加算する贈与財産価額の計算　（単位：円）

贈与年分	受贈者	加算される贈与財産価額	計算過程

6.　各相続人等の相続税の課税価格の計算　（単位：円）

区分＼相続人等		配偶者乙					
遺贈財産							
分割財産							
みなし財産	生命保険金等						
	退職手当金等						
債務控除	債務						
	葬式費用						
生前贈与加算							
課税価格（1,000円未満切捨）							

Ⅱ　納付すべき相続税額の計算

⑴　相続税の総額の計算

課税価格の合計額		遺産に係る基礎控除額	課税遺産額
千円		千円	千円
法定相続人	法定相続分	法定相続分に応ずる取得金額	相続税の総額の基となる税額
		千円	円
合計　　人	1		(100円未満切捨)

⑵各相続人等の納付すべき相続税額の計算　　(単位：円)

区分＼相続人等	配偶者乙					
あん分割合						
算出税額						
相続税額の2割加算金額						
贈与税額控除額						
配偶者の税額軽減額						
未成年者控除額						
障害者控除額						
納付税額(100円未満切捨)						

⑶　相続税額の２割加算及び控除金額の計算　　（単位：円）

加算及び控除の項目	対象者	金額	計算過程
相続税額の加算			
贈与税額控除			
配偶者の税額軽減			
未成年者控除			
障害者控除			

解 答	総合計算問題

I　相続人及び受遺者の相続税の課税価格の計算

1.　遺贈財産価額の計算　（単位：円）

財産の種類	取得者	課税価格に算入される金額	計算過程
宅地 a	配偶者乙	135,000,000	140,000,000－※5,000,000＝135,000,000 ※　墓地は相続税の非課税
家屋 b	配偶者乙	65,000,000	
宅地 c	長男 B	52,500,000	
家屋 d	長男 B	12,000,000	
宅地 e	二男 C	30,000,000	
家屋 f	二男 C	7,500,000	
上場株式	孫 E	20,000,000	
預金	孫 G	12,000,000	
現金	孫 G	2,000,000	

2.　分割財産価額の計算　（単位：円）

取得者	計算過程	課税価格に算入される金額
配偶者乙	200,000,000× $\frac{1}{2}$ ＋※50,000,000＝150,000,000	150,000,000
二男 C	200,000,000× $\frac{1}{2}\times\frac{1}{2}$ ＝ 50,000,000	50,000,000
孫 E	200,000,000× $\frac{1}{2}\times\frac{1}{2}$ ＝ 50,000,000	50,000,000
	※　退職功労金	

3.　相続又は遺贈によるみなし取得財産価額の計算　（単位：円）

財産の種類	取得者	課税価格に算入される金額	計算過程
生命保険金等	配偶者乙	33,750,000	45,000,000－※11,250,000＝33,750,000
	二男 C	18,750,000	50,000,000× $\frac{1}{2}$ ＝25,000,000 25,000,000－※6,250,000＝18,750,000
	孫 F	30,000,000	
	孫 E	22,500,000	50,000,000× $\frac{3}{5}$ ＝30,000,000 30,000,000－※7,500,000＝22,500,000

3.　相続又は遺贈によるみなし取得財産価額の計算（続き）			（単位：円）
財産の種類	取　得　者	課税価格に算入される金額	計　　算　　過　　程
生命保険金等の続き			※　生命保険金等の非課税金額 (1)　5,000,000×５人＝25,000,000 (2)　45,000,000＋25,000,000＋30,000,000 ＝100,000,000 (3)　(1)＜(2)　∴　25,000,000 乙：$25,000,000 \times \frac{45,000,000}{100,000,000} = 11,250,000$ C：$25,000,000 \times \frac{25,000,000}{100,000,000} = 6,250,000$ E：$25,000,000 \times \frac{30,000,000}{100,000,000} = 7,500,000$ Fは相続人でないため適用なし
退職手当金等	配偶者乙	17,000,000	40,000,000＋5,000,000－（※１）3,000,000 ＝42,000,000 （※１）　弔慰金の判定 5,000,000 ＞ 500,000×６月＝3,000,000 ∴　3,000,000 42,000,000－（※２）25,000,000＝17,000,000 （※２）　退職手当金等の非課税金額 5,000,000×５人＝25,000,000 ＜ 42,000,000 ∴　25,000,000

4.　債務控除額の計算			（単位：円）
債務及び葬式費用	負　担　者	金　　額	計　　算　　過　　程
債　　務	配偶者乙	△25,000,000	墓地購入未払金は控除できない
	二　男　C	△　2,000,000	
葬　式　費　用	配偶者乙	△　7,000,000	香典収入は贈与税の非課税
	長　男　B	―	法会に要した費用は控除できない

5. 相続税の課税価格に加算する贈与財産価額の計算 （単位：円）

贈与年分	受贈者	加算される贈与財産価額	計算過程
令和４年分	二男Ｃ	6,000,000	相続開始前３年超の贈与財産は加算なし
令和５年分	配偶者乙	5,000,000	25,000,000－※20,000,000＝5,000,000 ※ 25,000,000 ≧ 20,000,000 ∴ 20,000,000
令和６年分	長男Ｂ	5,000,000	
令和７年分	二男Ｃ	10,000,000	

6. 各相続人等の相続税の課税価格の計算 （単位：円）

区分＼相続人等		配偶者乙	二男Ｃ	孫Ｅ	長男Ｂ	孫Ｆ	孫Ｇ
遺贈財産		200,000,000	37,500,000	20,000,000	64,500,000		14,000,000
分割財産		150,000,000	50,000,000	50,000,000			
みなし財産	生命保険金等	33,750,000	18,750,000	22,500,000		30,000,000	
	退職手当金等	17,000,000					
債務控除	債務	△25,000,000	△2,000,000				
	葬式費用	△7,000,000					
生前贈与加算		5,000,000	16,000,000		5,000,000		
課税価格（1,000円未満切捨）		373,750,000	120,250,000	92,500,000	69,500,000	30,000,000	14,000,000

Ⅱ　納付すべき相続税額の計算

⑴　相続税の総額の計算

課税価格の合計額		遺産に係る基礎控除額	課税遺産額
千円 700,000		千円 30,000＋6,000×５人＝60,000	千円 640,000
法定相続人	法定相続分	法定相続分に応ずる取得金額	相続税の総額の基となる税額
		千円	円
配偶者乙	$\frac{1}{2}$	320,000	118,000,000
長男　B	$\frac{1}{2}\times\frac{1}{3}$	106,666	25,666,400
二男　C	$\frac{1}{2}\times\frac{1}{3}$	106,666	25,666,400
孫　E	$\frac{1}{2}\times\frac{1}{3}\times\frac{1}{2}$	53,333	8,999,900
孫　F	$\frac{1}{2}\times\frac{1}{3}\times\frac{1}{2}$	53,333	8,999,900
合計　５人	1		（100円未満切捨） 187,332,600

⑵各相続人等の納付すべき相続税額の計算　（単位：円）

区分＼相続人等	配偶者乙	二男　C	孫　E	長男　B	孫　F	孫　G
あん分割合	0.54	0.17	0.13	0.10	0.04	0.02
算出税額	101,159,604	31,846,542	24,353,238	18,733,260	7,493,304	3,746,652
相続税額の2割加算金額					1,498,660	749,330
贈与税額控除額	△　530,000	△1,062,000		△　731,250		
配偶者の税額軽減額	△93,666,300					
未成年者控除額					△　300,000	
障害者控除額			△6,200,000	△6,600,000		
納付税額（100円未満切捨）	6,963,300	30,784,500	18,153,200	11,402,000	8,691,900	4,495,900

⑶　相続税額の２割加算及び控除金額の計算　（単位：円）

加算及び控除の項目	対象者	金額	計算過程
相続税額の加算	孫　F	1,498,660	$7,493,304\times\frac{20}{100}$＝1,498,660
	孫　G	749,330	$3,746,652\times\frac{20}{100}$＝749,330
贈与税額控除	二男　C	△1,062,000	⑴　令和４年分 （4,000,000＋6,000,000－1,100,000）×30% －900,000＝1,770,000 $1,770,000\times\frac{6,000,000}{4,000,000+6,000,000}$＝1,062,000 ⑵　令和７年分 相続開始年分の贈与は非課税 ⑶　⑴＋⑵＝1,062,000
	配偶者乙	△　530,000	（25,000,000－20,000,000－1,100,000）×20% －250,000＝530,000
	長男　B	△　731,250	（5,000,000＋3,000,000－1,100,000）×30% －900,000＝1,170,000 $1,170,000\times\frac{5,000,000}{5,000,000+3,000,000}$＝731,250
配偶者の税額軽減	配偶者乙	△93,666,300	⑴　101,159,604－530,000＝100,629,604 ⑵①　$700,000,000\times\frac{1}{2}$＝350,000,000 ≧ 160,000,000 ∴　350,000,000 ②　373,750,000 ③　①＜②　∴　350,000,000 ④　$\frac{187,332,600\times③}{700,000,000}$＝93,666,300 ⑶　⑴＞⑵④　∴　93,666,300
未成年者控除	孫　F	△　300,000	100,000×（18歳－15歳）＝300,000
	孫　G	──	法定相続人でないため適用なし
障害者控除	長男　B	△6,600,000	200,000×（85歳－52歳）＝6,600,000
	孫　E	△6,200,000	100,000×（85歳－23歳）＝6,200,000

【各規定の適用対象者等のまとめ】

	各規定		適用対象者	課税価格
課税価格の計算	生命保険金等の非課税		相続人	500万円×法定相続人の数
	退職手当金等の非課税			
	債務控除	債務	相続人・包括受遺者	負担額
		葬式費用	相続人・包括受遺者 相続放棄者	

	各規定		適用対象者	税額
納付税額の計算	相続税の総額		法定相続人	法定相続分
	相続税額の2割加算		配偶者以外の者 一親等の血族以外の者	算出税額×$\frac{20}{100}$
	配偶者の税額軽減		法定相続人	配偶者の法定相続分
	未成年者控除		法定相続人	10万円×（18歳－年齢）
	障害者控除	一般	法定相続人	10万円×（85歳－年齢）
		特別		20万円×（85歳－年齢）

Ch 1 Ch 2 Ch 3 Ch 4 Ch 5 Ch 6 Ch 7 Ch 8 Ch 9 Ch 10 総合計算問題

【参考資料】

相続税の速算表（平成27年１月１日以降適用）

各法定相続人の取得金額	税率	控除額	各法定相続人の取得金額	税率	控除額
10,000千円以下	10%	—	200,000千円以下	40%	17,000千円
30,000千円以下	15	500千円	300,000千円以下	45	27,000千円
50,000千円以下	20	2,000千円	600,000千円以下	50	42,000千円
100,000千円以下	30	7,000千円	600,000千円超	55	72,000千円

贈与税の速算表（一般税率）（平成27年１月１日以降適用）

基礎控除後の課税価格	税率	控除額	基礎控除後の課税価格	税率	控除額
2,000千円以下	10%	—	10,000千円以下	40%	1,250千円
3,000千円以下	15	100千円	15,000千円以下	45	1,750千円
4,000千円以下	20	250千円	30,000千円以下	50	2,500千円
6,000千円以下	30	650千円	30,000千円超	55	4,000千円

贈与税の速算表（特例税率）（平成27年１月１日以降適用）

基礎控除後の課税価格	税率	控除額	基礎控除後の課税価格	税率	控除額
2,000千円以下	10%	—	15,000千円以下	40%	1,900千円
4,000千円以下	15	100千円	30,000千円以下	45	2,650千円
6,000千円以下	20	300千円	45,000千円以下	50	4,150千円
10,000千円以下	30	900千円	45,000千円超	55	6,400千円

なお、本書は令和６年４月１日現在施行されている法令等に基づき作成しております。

2025年度版

税理士試験教科書・問題集・理論集 ラインナップ

簿記論・財務諸表論の教材

税理士試験教科書　簿記論・財務諸表論Ⅰ　基礎導入編【2025 年度版】	3,630 円（税込）	好評発売中
税理士試験問題集　簿記論・財務諸表論Ⅰ　基礎導入編【2025 年度版】	3,300 円（税込）	好評発売中
税理士試験教科書　簿記論・財務諸表論Ⅱ　基礎完成編【2025 年度版】	2024 年 9 月発売予定	
税理士試験問題集　簿記論・財務諸表論Ⅱ　基礎完成編【2025 年度版】	2024 年 9 月発売予定	
税理士試験教科書　簿記論・財務諸表論Ⅲ　応用編【2025 年度版】	2024 年 11 月発売予定	
税理士試験問題集　簿記論・財務諸表論Ⅲ　応用編【2025 年度版】	2024 年 11 月発売予定	
税理士試験教科書　財務諸表論　理論編【2025 年度版】	2024 年 12 月発売予定	

法人税法の教材

税理士試験教科書・問題集　法人税法Ⅰ　基礎導入編【2025 年度版】	3,300 円（税込）	好評発売中
税理士試験教科書　法人税法Ⅱ　基礎完成編【2025 年度版】	2024 年 9 月発売予定	
税理士試験問題集　法人税法Ⅱ　基礎完成編【2025 年度版】	2024 年 9 月発売予定	
税理士試験教科書　法人税法Ⅲ　応用編【2025 年度版】	2024 年 12 月発売予定	
税理士試験問題集　法人税法Ⅲ　応用編【2025 年度版】	2024 年 12 月発売予定	
税理士試験理論集　法人税法【2025 年度版】	2024 年 9 月発売予定	

相続税法の教材

税理士試験教科書・問題集　相続税法Ⅰ　基礎導入編【2025 年度版】	3,300 円（税込）	好評発売中
税理士試験教科書　相続税法Ⅱ　基礎完成編【2025 年度版】	2024 年 9 月発売予定	
税理士試験問題集　相続税法Ⅱ　基礎完成編【2025 年度版】	2024 年 9 月発売予定	
税理士試験教科書　相続税法Ⅲ　応用編【2025 年度版】	2024 年 12 月発売予定	
税理士試験問題集　相続税法Ⅲ　応用編【2025 年度版】	2024 年 12 月発売予定	
税理士試験理論集　相続税法【2025 年度版】	2024 年 9 月発売予定	

消費税法の教材

税理士試験教科書・問題集　消費税法Ⅰ　基礎導入編【2025 年度版】	3,300 円（税込）	好評発売中
税理士試験教科書　消費税法Ⅱ　基礎完成編【2025 年度版】	2024 年 9 月発売予定	
税理士試験問題集　消費税法Ⅱ　基礎完成編【2025 年度版】	2024 年 9 月発売予定	
税理士試験教科書　消費税法Ⅲ　応用編【2025 年度版】	2024 年 12 月発売予定	
税理士試験問題集　消費税法Ⅲ　応用編【2025 年度版】	2024 年 12 月発売予定	
税理士試験理論集　消費税法【2025 年度版】	2024 年 9 月発売予定	

国税徴収法の教材

税理士試験教科書　国税徴収法【2025 年度版】	4,620 円（税込）	好評発売中
税理士試験理論集　国税徴収法【2025 年度版】	2024 年 9 月発売予定	

※　書名・価格・発行年月は変更する場合もございますので、予めご了承ください。（2024 年 8 月現在）

本書の発行後に公表された法令等及び試験制度の改正情報、並びに判明した誤りに関する訂正情報については、弊社WEBサイト内の『**読者の方へ**』にてご案内しておりますので、ご確認下さい。

https://www.net-school.co.jp/

なお、万が一、誤りではないかと思われる箇所のうち、弊社WEBサイトにて掲載がないものにつきましては、**書名（ＩＳＢＮコード）と誤りと思われる内容**のほか、お客様の**お名前**及び**郵送の場合はご返送先の郵便番号とご住所**を明記の上、弊社まで**郵送またはe - mail**にてお問い合わせ下さい。

<郵送先>　〒101－0054
東京都千代田区神田錦町3－23メットライフ神田錦町ビル３階
ネットスクール株式会社　正誤問い合わせ係
<e - mail>　seisaku@net-school.co.jp

※正誤に関するもの以外のご質問、本書に関係のないご質問にはお答えできません。
※**お電話によるお問い合わせはお受けできません。**ご了承下さい。

税理士試験　教科書・問題集
相続税法Ⅰ　基礎導入編　【2025年度版】

2024年８月８日　初版　第１刷

著　　　　者　ネットスクール株式会社
発　行　者　桑原知之
発　行　所　ネットスクール株式会社　出版本部
〒101－0054　東京都千代田区神田錦町3－23
電　話　03（6823）6458（営業）
ＦＡＸ　03（3294）9595
https://www.net-school.co.jp
執筆総指揮　山本和史
表紙デザイン　株式会社オセロ
編　　　集　吉川史織　加藤由季
ＤＴＰ制作　中嶋典子　石川祐子　吉永絢子
有限会社ドアーズ本舎　長谷川正晴
印刷・製本　日経印刷株式会社

 Printed in Japan　ISBN 978-4-7810-3835-3